# THE LETTERS
OF
# OSBERT OF CLARE

# THE LETTERS
OF
# OSBERT OF CLARE

PRIOR OF WESTMINSTER

EDITED BY

E. W. WILLIAMSON

OXFORD UNIVERSITY PRESS

*Oxford University Press, Great Clarendon Street, Oxford* OX2 6DP
*Oxford New York*
*Athens Auckland Bangkok Bogota Buenos Aires Calcutta*
*Cape Town Chennai Dar es Salaam Delhi Florence Hong Kong Istanbul*
*Karachi Kuala Lumpur Madrid Melbourne Mexico City Mumbai*
*Nairobi Paris São Paolo Singapore Taipei Tokyo Toronto Warsaw*
*and associated companies in*
*Berlin Ibadan*

*Oxford is a registered trade mark of Oxford University Press*

*Published in the United States by*
*Oxford University Press Inc., New York*


*Special edition for Sandpiper Books Ltd., 1998*



*British Library Cataloguing in Publication Data*
*Data available*

*ISBN 0-19-820618-6*

1 3 5 7 9 10 8 6 4 2

*Printed in Great Britain*
*on acid-free paper by*
*Bookcraft (Bath) Ltd.,*
*Midsomer Norton*

# PREFACE

THIS edition of Osbert's Letters was undertaken in the first instance as a contribution to the history of Westminster Abbey by one who had been a scholar on Queen Elizabeth's foundation. By the kindness of the Delegates of the Clarendon Press it now makes its appearance rather as an illustration of the religion and learning of England in the second quarter of the twelfth century. Had the editor foreseen that he was embarking upon an enterprise of scholarship rather than of antiquarian interest he might have been less ready to commit himself to the perilous seas of medieval study, now so much frequented by specially trained mariners.

In these days an apology may be required for the normalized spelling and punctuation: perhaps it may be submitted, apart from what is said in the Introduction, that in the case of Osbert's Letters what seemed most needed was a complete and fairly accurate text in which the historian and the humanist might find what they wanted with the least distraction.

The work would never have been attempted but for the Dean of Wells, Dr. J. Armitage Robinson. Twenty years ago, when he was at Westminster, he laid down the lines for future students of Osbert's life and work in his article in *The Church Quarterly Review* (July 1909), entitled 'Westminster in the Twelfth Century: Osbert of Clare'. This is, by permission, here reprinted, with some few changes, as an introductory sketch of Osbert's career. To the present editor he entrusted a transcript of the Cotton manuscript which had been made for him by Mr. J. A. Herbert, of the British Museum; and from this in the first instance the text was formed. The Dean has watched over the work at every stage, and by suggestions and references helped in the gathering of a few notes intended to make the volume more illustrative of Osbert's time and of his culture.

To Mr. Herbert the editor is also grateful for assistance on several bibliographical points. For other help he would desire to thank Miss Hope Emily Allen, Professor Marc Bloch, and Dom André Wilmart. And he thankfully acknowledges the kindness and vigilance of the Clarendon Press.

E. W. W.

LLANDAFF, *April*, 1929.

# CONTENTS

INTRODUCTION:

(1) A Sketch of Osbert's Career: by J. Armitage Robinson, D.D. . . . . . . . 1

(2) Osbert's Works . . . . . . . . 21

(3) MSS. of the Letters . . . . . . . 33

(4) Table of the Letters . . . . . . . 38

OSBERTI DE CLARA EPISTOLAE . . . . . . . 39

NOTES . . . . . . . . . . 183

INDEX . . . . . . . . . . 229

# INTRODUCTION

## A SKETCH OF OSBERT'S CAREER[1]

THE Norman had come and conquered, and he plainly meant to stay. The massive churches rising everywhere proved that, as surely as the castles. Westminster, indeed, had been in front of the time. Its new church was a prophecy—built by the Normanized king, and after the fashion of Jumièges, which had given its abbot Robert to be bishop of London, chief adviser of Edward, and presently archbishop. When the Conqueror arrived, the choir of Westminster was ready for his coronation; and the English abbot, winning his favour on that occasion, held his own when others were displaced. The first Norman abbot, who succeeded Edwin in 1071, 'walked not in the ways of his fathers,' and was soon sent back to his old abbey of Jumièges. The next, Vitalis, was a good man from Bernay, a cell of the reformed Fécamp. Then from the abbey of Bec came a favourite pupil of Lanfranc and Anselm, Gilbert Crispin, a high-born Norman, learned and devout, the biographer of Bec's founder, Abbot Herluin. In December 1117, after ruling for thirty-two years, Gilbert was laid in the south walk of the cloister of his building; and there in the new cloister of the fourteenth century his time-worn effigy can still be seen. King Henry was abroad, and the abbey remained vacant. Next year the good Queen Maud, as the chroniclers constantly call her, was buried near King Edward's grave before the high altar. But still the king had not returned. When at last he crossed in November 1120, the White Ship sank with all his hopes. In January 1121 Herbert the almoner was appointed abbot, the first monk of the house to be chosen for more than seventy years.[2]

Of Herbert we know little. The monastic historian Flete tells us that he was a Norman. Perhaps he followed Gilbert from

[1] By the Dean of Wells; see Preface.

[2] Flete, *History of Westminster Abbey*, ed. Robinson, 1909, pp. 82–7, 140–2; Widmore, *An History of Westminster Abbey*, 1751, pp. 9–22.

Bec, for one of Gilbert's earliest charters is attested by Herbert the monk.[1] If so, he was past middle age when he became abbot. The prior, a younger man, had been passed over. This was Osbert, a native of Clare in Suffolk, who is by far the most conspicuous representative of Westminster for the next thirty or forty years, notwithstanding his enforced retirement from his monastic home during most of that period. Of Osbert's history a few facts are to be gleaned from the Westminster muniments, but the main story must be gathered from his extant letters.

We first catch sight of Osbert in the early years of Abbot Herbert's rule. We have a letter of his written to Hugh, the prior of St. Pancras at Lewes, before he was transferred in 1123 to King Henry's new monastery at Reading.[2] Osbert, who writes from Ely, is already in trouble, and speaks of himself as 'proscriptus'. After discoursing largely on friendship, he recalls a visit which in company with two of his brethren, Gregory and Godefrid, he had paid to Hugh in days gone by. He describes the warmth of his reception and the eternal friendship which at once sprang up between them. Then, after an elaborate exposition of a passage of Zechariah, he turns to speak of his present situation and uses language which ought to help us to understand his career. Unfortunately, like much else of his writing, it is capable of more than one interpretation.

Towards the close of this letter, which, as he says, has run to an inordinate length, he returns to his starting-point, the subject of friendship:

'Scriptum namque est: *Si habes amicum, in temptatione posside illum.* In temptatione itaque mea ad te recurro, quem fidelem et pium invenire non diffido. Quod si mea olim coram rege praevaluisset electio, in tribulationibus meis ad te mea fuisset conversio. Sed quia rex me blanditiis et precibus delinivit ut aliquamdiu ecclesiae nostrae cederem et Eliensem ecclesiam ad quam missus sum visitarem, adquievi voluntati eius et satisfeci imperio. Nunc ibi positus multotiens per gratiam dei sentio amicos quos aliquamdiu familiares pertuli inimicos: qui me amplius infestaverant, modo revocarent si possent.'

[1] Robinson, *Gilbert Crispin, Abbot of Westminster*, pp. 31, 38.
[2] Ep. 1 in this edition.

Now this might perhaps mean that when he was sent away from Westminster his preference would have brought him to Lewes as a retreat from his enemies:

> 'If my choice had at that time prevailed with the king, then in my troubles it is to you that I should have turned: but the king with smooth entreaties urged me to leave our church for a while and visit Ely, to which I was sent: I acquiesced and have found old enemies turning to friends and desirous if they could to have me back.'

It is, however, hard to see why the king should trouble himself about a Westminster monk; unless, indeed, there was a strong party who were anxious to make him abbot, and perhaps had even gone so far as to get him elected.

Let us look at the passage in this light. Let us suppose that the monks claimed to exercise their canonical right of free election. St. Albans had done so in 1119, and had gained the king's consent to the election of Geoffrey, a learned monk of that abbey.[1] With this example before them, and with Osbert as their leader, who strongly insisted on ecclesiastical rights, the monks of Westminster were not very likely to remain three years without attempting to elect some one in the hope of obtaining the royal approval. Osbert's learning, ability, and zeal might make him seem a not unworthy successor to Abbot Gilbert. But there may have been a party which preferred Herbert, especially if he had come with Gilbert from Bec. The king waits for his return to England, and then chooses Herbert. 'If my election', says Osbert, 'had prevailed with the king'— so far all is plain, and the words receive their most natural meaning. But a difficulty arises in what follows: 'in my troubles I should have turned to you.' What would his troubles have been if his hope had been fulfilled? Possibly he knew that his seat would not be an easy one. It is certain that he was an eager ecclesiastical politician, belonging to the rising school which carried on the Anselm tradition; and he had enemies within the monastery and outside who represented him to the king as a dangerous man. We cannot then exclude the possibility of a frustrated election, even if we cannot find sufficient

[1] Walsingham, *Gesta Abb.*, R. S. i, p. 73.

grounds to confirm the supposition. We must leave the matter in uncertainty, satisfied to have learnt this much at least, that in those early years Osbert was of sufficient importance to have called for the king's interference with his plans.

A letter written to Abbot Herbert[1] throws some light on the immediate cause of Osbert's banishment. We must suppose that internal troubles in the monastery had called for the king's interference, for clearly Osbert was too strong for Herbert. This letter is written in self-justification and as a plea for restoration. But it is throughout the letter of an equal, though the writer protests a readiness for any obedience consistent with his self-respect. He begins by suggesting that the abbot has made sufficient use of the pointed end of his pastoral staff, and should now rescue his lost sheep with the crook. He has had wine enough in his wounds, and is ready for a little oil:

'If I have done anything, whether unwise or wise, that has displeased you, it was not of envy or malice, but of simplicity; and the simplicity which provoked you to anger daily washes my face with floods of tears. Not that my conscience accuses me of having purposely sought your harm, but because I dread a father's curse, however incurred. My race is not sprung of the race of Ham, who mocked to behold his father's nakedness. Let Joshua come and convict me of Achan's sacrilege, or Phineas of Midianitish adultery. Do you, the avenger of crimes, draw Solomon's true sword, and delay not to restore the son to his own mother.'

After further Scriptural allusions he goes on to plead for a dispassionate judgement.

'This, my father, you have not given me. The bad advice of certain persons whose envy makes them mad against me has prevented you from doing justice. All reconciliation has been refused me, the sentence of Catholic truth has been denied me. I do not put this to your account, reverend father; it is due to the instigation of others. Charges utterly false have been trumped up against me.'

Then Gregory and pseudo-Augustine are quoted, and a new plea from Scripture is adduced. Then he proceeds:

'It seems to have been determined of me, as of the blind man in

[1] Ep. 2 below.

the Gospel: because he wished truly to confess Christ, therefore he was put out of the synagogue. And because I wished that the senate of the church should be unimpaired and ecclesiastical laws be in all things enforced, I was condemned as a criminal of the deepest dye, stamped as a base traitor, and rendered infamous by you throughout the world. But that treachery could be proved by no argument, save that in face of the dilapidation of the church, the starving of the servants, the ruin of the monastic buildings, roofs out of repair, meals of the seniors cut down, the resources of the treasury diminished, walls and battlements broken and ruined, all that the brethren needed indiscreetly wasted by alien hands without your knowledge—in face of all this I could not hold my peace; and this I disclosed at your bidding to those who made inquiry; and you yourself are evidence enough, since what I in mere words simply related is now plain to be seen in works of reparation in each case. Thanks be to God and to you, you have already repaired and are still repairing, restoring and making anew old breaches and new gates in the walls: and would that the moral kept pace with the mural repairs.'

After this somewhat unruly eloquence, he reminds the abbot that we are all mortal, and that he will ere long have to render account for Osbert's loss to the flock, which has come from no straying on his part, but from violent ejection. Then he pleads the Good Shepherd's love, and promises that he will ever both openly and in secret be faithful to his abbot:

'I am still ready with obedience and humility to honour you as a father, support you as a mother, to show you friendship pure and true, and without loss of my own self-respect to receive your paternal discipline . . . You may have me as a second self, in trouble and in prosperity an eager helper and a faithful friend.'

This letter gives us a tantalizing glimpse of the contemporary state of the abbey. It is strange to be told that Edward's church was in a ruinous state after fifty years; but we must allow for a little exaggeration in the reformer's report. When he speaks of the privileges of the whole body and of ecclesiastical rights, he may be touching on the freedom of election, for which he would doubtless have stood; or he may refer, partly at least, to matters of internal economy. He plainly accuses the abbot of negligence, and others of waste and worse. It looks as if the king had been invoked, and a formal inquiry held; and in the issue the abbot had undertaken to set his house in order, if Osbert could be provided for elsewhere. Osbert, therefore, was sent on some mission to Ely, and the king may have half-promised to do something for him.

The language of Ep. 3 has so many points of contact with that of Ep. 2 that it seems likely that they were written about the same time. Osbert writes to a certain Henry, a presbyter, a relation of his, who had been a close friend, but whom he now accuses of having in return for many favours basely contrived his expulsion, proscription, and exile. Banished from one church he has come to another. Instead of expulsion, he has found a thousand embraces, welcomes, and solaces from friends. Exile has been turned into home. This accords with the early days of his reception at Ely.

He then goes on to allude to Ahithophel and David, to Doeg and Ahimelech. His crime has been the defending of the sacred place and the faithful guarding of the brethren. To have wished that the rights of the church should be unimpaired; to have succoured the needs of the household of the faith; to have shown hospitality to Christ's brethren; to have fed the people of the Lord with the shewbread in a daily meal—this is his shame and disgrace.

No wonder, he continues, that he has been betrayed by the followers of Judas, who betrayed the Master whose disciple he professes himself to be. His passion began in his Lord's passion, at the same sacred season, in the very same days.

After this he has much to say on friendship true and false. Then he applies to Henry a passage from one of St. Jerome's letters, modifying and adapting its language at the close. Where St. Jerome says that for three years he had borne with his detractors, Osbert says: 'For more than two years I passed my life with them in the cares of office. Yet in such a manner was I set over them, that I hesitated not to be under them, after the fashion of Him who came not to be ministered unto.' Earlier in the letter he has spoken of himself as having been 'prior ecclesiae'; so that it is important to fix the period to which this letter belongs.

'A great throng', he continues, 'of monks and clerks, often of virgins and widows, and sometimes of women of the world, often too of citizens, came around me; to whom partly in the church and partly in the chapter-house I oftentimes expounded as I could the law of God, and ministered with Ahimelech the shewbread to the house of David. The pleasure of the word spoken had produced constant attendance, constant attendance familiar acquaintance, and familiar acquaintance confidence. Let them say what they ever found in me which befitted not a Christian. If the whole charge be brought up for which I am stamped with infamy, it is, as I have said above, that I wished the senate of the church to remain unimpaired.'

After this he quotes Boethius, and presently he returns to his topic and says: 'God knows that I never wished for office, save for the common good of God's people; and when serious and cruel discords began to grow up, with a firm mind I migrated to another place.' There he has found great joy and happiness; though indeed he is ready to die for and in Christ, for whom he has ever determined uprightly to live.

He warns Henry that death spares not the royal or the wealthy, or the fat and well-favoured. He bids him therefore repent. At the outset of his letter he had said that he wrote with great unwillingness, being at peace and loth to recall the thought of his enemies; but he was urged to write, however briefly, by some who had come from the place where Henry was. At its close he says: 'I am told that you wish to see and speak with me. If you make any advance at all towards me, I will meet you wherever you may summon me to come.'

Another letter (Ep. 4) may be assigned to this earliest period of Osbert's banishment. It is written to a brother monk at Westminster, who has come to a better mind and regrets the treatment which Osbert has received. The letter opens with a greeting from which the names of sender and of recipient are designedly omitted, and there is an evident desire for secrecy: the recipient's name, however, is played on at the end.

He begins by extolling the blessings of a good conscience, and encourages his penitent friend to persevere on the better path. Then he enters on an elaborate comparison of his sufferings with those of Joseph, who was sold by his envious brethren:

'Though it was not through my merits, but by your common choice (electione), that the care of your souls was in due accordance with rule (regulariter) assigned to me, yet without rule, order or right, proscribed, sold, expelled, banished from home and from the senate of brothers and monks, you thought to send me into Egypt. But by God's grace the Egyptians are already paying me tribute. For God hath increased me with Joseph in a strange land.[1] Excellent, I say, is that loss, which has already gotten me many gains. For you are dwelling in the land of Canaan, where you have famine of this life and the next, and are in constant turmoil from internal strifes. Canaan means emulation, or, as some say, commotion. I exhort and admonish you that you come out of bitter emulation and emulous commotion, and hasten on the right way where conscience calls. Come out, I say, of the emulation that has conceived iniquity against me. For he whom you sold into Egypt is already ministering corn with Joseph; ministering it not under Pharaoh's rule, but under Christ the Lord. His part is to deal out to many the word of God by speech and writing, and with the senators of the land to receive praise and favour in the gates. Return, brothers, return (if indeed ye be brothers) to a right mind; for ye have transgressed as against me the commandment of the Lord. For I am your flesh and your brother. Not for myself do I write thus, but for those who have sinned against me. For their pardon I pray daily on bended knee. I implore God's mercy that He impute not to them the offence which they have committed against me. For if I have endured aught of affliction, it has been at the demand of my sins.

'Now therefore, beloved brother, to whom especially I commit this warning, thanks should have been multiplied and brought back to you by my brother, unless I had thought to multiply them more usefully at a more secret place and time. Follow then God's inspiration and the truth of your own heart; for whether you do what you have said or whether you refrain, I shall always love you. In this my exile, in the spiritual martyrdom of my conflict, I will say with my Christ and will pray with my Lord, Father, forgive them, for they know not what they do. For Thou searchest the reins and the heart. Thou art my witness, Thou knowest my conscience, that I desire naught in respect of them save that they turn and repent, that through Thee they may be reconciled for Thy sake, and

[1] He has already explained that Joseph signifies 'augmentum'.

that they and I together may be able to reconcile ourselves to Thee.

'Farewell, brother; yea, may all my friends and brothers fare well; and may they understand what revenge I ask from God on those who have ministered to my ruin. Let not the interpretation of your name pass from your memory; for if you have been *strong-handed* to evil (which God forbid), in irony and by antiphrasis you shall be accounted by another word, *desirable*.'

So the letter closes with a word-puzzle, of which the interpretation is to be sought in Jerome's Index of Hebrew names—'David: fortis manu sive desiderabilis.' It is evident that Osbert is comfortably placed and enjoying the free exercise of his spiritual gifts, a prophet acceptable away from home. This points to the early days at Ely. In after years his letters are full of complaints about his poverty and isolation.

We may take it that the three letters here numbered 2, 3, and 4, may all be dated before 1123. We learn from them that Osbert had been for more than two years in the office of prior, having been appointed probably during the vacancy; that he had displayed extraordinary zeal and activity, and had won considerable popularity as a preacher and spiritual guide; so that he might well have cherished hopes of the abbot's place. Indeed, he may have been, if not formally elected, yet informally chosen by his brethren and commended to the king. Be this as it may, Herbert, who was doubtless his senior by many years, was appointed on the king's return. Osbert, with his zeal for reform, proved too much for him. He was sent away to Ely, the king supporting those who demanded his removal.[1]

We may follow Osbert to Ely, if only to recall the name of another monk of Westminster whom he may possibly have known. Ely had no abbot for the last seven years of the Red

[1] The ambiguity of Osbert's language, in the passage of his letter to Hugh quoted above, leaves room for a somewhat different interpretation of events, which may be tentatively suggested. If the word 'visitarem' be taken, as it perhaps should be, in a strict and formal sense, it would appear that Osbert was sent officially by the king ('ad quam missus sum') to visit the church of Ely on his behalf. His violent ejection may in that case have come later, after he had returned from his mission and had begun to urge reforms at home. He may then have returned to Ely, where he had evidently made friends.

King's reign. Richard FitzGilbert was appointed at once by the new king Henry ; but he had a troublous time until a visit to Rome had secured him in his seat. He finished the new church, so far as to be able to translate the body of St. Etheldreda in 1106. At the same time three other saints were translated, and one of these, St. Withburga, was discovered to have remained untouched by time. A brother from Westminster was present, who doubtless had seen the uncovering of the incorrupt body of Edward a few years before, when none but the venerable Bishop Gundulf had ventured to remove the face-cloth.[1]

'A certain senior of the apostolic fold of Westminster, Warner by name,[2] one of the many who had come on this occasion, with a marvellous boldness of faith drew near and touched the virgin limbs, lifted the flexible joints of feet and hands and arms, and proclaiming the wonderful works of God drew many to the sight.' [3]

The scene still lived in many memories when Osbert came to Ely ; but much of a more serious nature had happened since. In 1108 the abbey had been made into a bishop's see, and when its properties were divided the prior and his monks bitterly complained that their portion was far too small for their full number of seventy-two. We must hope, however, that St. Etheldreda helped to rectify their lot, for her new shrine was the scene of many wonderful cures. Osbert was a hearty believer in her powers ; and years after he writes the monks of Ely a letter (Ep. 33), in which after his manner he styles himself 'consenator capitolii eorum', and tells them a story of St. Etheldreda's appearance in a humble wooden church which bore her name, at Hissington, a little village far away on the confines of Montgomeryshire and Shropshire.

Osbert's gratitude for his kindly reception at Ely finds expression in a letter long afterwards on the Armour of Chastity (Ep. 42), written to Adelidis, abbess of Barking. This lady

[1] Osbert tells the story of the opening of St. Edward's tomb in 1102 (Vita S. Edwardi, ch. xxx, ed. Bloch, *Anal. Boll.*, tom. xli, p. 121 seq.).

[2] Boston of Bury speaks of Warner, a monk of Westminster (fl. 1092), as a writer, but he cannot name his works. Cf. Robinson, *Gilbert Crispin*, p. 31.

[3] *Liber Eliensis*, ed. Stewart, p. 296.

(Adeliza, Adelicia, or Alice) was the sister of Pain FitzJohn, one of King Henry's 'new men', and she became abbess under King Stephen. Osbert sings the praises of St. Etheldreda, 'who gave hospitality to me, a pilgrim and a stranger'. Once more he is in hope of a return to his home; he has humbly asked of the saint a licence of departure; by her merits he will escape the perils of the sea and find favour with the prince in a foreign land.

It will be convenient to deal at once with the question of Osbert's first return to Westminster. Ep. 9 is addressed to Athalwold (or Adelulf), the first bishop of Carlisle. Osbert congratulates him on his new dignity, speaks of himself as 'proscriptus', and urges him to take up his cause, 'which is the cause of many'. Now Adelulf was consecrated at York on 6 August 1133. The king left England just about this time, and seems to have been at Rouen for the most part until shortly before his death on 1 December 1135. Adelulf had been the king's confessor, and probably followed him to Rouen without much delay. We find him attesting charters there. We shall find Osbert back again at Westminster as prior early in 1134. We may therefore assume that Adelulf championed his cause.

Not all this time of exile was spent at Ely. Letters 5 and 6, which perhaps fall early within this period, are addressed to Anselm, abbot of Bury, and from them we may gather that Osbert, who speaks of the abbot as his protector and refuge, has at least for a time been received in St. Edmund's monastery. Here again the kindness of his reception was repaid by the composition of a work on the Miracles of St. Edmund.

We have now to speak of an incident in Osbert's career which lies midway between his ejection and his return. A letter[1] to Abbot Anselm is fixed by two references to the period between 22 January 1128 and the last days of 1129. Gilbert the Universal is bishop of London, and the earlier date is that of his consecration; and Hugh is still abbot of Reading, and his promotion to the archbishopric of Rouen occurred at the end of 1129. The subject of the letter is the Festival of the

[1] Ep. 7. See note, p. 201.

Conception of the Blessed Virgin. Mr. Edmund Bishop pointed out that this festival was observed in the English Church before the Conquest, and that the observance had become obsolete and the very fact of it forgotten, at any rate in prominent ecclesiastical circles, at the time of which we are speaking. Osbert regards Abbot Anselm as the introducer of what is to him a happy novelty, and naturally supposes that Anselm must have brought it from Rome; indeed he is dismayed when its opponents condemn it on the ground that Rome knows nothing of it.

'When the festival of that day was being celebrated by us in the Church of God, some followers of Satan denounced the thing as ridiculous and unheard of. In their envy and spite they got hold of two bishops who happened to be in the neighbourhood, Roger and Bernard, and roused their indignation at this new-fangled celebration. These bishops declared that it had been prohibited in a council and must be put an end to as an untenable tradition. We, however, persisted in the services of the day which we had begun, and completed the glorious festival with triumphant delight. Then my rivals and those who bite like dogs in envy at the good things of other people, who are always trying to get their own follies approved, and bring into disrepute the words and deeds of the religious, . . . shooting at me the arrows of a pestilent tongue, declared that a festival could not be maintained whose origination lacked the authority of the Roman Church.'

Osbert goes on to record his own defence of the festival, and urges Anselm to take counsel with such sound and learned theologians as Gilbert and Hugh, the latter of whom actually observes the feast at Reading at the king's own request. He also specially appeals to Anselm himself to say from his intimate knowledge of Roman customs whether any favourable argument can be drawn from that quarter.

The thick darkness which has hitherto shrouded Osbert's personal history has concealed a curious difficulty which attaches to the incident above related. It was natural to assume that the celebration of the festival took place in the abbey church of Westminster, where Osbert was the prior. Bishop Roger of Salisbury, one of the most powerful men in the state, and Bishop Bernard of St. Davids, a busy prelate who had been chaplain to

Queen Maud, might easily happen to be together in London. But now that we know that Osbert was 'proscriptus' before 1123 and was 'proscriptus' still in 1133, the matter is not so straightforward. We may observe that Osbert does not actually name Westminster, but says 'in ecclesia Dei'. It may be possible to find out where the two bishops happened to be on 8 December 1127 (or possibly 1128), and so fresh light may reach us.

With our present information we can but say that the whole tenor of the letter points to Westminster as the scene of this interesting liturgical innovation; and to account for Osbert's presence, we must suppose either a return (of which we have no hint elsewhere) followed by a fresh 'proscription'; or perhaps with more probability a visit paid to Westminster for the express purpose of assisting at this function.

The story of this revival of the Festival of the Conception brings us into touch with larger problems, and affords us a glimpse of the ecclesiastical politics of the day. It is to be remembered that Lanfranc had purged the calendar of his cathedral church at Canterbury almost with the severity of a sixteenth-century reformer. Anselm in a famous instance had stayed his hand, and when he became archbishop several festivals came back. But this was not of the number, though a confusion with his nephew and namesake has long credited Anselm with its revival. Lanfranc and Anselm stand for two policies in English Church life. The struggle over the investitures was bound to come, but it was inconceivable for Lanfranc's time or Lanfranc's temperament. The saintly churchmanship of Anselm wrought for the independence of the Church in England; but it was an independence which involved a more immediate dependence on Rome. The Hildebrandine reform had its vigorous adherents in the years that followed; but the king knew what was at stake, and found ways of checking the more ardent churchmen. However strict the new legislation against marriage might be, the clergy knew that the king might be counted on to let them keep their wives. The Council of London in 1129, which legitimized this festival of the Conception, is chiefly famous for its stern decrees against clerical matrimony; but that question was once more only settled on paper.

Abbot Anselm of Bury, to whom Osbert writes the letter from which we have quoted, was a conspicuous figure on what might be called the 'high church' side of that day. Osbert regards him as the chief promoter of the Festival of the Conception, and implores him to press for its secure recognition. Bishops Roger and Bernard represent the broader school, the supporters of the royal policy in general. Mr. Edmund Bishop hints that the opposition to the Westminster function came from St. Paul's. He reminds us that the dean was the nephew of the bishop who had just died, Richard de Belmeis; and that the same dean quashed Anselm's election to the bishopric a few years later, by withholding his assent when the great majority voted for him. It is significant that Osbert speaks of the opposition of those who are always envious of the good things of 'religious' men.[1]

Osbert's further exertions in connexion with the Festival of the Conception belong to a somewhat later period, but it will be best to deal with them here. He wrote a discourse intended to stir the minds of the faithful on occasions of its celebration (printed by Thurston and Slater in 1904), and sent it with a dedicatory letter to Warin, the dean of Worcester (Ep. 13). It is to be noted that, whereas Osbert himself believed in the Immaculate Conception of the B. Virgin, he does not introduce this doctrine into his discourse; and in his letter to Warin he says that he dares not utter all he knows, lest he should be casting pearls before swine, and drawing on himself the malice of his enemies who accuse him of departure from the orthodox faith.

Osbert was encouraged to send this discourse to Worcester by the favourable reception which had been given to a series of lections and hymns which he had composed for the Festival of St. Anne. This unusual festival had been introduced into the church of Worcester, where it was kept with special solemnity, the bishop providing a pittance on the day itself, and the dean on the octave. A careful text of Osbert's liturgical efforts has lately been published by Dom André

[1] On the whole of this controversy see the important essay by the late Edmund Bishop, first published in 1886, and reprinted in his *Liturgica Historica*, 1918, pp. 238–59.

Wilmart.[1] The letter in which Osbert dedicates these pieces to Simon, bishop of Worcester, has a special interest and helps to fix their date. Simon and his dean, or prior—for the priors of Worcester were also called deans—had come to the funeral of the abbot of Pershore, and Osbert had met them there. The bishop in full pontificals had embraced Osbert just before proceeding to the altar, and had solemnly required of him this service in honour of the mother of the Blessed Virgin.

Wido, the deceased abbot, had been one of nine whom the rigour of Anselm had deposed at the council held at Westminster in 1102; but like several of his fellow-sufferers he had found his way back, and he was present at Simon's enthronement in 1125. He died in 1136 or 1137. Osbert at this time was back again as prior of Westminster; but how did he come to be at Pershore?

The answer is to be found in the history of the preceding century. Two of the three hundreds of Pershore had been given to Westminster by Edward the Confessor, into whose hands they seem to have opportunely come through the death without heirs of Earl Odda, whose ancestors had robbed Pershore abbey, and who himself desired that the property should return to the church of Pershore, where he was to be buried. Westminster, however, gained what Pershore abbey lost, and a little church of St. Andrew, provided for the Westminster tenants of Pershore, still stands to-day close to the abbey church there, much as St. Margaret's stands in St. Peter's cemetery at Westminster. Pershore never could forget its injury, and worse was yet to come. For when the abbey fell before the greed of King Henry VIII, the parishioners of St. Andrew bought the great church from the spoiler for 300*l.*, pulled down the nave, which was too large to be kept in repair, and settled themselves into the beautiful Early English choir—with the result that the patronage of Pershore abbey church belongs at this day to the dean and chapter of Westminster.

Osbert's presence at Pershore then needs no further explanation, and his kindly relations with the Pershore monks are also

[1] *Annales de Bretagne*, tom. xxxvii (Rennes, 1926), pp. 1–33.

attested by the fact that he wrote a Life of St. Edburga, to whom their church was dedicated.

We must now come back to Westminster, where we find Osbert settled down again as prior in the spring of 1134. To this period belongs the foundation of the canonesses of Kilburn, an undertaking which was probably due to Osbert's zeal. Two of his own nieces, Cecilia and Margaret, appear to have entered the religious life in the abbey of Barking, and we have letters from Osbert to each of them. We have already mentioned his correspondence with the abbess of Barking, to whom he sent a treatise on the virtues of saintly virgins. Among his female correspondents we also find Ida, the niece of Henry's second queen, Adeliza, and a certain Matilda of Darenth, a nun at Malling.[1]

The foundation charter of Kilburn begins by notifying that Abbot Herbert and Prior Osbert of Clare, with all the venerable convent, with the assent of the bishop of London, Gilbert (the Universal), have given to Emma, Gunilda, and Christina the hermitage of Kuneburna, which Godwin built, with all the land of that place. Godwin the hermit concedes it for the souls of the whole convent. The place is to be always in the custody of Westminster. Two grants are made by Abbot Herbert and the convent; one for the repose of all souls of Westminster and Fécamp, the other that which had been granted to Ailmar for his life, that God would guard the brethren from pestilence and murder. Godwin the hermit is to be warden of the place and of the women till his death; then they are to elect a senior monk with the abbot's advice; but this chaplain must not concern himself with their possessions and affairs unasked. They are to hold their lands as freely as St. Peter holds his. They are also granted thirty out of sixty shillings given by Sweyn, the father of Robert of Essex; and Ailmar, the priest, gives land in Southwark worth two shillings a year.

There is a supplementary charter by which Abbot Herbert grants for the soul of King Edward, founder of the church of Westminster, and for the souls of all its brothers and benefactors, to the handmaidens of God in the church of St. John Baptist of

[1] Epp. 21, 22, 40, 41, 42.

Keneburna, lands belonging to the manor of Knightsbridge and in the district called Gara (the hundred of Gore).

We learn from a confirmatory charter of Abbot Gervase that they were put in possession of these lands by Osbert of Clare. The occurrence of his name twice in these documents proves that he had no small share in this pious foundation, the primary object of which was to invoke the divine blessing on the mother house of Westminster. Flete tells us that the first three canonesses had been ladies of the bedchamber to the good Queen Maud. But as she had died in 1118, and there is no mention of prayers for her soul, we need more evidence before we can accept the statement.[1]

In two of his great projects, the revival of the Feast of the Conception and the foundation of the Kilburn sisters, Osbert, in spite of his troubles, had achieved permanent success. In a third he was destined to fail; though he may have lived to see it accomplished by other hands, and the credit of it really belongs to him. This third project was the canonization of St. Edward.

King Stephen was crowned at Christmastide 1135. It was an ill-omened day. The archbishop who crowned him died within a year, and no abbot was present at the coronation. It is possible that Herbert absented himself on political grounds; but it is also possible that he was incapable through age, or even that he was dead. There is some reason to think that the abbey stood vacant for a while. If Osbert cherished hopes, they were destined to disappointment. King Stephen appointed his natural son, Gervase of Blois, who was ordained in December 1138,[2] and who was a thoroughly bad abbot, as we shall see.

About this time Osbert's pen was busy on his Life of King Edward. This work had been known only in a summarized form until it was found in a Passional which was purchased for the British Museum in 1902, and by a curious coincidence on

[1] Flete, pp. 87, 88. The charters are in B.M. Faustina A iii, ff. 325 b–8; Westm. *Lib. Niger*, f. 125; Monast. iii, 426–7. See further, Miss H. E. Allen's paper On the Origin of the *Ancren Riwle*, printed in the *Publications of the Modern Languages Association of America*, vol. xxxiii (1918), in which an attempt is made to connect the *Riwle* with the three Kilburn ladies.

[2] John of Worcester, ed. Weaver, *Anecdota Oxoniensia*, 1908, p. 53.

13 October, St. Edward's Day.[1] This book he dedicated to the papal legate, Alberic, on his arrival in England in the summer of 1138. He also wrote to Henry, bishop of Winchester, the king's brother, in the beginning of the next year, urging him to use his great influence in this worthy cause. Henry's letter to the Pope on Osbert's behalf was written after he had become legate, and therefore after 1 March, 1139. King Stephen also sent a letter to the Pope in which Osbert (who had probably drafted the letter) is spoken of as having been prior for five years. As the see of London had been vacant since the death of Gilbert the Universal, probably in 1134, Osbert obtained another letter from the Chapter of St. Paul's.[2]

Thus fortified Osbert started for Rome, carrying his Life of St. Edward with him. But the moment was most unpropitious. On 24 June 1139, the king suddenly arrested Roger of Sarum and Alexander of Lincoln at Oxford, and the news must quickly have reached Rome. So, too, must the further news of the landing of the Empress Matilda on 30 September. Pope Innocent II, who had hitherto supported Stephen, would not now be likely to do any favour for his son, the abbot of Westminster. Moreover Osbert's account of his abbot must have been a sad one, for the Pope wrote Gervase a letter in which he rebukes him for wasting the abbey properties and keeping armed retainers in the abbey, and strictly prohibits the removal or sale of the regalia.[3] This surprising prohibition was probably not unconnected with the arrival of the Empress Matilda. Three other letters were written from the Lateran the same day (9 December, 1139). One was to the legate, Henry of Winchester, bidding him see to the recovery of possessions which the abbey had lost (Ep. 20). Another to David, king of Scotland, urging him to complete the arrangements for the anniversary of his sister, the good Queen Maud, who was buried in the abbey. The third, and most important, commended the virtues of Osbert the prior, but postponed the canonization of St. Edward on the ground of insufficient testimonies of bishops and abbots; 'for since so great

[1] B.M. Addl. MS. 36737, fol. 139 sqq., edited by Professor Marc Bloch in *Analecta Bollandiana*, tom. xli, 1923; see below, pp. 22–3.

[2] Epp. 14–18.

[3] Flete, pp. 49, 90.

a festival ought to be for the honour and profit of the whole realm, it must needs also be demanded by the whole realm' (Ep. 19).

This was a melancholy termination of Osbert's mission. Instead of glory, shame covered him, and we can hardly wonder that his abbot should owe him no thanks. We soon find him banished once more; sent to take charge of some small church or community which we cannot locate, miserably poor, and suffering from the tyranny of the 'castles', so notorious in this unhappy reign, and writing constant begging letters to his friends of former days. He still plied his pen, and we may assign to this period his Passion of King Ethelbert the Martyr, whose body was at Hereford, but whose head was at Westminster; and his Miracles of St. Edmund, which appears to have been called for by Abbot Anselm, may have been written or re-written at this time. But he was a broken man, and suffered from bodily infirmities.[1]

Abbot Gervase seems to have been deposed by the Pope in 1146. But he still held on till he was ejected by King Henry II in the third or fourth year of his reign. Then Osbert suddenly reappears, apparently in the vacancy, attesting a charter of the convent after Elias the prior.[2]

The new abbot, Laurence, who came in about the year 1158, was a man of character and learning. After conference with the king in Normandy, he sent a fresh mission to Rome. Flete[3] says that Osbert was a member of it, but he has inserted his name, apparently without authority, into the narrative of Richard of Cirencester, which he borrows at this point. Osbert, if still alive, was by this time out of date; for at Laurence's request, Ailred, the abbot of Rievaulx, a noted pen of that time and a relative of Laurence,[4] was induced to rewrite St. Edward's Life. His work is a *réchauffé* of Osbert's with a few additions, among which is a narrative of how the royal saint cured Osbert himself of a serious sickness.

Alexander III was favourable to Laurence's request, which was

[1] Epp. 23–38. [2] Note in Flete, p. 143. [3] p. 92.

[4] F. M. Powicke, *Ailred of Rievaulx and his Biographer Walter Daniel* (reprinted from Bulletin of the John Rylands Library, 1921–2), p. 40, n. 3.

backed by an urgent letter from Gilbert Foliot, the powerful bishop of Hereford, who stood high both with Henry and at Rome, and who represented to Alexander that the canonization of the saintly king would be a welcome requital for the Pope's recent recognition in England.[1] Accordingly the bull was issued on 7 February 1161, and on Henry's return the saint was translated to a costly shrine on 13 October 1163.[2]

So Osbert's work was done, though the glory of it was denied him. He is a forgotten worthy of the English Church of the twelfth century. He lived in evil days. The tyrannous exactions of Henry's 'new men', followed by the foolish liberality by which Stephen vainly sought to win universal favour, issued in anarchy. The church made strides towards independence in the midst of the general confusion, but she lacked spiritual power. She had no saint, though here and there were men who strove to be better than their surroundings. Osbert of Clare was one of these. Learned, active, conscientious, yet pedantic in his style, difficult to work with, and terribly self-conscious, he was his own worst enemy. But he did his work, and left a deeper mark upon his time than others whose names are better known to-day.

J. A. R.

[1] Ep. cxlviii, ed. Giles, i, p. 195 ff.

[2] Flete, pp. 92, 93.

## OSBERT'S WORKS: MSS. OF THE LETTERS

### I. General

THE preparation of the Letters for press has necessarily led to somewhat wide investigation of Osbert's works: and as there exists no reliable account of them, it may be well to help other labourers in this field by prefixing to the description of the Cotton MS. of the Letters some notice of the present state of our knowledge of Osbert's writings as a whole.

A useful starting-point will be the notice given by Bale. Bale introduces his *incipits* with an account mainly drawn from Leland, which ends:[1]

'*Noluit Osbertus tam clari principis* [*sc.* Edwardi] *facta illustria* (vide monachorum blanditias) *posteritati esse obscura*: *sed arrepto calamo, accurata perscripsit diligentia, nec minori elegantia* (qua fide, nescio) *opus*, quod *dedicavit Alberico, Innocentii* secundi *Rom. pontificis legato,*

(De uita eiusdem regis Eduardi, Lib. 1. Reverendissimo Domino Alberico.)
Vitam Ethelberti martyris, Lib. 1. Gloriosus orientalium Anglorum (rex).
Vitam diuae Edburgae, Lib. 1. Fidelibus in Christo sororibus.
Miracula martyris Eadmundi, Lib. 1. Cum laureatus Dei martyr (Ead.)
Epistolas ad diversos, Lib. 1. Innocentii summi Pontificis, etc.
Aliud epistolarum volumen, Lib. 1. Praeclaros virtutum titulos.

Et alia multa composuit. Bostonus Buriensis, qui in magno suo Catalogo haec omnia eius opuscula connumerat, dicit illum claruisse . . . anno . . . 1136 . . .'

The words in italic are from Leland.[2] The words bracketed in the *incipits* do not appear in Bale's MS. notes, and were added later in different ink.[3] Leland mentions only two works, St. Edward's Life and 'vitam Ethelberti martyris, quem librum

[1] Bale, *Script. Illust.*, &c., 1557, pp. 188, 189.
[2] *Comm.*, ed. Hall, 1709, pp. 187, 188.
[3] *Index Brit. Script.*, ed. Poole and Bateson, *Anecd. Ox.*, p. 315.

dedicavit Gisliberto, episcopo Henoforthensi', but it is clear that he also knew the Life of St. Edburga.[1]

Bale's *incipits*, even in the shorter form, are longer than those now to be found in Boston of Bury. Boston's account of Osbert is printed, as it stands in the Tanner-Sancroft transcript in the Cambridge Public Library, with slight differences of transcription, in Wilkins's Introduction to Tanner's *Bibliotheca*, p. xxxv. It will be convenient to allude to Boston as may be required, and to proceed with the works as enumerated by Bale.

*The Life of St. Edward.*

This work exists in B.M. Add. MS. 36737, f. 139 b–f. 157 b, a folio of *c.* 1200 which formerly belonged to the Cistercians of Himmerood in the diocese of Trèves. An abbreviated version of Osbert's Life, with the letter to Alberic also abbreviated, is in C.C.C.C. MS. 161, ff. 138 b–152, of the twelfth or early thirteenth century[2]: this version contains some matter, notably the ring story, which is not in Add. 36737, and was probably not known to Osbert. The first of these versions Professor Marc Bloch of Strasbourg has edited with an important introduction in *Analecta Bollandiana*, tom. xli, 1923, where also he prints (p. 124 ff.) the larger additions of the C.C.C.C. MS.

It once seemed possible that Osbert's work existed in more than one recension; but M. Bloch's treatment (pp. 59–61) of the Corpus additions forbids us any longer to regard them or the small variants as Osbert's work.

Osbert owed a good deal to the somewhat earlier Life printed by Luard, *Lives of St. Edward*, pp. 389–435, of whose dating and value M. Bloch has made such a valuable study[3]: and M. Bloch summarizes his other sources on pp. 45–6 of his work. The Life by Aelred,[4] abbot of Rievaulx, written at the instance

[1] *Comm.*, p. 226.

[2] M. R. James, *Cat. MSS. C.C.C.C.*, i, 358, 362. Luard printed the chapter list in *Lives of S. Edward*, R. S., pp. xxv, xxvi; but note that after 'capitula' three lines from the end, a line written in blue in the MS. has perished, which began the 'Incipit' to which 'Beati Eadwardi' and the other words belong.

[3] *Op. cit.*, pp. 17–44. M. Bloch's case for the dating 1103–20 is very strong.

[4] Printed in Twysden, *X Scriptt.*, col. 347 sqq. On Aelred's work see Prof. Powicke's discussion in his *Ailred of Rievaulx*, Manchester, 1922, pp. 33–42.

of his kinsman, Abbot Laurence, and dedicated to Henry II at the translation of St. Edward in 1163, seems to have been intended to supersede that of Osbert. Aelred professed to add little to Osbert's work, but to write in a plainer style. Yet in his historical writings, as opposed to his theoretical works, which, if prolix, have a certain charm, Aelred was hardly less given to embellishments than Osbert himself, as may readily be seen by comparing his account of the Battle of the Standard with that in Richard of Hexham; and though he alters the style entirely the improvement is not great. If Aelred's work was popular it was so because it was more conventional than Osbert's. Aelred added only a few stories, one of the childhood of Harold and Tostin, the ring story probably, an explanation of the king's dying prophecy, as understood in the days of Henry Fitz Empress,[1] and the stories of how Osbert was himself cured of a fever by fervent prayer to the saint, and how in the next year he preached so eloquently as prior on St. Edward's day that many were moved to tears. He also speaks of a Barking nun, possibly one of Osbert's friends, who was cured by the saint. Otherwise he uses Osbert's matter with only slight deviations from his order. Osbert's work belongs to 1138–39.

*The Life or Passion of St. Ethelbert.*

It used to be supposed that Osbert's work was represented by C.C.C.C. MS. 308, ff. 1–7 b. The *incipit* of this, however, is 'Gloriosus ac summo regi', which, though it agrees with Boston's one word 'Gloriosus', conflicts with the *incipit* of Bale's MS. book. The whole matter has been cleared up by Dr. M. R. James in the *English Historical Review*, April 1917, pp. 214–44. It is now plain that the Corpus Life, which Dr. James prints in full, must be ascribed to an earlier author than Osbert. Osbert's work is to be sought partly in Richard of Cirencester, *Speculum Historiale*, R.S. i, pp. 262–94, and partly, more deeply embedded, in the Life by Giraldus Cambrensis, printed also by Dr. James.

The unfinished Life, not examined by Dr. James, in the magnificent folio Nero E i, f. 409 b sq., begins 'Incipit vita vel passio sancti Aedelberti regis xiii° Kalendas iunii. Gloriosus

[1] Bloch, *op. cit.*, pp. 35–40.

igitur orientalium'. The 'igitur' perhaps referred back to the dedicatory letter now lost. In the seven pages common to him and Nero E i Richard has some twenty slight verbal differences from this MS: otherwise the two correspond until Nero E i stops at 'gazis et opibus innumeris'. A late hand, perhaps that of Ussher, ascribes the Life in Nero E i to Osbert of Clare.

Osbert's Life, as shown in Richard of Cirencester, is very different in manner from that of C.C.C.C. 308, on which it was partly based. There we find ornamentation indeed, but it is naïf and poetical and not prolix, and the story of the murder is told with a certain straightforward power: here the ornament is pious and inflated, in the manner by which Osbert captured the ear of the advanced churchmen of his day. Osbert's hand begins to be suspected on p. 264, where the boy's ecclesiastical interests may be paralleled by those ascribed by Osbert to St. Edburga at the age of three; on p. 265, where the author states that his subject cannot be adequately treated unless Virgilius Maro be called from hell or Jerome (not Tully) sent from heaven; and again on p. 266, where far-fetched arguments are needed to persuade the lad into matrimony. On almost every page may be found some point of resemblance to Osbert's manner or thought. The story, indeed, is swallowed up in scriptural and moral reflections: and there is frequent use of rhyme.

Dr. James gives good reasons for thinking that Giraldus's Life is based entirely on Osbert's. In that case the remains of Osbert's Life after the murder, where Richard felt that he had copied enough, must be sought in Giraldus. But in the parts where comparison is possible Giraldus has so entirely recast Osbert, cutting him down, adding reflections in his own brisker and more satirical vein, and changing the narrative, that nothing is here to be discovered with certainty. The Giraldus MS. Vit. E vii, mentioned by Dr. James, consists now of only a few almost illegible fragments drawn from the burning in 1731.

Whether the MS. at University College, Oxford, No. 135, was of Osbert's Life or the earlier work it is now impossible to tell, since it has long been lost. Of Osbert's dedication to Gilbert Foliot as bishop of Hereford nothing remains: but the work must be dated after Sept. 1148 on its account.

### *The Life of St. Edburga.*

The Life of St. Edburga exists in Bodl. Laud. Misc. 114, ff. 85–'120'. The numbering of the leaves is irregular, and there are only twenty-five leaves and not thirty-five as might appear: it is in a good hand of the twelfth century, well rubricated. The book contains also, among other lives, &c., a Life of St. Winifred, by Robert, prior of Shrewsbury, with a prefatory letter addressed to Warin, prior of Worcester.

Here again there is a discrepancy in the *incipits*. The Bodleian MS. begins 'Fidelibus sanctae matris aecclesiae filiis', but the *incipit* given by Boston, 'Fidelibus', appears in both Bale's works as 'Fidelibus in Christo sororibus'. Boston had seen two copies, one at Ramsey, the other in the library of the Dominicans of Thetford. Boston makes 'Fidelibus' the beginning of the Prologue; in reality it begins a Letter, which is followed by a Prologue on classical virgins beginning 'Apud Albanos in templo Vestae'. Boston's *incipit* of the Life proper, 'Imperante', agrees with the Bodleian MS., but even here his *Finis*, 'Omnium populorum', does not agree. It is possible that the work was put out in two forms, or at least with two introductions: one addressed generally, and having as in the Bodleian copy a short third book relating to Pershore, the other directed to the nuns of Winchester, where St. Edburga's wonder-working powers were chiefly known.

The work cannot be commended. The story of the saintly maiden is far too slight to bear the rhetoric and the homilies with which Osbert loaded it. It was not for nothing that on f. 120 b an unknown hand began a Life of St. Thomas, 'Quoniam multi sermonis prolixitatem et obscuritatem abhorrent'.[1] For his Life of this saint Richard of Cirencester used Malmesbury's account but not Osbert's.

The introductory letter, printed below (Ep. 43), makes it certain that this is Osbert's work. It is perhaps his earliest essay in hagiography, for he says that he is deserting philosophy for a new study, and speaks of a time, fifteen years earlier, when he

[1] For this see *Materials for the History of Abp. Thomas Becket*, R. S. iv, p. 80.

was 'extra fines virtutis in saecularibus negotiis constitutus'. This may point to a date before 1130. We do not know of a visit of Osbert to Pershore before 1136: of this visit we learn in his letter to Simon, bishop of Worcester. It is possible that he turned, or returned, from philosophy to hagiography about that later date: he would no doubt regard his work concerning St. Anne and the Conception, done about that time, as philosophy. But this later date scarcely agrees with the 'novis studiis novam operam' with which the letter opens, if, as will appear below, we are to allow for the possibility that the first draft of his work on St. Edmund was made soon after 1130.

Mr. G. C. Brown of Worcester is hoping shortly to publish an edition of this Life.

*The Miracles of St. Edmund.*

Here we face a difficult, and perhaps insoluble, problem. To Bale's *incipit*, 'Cum laureatus Dei martyr', we can add Boston's information that the work was written at the order of abbot A., had a beginning 'A. abbas', a letter of Osbert beginning 'Sanctitate' and a prologue 'Cum laureatus', and that the Miracles began 'In provincia et'. That is, Boston seems to have seen a copy of a work on this theme complete with Abbot Anselm's letter bidding Osbert write, with Osbert's answer, and preface 'Cum laureatus' and Miracles 'In provincia et'.

No book now known contains all this matter, for the letters are lost. But miracles with an *incipit* 'In provincia qua' are found in at least two places. First may be mentioned the miracles in Titus A viii, printed under Abbot Samson's name by Arnold, *Memorials of St. Edmunds*, R.S. i, pp. 107–208. Here Book ii has a prologue beginning 'Cum laureatus', and Book ii, ch. viii begins 'In provincia qua'. This prologue, Titus A viii, f. 109, has an inscription in the margin by a fourteenth- or fifteenth-century hand, 'Osberti de Clara prioris Westmonasterii', and traces of a similar inscription occur opposite the Letter which follows.[1] Osbert is again mentioned at f. 126, opposite ch. viii (Arnold, p. 178), 'Incipiunt miracula

[1] The 'Incipit epistola', &c., on p. 153 in Arnold's edition is apparently in Cotton's hand, not an original rubric as might seem from the printed copy.

scripta ab [Os]berto', &c., and he is given as the author of each of the following chapters as far as f. 145 (Arnold, p. 207), always in the same late hand, which then writes: 'Expliciunt m(iracu)la per os . . . . de clara priore . . Westmona. . .'. A fifteenth-century hand writes below, 'Hic deficit miraculum factum per sanctum Edmundum in Henricum de Essexia, sed [et alia] innumerabilia'.

The same ascription occurs earlier in the great Bury folio of the fourteenth century, MS. Bodl. 240, where among many miracles ascribed to different early sources, the same miracles occur much abbreviated on pp. 655–59. Here an ascription is given opposite to each chapter in the original hand, which also gives it in the rubrics beginning and ending this section. Here also some sixteen miracles are ascribed to Abbot Samson, all of which are found in Titus A viii. Some of the matter in Titus A viii is not used, the writer of the Bodleian MS. preferring to follow the work of Hermannus.[1] It was on the strength of these ascriptions that Arnold made Samson the author of the Titus A viii miracles.[2]

It is at once evident that the Titus A viii book cannot, as it stands, be the work of Osbert, since chapter xvi of Book I relates to a miracle performed against William de Curzun in 1168, and seems to have been written after the death of Henry II. Yet the preface to Book II, which is assigned to Osbert and which has a close parallel in his thirty-sixth Letter, contains the words 'ut qui successum dedit principiis, illis etiam quae restant exaranda ad martyris praeconium benigni favoris in nobis spiret illapsum': and this, if the preface be intact, as it seems to be, means that for Osbert himself this was a second book. Is there any reason to doubt Samson's authorship of the Miracles ascribed to him by Arnold? And can we find any reason for assigning the bulk of this work, including Book I, to Osbert?

A slight shade of evidence against Samson is afforded by the fact that, in two places at least, Bodl. 240, where it professes to follow Samson, gives the name of a person not named in Titus A

[1] *Hermanni Archidiaconi Liber de Miraculis Sancti Eadmundi*, Arnold, i, 26–92.

[2] *Memorials of S. Edmunds*, R. S., i, p. xl.

viii; and in one or two places (though it professes to keep all its miracles short) it introduces reflections not found in Titus A viii. It is possible to argue that the compiler was also drawing on other chronicles which he does not name—just for a moment Hermannus seems to be used by him in this way; but as a rule (e. g. in the miracle noted by Arnold, p. 148, note, where 'Marianus in cronicis' is his authority) he is careful to specify all his sources. It is possible then that Samson had made another book, closely resembling yet not identical with Titus A viii, or rather, closely resembling those parts not expressly assigned to Osbert. It is also possible that Samson, who though a good scholar was a very busy man, was merely the compiler of Titus A viii, and the introducer of the miracles of William de Curzun (I, xvi) and the monk Herman (II, vi), for the introduction of which in each case an apology is made in Titus A viii.[1] But if he was the compiler he was a less bold man in his literary than in his practical work, for the compilation, as we have seen, must have taken place after 1189, when Samson was already abbot; but it opens with a preface, certainly not original, as we shall see in a moment, which scarcely consorts with the dignity of an abbot.[2]

As far as style goes there is every possibility that the Titus A viii book is full of Osbert's work; both its prologue and its miracles contain many things which can readily be ascribed to him.[3] But it is unsafe to dwell upon this, especially as the amount of rhyme in those parts of the book which are not expressly attributed to Osbert does not seem to be as great as is usual in Osbert's hagiographical prose.[4]

Account must next be taken of the Miracles in the beautiful St. Edmunds MS., which formerly belonged to the late Sir George

[1] Arnold, i, pp. 148, 173. Book II, ch. vii also contains an apology, but this occurs already in the Holford MS. mentioned below.

[2] Arnold, i, p. 108; cf. *ibid.*, p. xl.

[3] One cannot forbear to notice the case on p. 118 (Arnold, vol. i) where the author, who is here as so often following Hermannus the archdeacon, has made use of the ungracious phrase 'eructasse animam' applied to Rufinus by Jerome, whom Osbert so often copies. For the use of Hermannus, see Arnold, i, p. liv.

[4] There is rhyme, e. g. in I. v, Arnold, i, p. 122 top.

Holford, who kindly allowed it to be examined.[1] Here we have a whole book, and part of a second book, of Miracles, running from pp. 43–149 of the MS. The first book agrees in the main, though not word for word, with Titus A viii; except for the fact that the Miracle of William de Curzun does not appear, and ch. xvi of this book is occupied instead by the story of Wlmar, which is in Book II, ch. ii, in Titus A viii, and this is followed by a long-winded 'Excusatio hystoriologi', in which rhyme is frequent, closing Book I. Then comes a 'Prooemium' of Book II, differing entirely from that in Titus A viii, a longer form of ch. i, and chs. iii, iv, v, and vii, at the close of which the book most unhappily breaks off. A late hand has written in 'Deficiunt hic xiiii miracula, scripta in pulpito refectorie'.

In spite of the fact that the *incipits* given by Boston nowhere occur, there is something to be said for Mr. Arnold's view that this is Osbert's work,[2] in an early form. The whole volume is evidently closely connected with Osbert's friend, Abbot Anselm,[3] and Anselm's command to write can well be suspected in the 'praelativae auctoritatis iussione et fraternae caritatis exhortatione' of the prologue to Book I,[4] and in the 'persuasoriis carminibus' with which the writer says in the prologue to Book II he has again been bidden to write.[5]

The Holford book is distinctly longer than Titus A viii, and it contains more digressions; yet much can be said for ascribing both substantially to Osbert. Where the ground is so uncertain it is impossible to speak positively; yet it seems reasonable to suppose that the Holford Miracles is an early book, written while Osbert was at Bury, about 1130, before the new nave of the abbey church had been dedicated, 'in antiqua regis egregii ecclesia' as he says (Arnold, i. 178). The St. Edburga Life had perhaps been written, but Osbert was still young and fresh from

[1] For this see Arnold, iii, pp. xxxvi–xxxix; New Palaeographical Society, part v (1907); Maunde Thompson, *Introduction to Gk. and Lat. Palaeography*, 1912, no. 177. The book is now in the Pierpont Morgan Library, New York.

[2] Arnold, iii, p. xxxix.

[3] Arnold, iii, pp. xxxvi–xxxvii; see notes below, pp. 195, 200.

[4] Retained in Titus A viii, p. 108.

[5] For Abbot Anselm and poetry see note below, p. 192.

his preaching successes at Westminster; hence we find perhaps an unusual degree of anxiety about his style[1] and very long disquisitions in an expository vein, both of which things are modified in the later book. The Holford author has much in common with Osbert; Jerome is quoted, and a favourite commonplace, 'the Light which lighteneth every man', occurs in that large part of the preface to Book I which is omitted in Titus A viii. In Titus A viii (to speak as though we were certain) he apparently tries to curb his prolixity: he has been to Rome (Arnold i, 152) and the visit has provided him with prefatory matter more notable than the allusions to Isaiah and Jeremiah, with which he filled three pages by way of preface to Book II in the earlier work. Indeed his classical interest has grown, for though in Book II ch. iv brevity has made him omit an allusion to a vestal virgin, along with other matter relating to a miracle recorded by St. Gregory, yet in Book I, ch. viii (Arnold, p. 130) the allusion to Orpheus and Amphion, which again contains rhyme and is quite in Osbert's way, has taken the place of a long opening in the sanctimonious vein.

No intact copy of this later recension exists. Titus A viii is certainly interpolated and has probably altered what we are supposing to be Osbert's work in other ways. It would be tempting to suppose that the book in the refectory pulpit contained it: there are thirteen miracles in Titus A viii after the point where Holford stops, and the missing miracle of Henry de Essex would make a fourteenth. But unhappily Bodl. 240 gives this miracle, which as we have seen is noted as missing at the end of Titus A viii, 'ex cronicis Iocelini', and it occurred as late as 1163.[2] Perhaps the 'alia innumerabilia' of the note at the end of Titus A viii refers to the Miracles of Bodl. 240.

Another track must be followed. We might expect to find that Richard of Cirencester has again used Osbert's work. Richard comes into close correspondence with Titus A viii at (R. de Cir.) *Speculum Historiale*, R.S. i, p. 352 = Titus A viii,

[1] Prologue to Book I, of which that in Titus A viii (Arnold, i, 107–8) is a shorter form.

[2] See Jocelin in Arnold, i, 272, Camden Soc., p. 50; cf. Norgate, *England under the Angevin Kings*, ii, 61.

Book I, ch. iv, Arnold, p. 114. Richard is no longer using Abbo's Life of St. Edmund (Arnold, p. 25), and he does not employ the words of Hermannus (Arnold, p. 32), and though he changes the order he seems directly to follow Titus A viii for more than fifteen pages. But on comparing Holford f. 33 b with Richard p. 358 and Arnold's Samson pp. 121–2, we find that within a page Holford agrees with Richard against Titus twice, and with Titus against Richard twice, while these two do not seem to agree against Holford. Richard then used not Titus A viii but a MS. of the same recension as the Holford MS., and there is a fair possibility that such a book was at Westminster ascribed to Osbert. This perhaps leads back to the view that the Titus A viii Miracles, including Book I, is substantially Osbert's.

The various St. Edmund MSS. lead us through uncertain paths. It seems necessary to postulate at least one other book, that which Boston saw, which had the two Anselm letters and the Roman preface, but did not begin Miracles until Book II, ch. viii of Titus A viii. It is not perverse to believe that such a book represented only part of Osbert's work, since in MS. Digby 109, a thirteenth century MS., we have another such partial book, containing Abbo's *Passio* (ff. 1–14), and then chs. iii, iv, v, viii (without preface), ix, xii and xv of Titus A viii.[1] Such a book, if it existed, might account for some of the later ascriptions.

The foregoing argument may appear to proceed hazardously upon internal grounds, while it flies in the face of such external evidence as we have. If another theory be needed it must be something like this: that the Holford MS. represents an early book compiled by an unknown author, perhaps the mysterious prior 'Dom John of C.' mentioned by a late hand at the end of Hermannus' book in Tiberius B ii[2]; that Osbert wrote a

[1] Richard of Cirencester may have used such a book, but not this one, for Richard uses the equivalent of Titus A viii, Book I, ch. i, much abbreviated but with verbal coincidence, and this is not in Digby 109. A somewhat similar Dublin MS. is noticed by Arnold, i, p. xxxix, n.

[2] Arnold, i, p. 92; cf. *ibid.*, p. lxxiv. Hermannus together with the six more miracles here spoken of might roughly cover the subject matter of Titus A viii not attributed to Osbert, and this might more or less coincide with what would have been the completed Holford book.

book now lost, but which Boston of Bury saw; and that an unknown author, possibly Abbot Samson, put the two together, adding a little material of his own, slightly altering the style, especially in the earlier book, and thus making the book now in Titus A viii.

*Praeclaros Virtutum Titulos.*

Boston gives the *incipit* of a second volume of letters, 'Praeclaros'. Bale in both forms gives this as 'Praeclaros virtutum titulos'. Boston gives 'Opinionis' as the *incipit* of the last letter in the second volume. Pits in 1619 places this volume first, calls it 'Epistolarum religiosarum ad diversos'—our volume he calls 'Epistolarum familiarium ad diversos'—and states that the volume he names first is in the Lumley Library. Tanner in 1748[1] seems to say that this volume is Cotton MS. Vit. A xv.

Now Vit. A xv is composed of Old English works, including the famous Beowulf, and seems to have been the same when Smith made his Cotton Catalogue in 1698. Tanner has made a mistake: though how we cannot tell, since he has mentioned Vit. A xvii correctly before, and does so again two lines further down. Pits, too, is almost certainly wrong in saying that this volume was in the Lumley Library. The Lumley Catalogue of *c.* 1607–9, of which a copy is in B.M. Add. 36659, shows only one volume of Osbert's letters, that presumably which we now have. T. James[2] in 1610 gives only one volume, No. 215, in the Lumley Library. Some of Lumley's books had passed to Oxford in 1598, and to Cambridge in 1599: the bulk went to Prince Henry's library in 1610, and a few are in the Harsnett Library at Colchester. The volume cannot be traced in the catalogues of any of these places. It is most likely that Pits was mistaken in ascribing this volume to the Lumley Library. Boston, or possibly Leland, must be the last person who saw the volume. It cannot be merely part of Vit. A xvii, for its *incipits* nowhere occur.

[1] *Bibliotheca*, p. 564 n.

[2] *Ecloga Oxonio-Cantabrigiensis*, p. 49.

## II. The Letters.

### *Cotton MS. Vit. A xvii.*

The only surviving volume of letters is Vit. A xvii, the basis of the present edition. It is on vellum, 2 + 166 folios, $8\frac{1}{4}'' \times 5\frac{3}{4}''$. The volume contains, besides the letters:

f.–, Title; f. 1[x], an Index in a sixteenth-century hand.

ff. 1–16, a brief chronicle, apparently of Chichester, to A.D. 1164 but with later insertions. This was printed by F. Liebermann, *Ungedruckte Anglo-Norm. Geschichtsquellen*, 1879, pp. 86–96. On f. 16 b in a twelfth-century hand a list of bishops present at a great council. This ends the first two gatherings of ten and eight leaves.

f. 17 a, which had been left blank, has been filled with scraps in a small hand, verses on a two-headed woman, eighteen lines apparently from Bernard of Morlas, a prose passage on Judas Iscariot, and other scraps. At foot 'Robertus Cotton'.

f. 17 b begins the letters. Here a sixteenth-century hand writes 'Osberti de Clara Valle Epistolae cum alijs'. At f. 23 a the letters relating to St. Edward end: f. 23 b, blank at first, has been filled in a small hand with twenty-eight four-line verses on the Passion beginning 'Mens affectus ratio sensus convenite'. The St. Edward letters thus occupy a gathering of seven leaves, the outside pages of which were originally left blank. It must be noticed that again Boston's *incipit*, followed by Bale, conflicts with this MS.: both give 'Innocentii summi pontificis', which is here the second letter, the first being 'Innocentius'.

f. 24, at top 'Albertus de Clara' in a late hand: the letters are resumed.

f. 26, where space was left for rubric, verses '*Johannis Lucicii contra legistas et decretistas indiscretos.* Iustinianus adest, sed non bene iustificatus— Nimbosis quatitur theologia nothis'.

ff. 100 and 101 are an interpolation. The letter to Warin in the twelfth-century hand ends at the ninth line from the bottom of f. 99 b. Here a later, and much less compact hand, probably of the thirteenth century, inserts a rubric '*De conceptione sancte marie qualiter primo celebrandi habuit initium*', the legend of Abbot Elsin's vow made at sea, printed by Thurston and Slater, *Tractatus de Conc. S. Mariae*, 1904, pp. 88–92. Another version of the story, perhaps in an earlier manner, is printed among works ascribed to St. Anselm (Gerberon, *Anselmi Opera*, 1721, p. 507). Thurston and Slater give a third form, p. 93. The form in Vit. A xvii is nearest to Osbert's manner, but it is an undoubted interpolation. Once it breaks into two hexameters. This piece covers ff. 100–101 as far as the tenth line from the bottom of f. 101 b. Then the same hand begins with the rubric 'Item sermo' &c. of the sermon on the Conception,[1] and its opening sentence 'Hodierne diei—suscepimus exponendum', which may have been rubbed away on f. 99 b: ff. 100 and 101 are the middle of a gathering of ten leaves; the other leaves of the letters are uniformly gathered in eights, except that the first quire and the last but one have seven leaves and the last has six.

f. 164 b, the letters end. Part II of the poem on the Passion, '*Secunda pars.* Assis huic spectaculo mater o maria', twenty-four four-line verses, runs 164 b–165 b; then '*De Sc̄a Maria.* Iesse stirps egregia, lilium candoris', twenty-three verses; then '*Item de Sc̄a Maria.* Inter . . . turbines per hoc magnum mare', ten verses. A still smaller hand inserts in the margin of f. 164 b sundry tags, hexameters, elegiacs, and pentameters, on the temptations of the world.

f. 166 b, elegiacs [2] in a very small hand, perhaps the same; 'Mundus abit, res nota quidem, res usque notanda', twenty-six lines. Other fragments in the same small hand, including such classical tags as Juv. *Sat.* v. 66, iii. 140–44, written sideways.

The letters proper are written in a fine hand of the twelfth century. All have coloured initials. Some only have rubrics inserted, apparently by a contemporary hand; in the others the spaces are left blank. A few have coloured initials in the text from time to time. Those marked * in the list below have rubrics; those marked † have coloured initials in the text.

The spelling, which presents no unusual features, has in this

[1] See note, p. 212.

[2] By Serlo of Wilton, see Raby, *Christian Latin Poetry*, 1927, pp. 340–1.

edition, except for proper names, been normalized in order to bring it into line with the series of Notes and Documents relating to Westminster Abbey in which it was once hoped this work might appear. The actual spelling is given by Frs. Thurston and Slater and by Dom Wilmart in the portions edited by them (see above, pp. 14, 15), and a few examples are collected below (p. 37).

A few early corrections occur in the text. There are also marks where passages have been prepared for liturgical use. These latter are mentioned in the notes.

The whole work has been corrected by a hand apparently of the sixteenth century. This unknown scholar, here called *cor. rec.*, has helped in the correction of many slips, where his aid is not always acknowledged in the text. A few small scribal errors, allowing of no possible doubt, are also corrected without notice in the present edition.

The book seems to have passed from the Lumley Library to Prince Henry's Library at St. James's. Thence it passed to Cotton. It suffered slightly, notably at the top about f. 88, in the Ashburnham House fire of 1731, and a few words are missing.

*Gale's Transcript. MS. Trin. Coll. Cam. O 10. 16.*

The letters occur in this seventeenth-century transcript which belonged to Gale, ff. 419–549. They were copied, according to a note at the head, while Vit. A xvii was still at St. James's. The transcript has some slight value, as it provides readings where the Cotton MS. suffered in the fire. It incorporates many but not all of *cor. rec.*'s emendations. It contains many mistakes, and was unfortunately made the basis of Robert Anstruther's edition of selected parts of the letters which he incorporated with *Epistolae Herberti de Losinga*, Brussels, 1846. Anstruther, besides omitting much of the historical matter, allowed many errors to creep into his text. About half of these must be laid to the charge of Gale's transcriber: the other half arose at a later stage. Neither Gale nor Anstruther gives the Simon Letter (Ep. 12).

In the present edition the order of the letters has been freely changed. Reasons for the present order will be found in the

Introduction and Notes: it is as far as possible chronological, and its adoption seems to enhance the historical and human interest of the letters. A calendar of the order as it appears in various books is printed below.

In the margin of Vit. A xvii a later medieval hand has drawn attention to the 'good style' of the opening of Letter 28. Yet it has proved difficult to write of Osbert's works without using harsh expressions, and even in the Middle Ages his works were one by one cut down to suit practical needs or a severer taste. The reader will not find in his letters the gravity or terseness which often meets us in those of busier men like Hildebert of Le Mans, that model of the age, with some of whose letters Osbert may have been familiar.[1] His vocabulary is fairly rich and pure; his classical and patristic learning was wide, even though here and there chance has shown us that his citations were inaccurate or derived from non-classical sources; and he was interested in the art of writing, in alliteration, and in rhymed and rhythmical *clausulae*. His devotion to religion and his scholarship were deep and genuine; but they lacked restraint, and were too florid even for the monks who lived in 'the renaissance of the twelfth century'. He mentions his aims as a stylist in Letter 43. In a passage which itself exemplifies some of the *schemata* of ornate writing, he mentions three kinds of speech, 'gravis', 'mediocris', and 'attenuata', and says that it is his purpose to keep a middle path and avoid the lowest kind of utterance. The three kinds of speech, from whatever source his precise words may come, seem to answer to the 'incitata graviter', 'inflexa moderate', and 'submissa leniter' of Isidore,[2] the 'granditer', 'temperate', and 'submisse' of St. Augustine.[3] The grand manner, which impresses chiefly by its fervour, and the moderate manner, which dignifies its subject by the use of *schemata* and tropes, belong to elevated themes; and sermons and hagiography deal with elevated themes. So far Osbert was in order. But for teaching, according to

[1] Instances will be found in the notes where Osbert seems to copy Hildebert: in some possibly both were using an earlier commonplace, but scarcely in all.

[2] *Etym.* II. xvii.

[3] *De Doctr. Christ.* IV. xix.

St. Augustine, and for narration according to medieval usage,[1] the simple style, 'submissa', was required, and Osbert was unwilling to descend to it. Students of these matters may find some interest in a medieval stylist whose 'défauts magnifiques', as Dom Wilmart calls them, draw from Professor Bloch [2] the exclamation: 'Mais quel style!'

NOTE.—*Some spellings of the Cotton MS. not shown below are:*—e *and* ae *freely interchanged,* pre *usual when uncontracted,* aecclesia *usual,* caelebris *f. 126,* celebris *127*; tocius *general,* exaciet *86 b,* satiaret *137,* pacientia *134 b,* mendatia *110,* quociens *134 b,* aliquotiens *147 b*; sullimis *usual,* sublimitas *136 b*; inploro *etc. usual,* implesse *155,* inmensus *96 e.g.,* immensum *114,* comittere *127 b,* committimus *111 b,* circundo nanque cunque *general,* menbris *150 b,* annuere adquirere offerre *usual,* obfuscat *114,* inobs *114,* inops *140 b,* obto *26 b,* optinuit *137,* exsurge *85 b,* exurgĕre *65 b*; loquuntur *110 b,* locuntur *124 b,* secuntur, sequuntur; inquit *126,* inquid *127,* reliquid *28 e.g.*; erumnas *134,* erumpnas *113 b*; abet *134,* exibetur *and* exhibeatur *141 b,* habundamus *111 b,* ymnis *138 b,* rethor *136,* baltheo *27,* archa choruscus caracter *usual*; grifes *161,* cyphus *121 b,* sciphus *122 b,* phylosophie *111,* philosophiae *110 b,* elemosina ethimologia *usual*; cismate *136 b,* lascessit *110,* acessit *131,* strennuum *27,* peccunia *115 e.g.,* arectae aplaudis *etc.*; nichil, hii; michi *rare in full.*

[1] See M. B. Ogle's article 'On Some Aspects of Mediaeval Latin Style' in *Speculum,* vol. i (1926), esp. p. 187.

[2] See M. Bloch's remarks in *Anal. Boll.,* xli, pp. 53–6.

# COMPARATIVE TABLE OF THE LETTERS

| | Vit. A xvii | Gale; and Anstruther's Selections. | This edition. |
|---|---|---|---|
| i | Pope Innocent to Henry of Blois | i | 20 |
| *ii | To Alberic | ii | 14 |
| *iii | Henry of Blois | iii | 15 |
| iv | Henry of Blois to Pope Innocent | iv | 16 |
| v | Chapter of London to same | v | 18 |
| vi | K. Stephen to same | vi | 17 |
| vii | Innocent to Westminster Abbey | vii | 19 |
| viii | Anselm 'Suavissimo' | viii | 7 |
| ix | ,, 'Item domino' | ix | 23 |
| x | Hugh | x | 1 |
| xi | Anselm 'Sol ab eois' | xi | 5 |
| xii | Herbert | xii | 2 |
| xiii | Anselm 'Domino suo' | xiii | 6 |
| xiv | Elmer | xiv | 11 |
| xv | Simon | omitted | 12 |
| † | 'Gaudeamus solenniter' | omitted | omitted |
| † | 'O praeclara' | omitted | ,, |
| † | 'O beata' | omitted | ,, |
| | 'Sancta et illustris' | omitted | ,, |
| | 'Ecce iterum' | omitted | ,, |
| †*xvi | Adelidis | x | 42 |
| xvii | William | xv | 39 |
| xviii | Adelulf | xvi | 9 |
| xix | R. de Sigillo | xvii | 10 |
| xx | Prior Stephen | xviii | 24 |
| xxi | Henry | xix | 3 |
| xxii | 'Lege litteras istas' | xx | 25 |
| xxiii | Warin | xxi | 13 |
| | (Interpolated Elsin legend) | omitted | omitted |
| † | Sermon | omitted | ,, |
| xxiv | Jocundus | xxii | 26 |
| xxv | 'In veteri amico' | xxiii | 27 |
| xxvi | 'Te, dilecte' | xxiv | 28 |
| xxvii | 'Quod ultra terminum' | xxv | 29 |
| xxviii | 'Copiosas tuae' (The Council Letter) | xxvi | 30 |
| xxix | David | xxvii | 4 |
| xxx | Anselm 'Obsequium' | xxviii | 8 |
| xxxi | Cecilia | xxix | 22 |
| xxxii | Margaret | xxx | 21 |
| xxxiii | 'Pretiosis regiae' ? Prince Henry | xxxi | 37 |
| xxxiv | Clarebald | xxxii | 31 |
| xxxv | G. de Gorram and †Poem | xxxiii | 32 |
| xxxvi | Ely monks | xxxiv | 33 |
| xxxvii | Ida | xxxv | 40 |
| †xxxviii | Poem to Prince Henry | here in Gale: p. 205 in Anstr. | 38 |
| xxxix | Silvester | xxxvi | 34 |
| xl | Seniors of Westminster | xxxvii | 35 |
| †xli | Theobald | xxxviii | 36 |
| †xlii | Matilda of Darenth | xxxix | 41 |
| | St. Edburga | (Laud Misc. 114) | 43 |

# OSBERTI DE CLARA EPISTOLAE

## 1. *To Hugh, prior of Lewes.*[1]

Vit. A. xvii, f. 28 b. Anstruther x.

Praecordialissimo et reverentis[a] dilectissimo patri,[2] domino priori Hugoni[b], dei gratia familiae beati Pancratii in obedientiae ministerio vera cordis humilitate supposito, frater Osbertus, municipio quod Clara dicitur oriundus et altus, a sacrarum liminibus aedium tanquam in extera[c] regna, iniustitia cogente, proscriptus, sic in ecclesia dei temporalem administrare prioratum ut cum prioribus bonis in senatu caelesti inter primos palatii caelestem obtineat principatum.

*de Vir. Ill.* xii

(Ibid.)

Seneca's advice on making friends.

Sen. Ep. iii.

Lucius Annaeus[d] Seneca Cordubensis[e], patruus Lucani poetae, quem beatus Ieronimus in catalogo sanctorum ponit doctorum et nomen eius inter nomina illustrium virorum scribit, multam nobis sui memoriam et verbo reliquit et exemplo. qui, cum continentissimam ageret vitam et Neronis magister esset et illius temporis potentissimus, optare se dicit in epistolis suis eius esse loci apud suos, cuius Paulus apostolus erat inter Christianos. iste inter praeclara doctrinae suae insignia quendam amicum suum de vera instruens amicitia ait inter cetera: Diu cogita an tibi aliquis in amicitiam recipiendus sit. cum placuerit fieri, toto illum pectore admitte: tam audacter cum eo loquere quam tecum. tu quidem ita vive ut nihil tibi committas nisi quod committere inimico tuo possis. sed quia interveniunt quaedam quae consuetudo fecit arcana, cum amico omnes curas, omnes cogitationes tuas misce: fidelem, si putaveris, facies. hucusque verba illius sapientis, hoc eius consilium est; haec praecepta, haec instituta ex perspicuo nobis fonte manarunt.

Osbert's quest of friendship.

Priusquam facies tua mihi sui attribuisset notitiam, multotiens animo pertractabam cui potissimum in amicitia

[a] reverendissimo ac. *cor. rec.* [b] Hugo. [c] exta. [d] Ennius. [e] Cordubiensis.

copularer, cuius fidei integritati utriusque vitae meae copiam et inopiam communicarem. cum in hoc totus versarer, totumque meipsum tota intentione totus in hoc praeoccuparem, occurrit animo meo vir honestatis et conversationis egregiae, cuius laude pascitur omnis terra, et vita laudabili corroboratur ecclesia. Quis, inquis, ille? Ille, inquam, domnus Hugo de Sancta Margarita, vere pretiosissimum in serto regis aeterni ac inaestimabile margaritum, cuius non minor est apud deum gratia quam inter homines fama.

His visit to Hugh:

and gracious reception.

Ad te itaque, carissime, serenissime, suavissime, iter arripiens, et cum duobus fratribus nostris Gregorio et Godefrido[3] perveniens, quanto gaudio, quanta alacritate, quam incomprehensibili devotione excepti fu[er]imus! mihi gratias agere vehementer operosum, si tanto beneficio non esset onerosum. in illa sollicita et sedula exceptione, in illa praeclara et praecellenti administratione, tam splendida facies tua, tam serenus vultus tuus illuxit, ut mihi, tanquam alter Moyses effectus, transfigurati corporis Christi novam prodideris claritatem. cuius contemplationis pulcritudine delectatus, compulsus sum cum Petro exclamare et dicere: Bonum est, domine, nos hic esse. ibi cum Iacobo vitiorum supplantatores, ibi cum Iohanne secretorum vidi contemplatores caelestium.[4] et hoc de regula procedit iustitiae, ut qui perpetuae gloriae glorificationem expectat illum, quem lex et prophetae praedixerunt, cum Moyse et Helia ad mundi salutem venisse iam nuntiet, agnoscatque cum Petro eum esse deum et hominem, et ex duabus naturis sine confusione alterius in una persona confiteatur Iesum Christum regem et sacerdotem. ex hac, dilectissime, confessione oritur ut cum Iacobo destruat multitudinem vitiorum et cum Iohanne, quod gratia dei resonat, requiescere mereatur in monte virtutum. iste est mons in quo coram discipulis suis post dies sex transfiguratus est Iesus, significans quod post labores et aerumnas praesentis vitae, quae sex diebus involvitur, in septima coram angelis suis reformabit corpus humilitatis sanctorum configuratum corpori claritatis suae. unde scriptum

S. Matt. xvii. 4.
Hier. *de N.H.* (Matt.).
Hier. *de N.H.* (Matt.).
Ps. xiv. 1.
S. Matt. xvii. 1.
Phil. iii. 21.

est: Introduces eos et plantabis in monte hereditatis tuae, firmissimo habitaculo tuo quod operatus es, domine.

Ex. xv. 17.

In hac itaque tam excellenti sanctae domus et tam speciali gloria arcanis tuis me dignatus alloquiis, tanto cor meum affectu, tanto vitam meam amore colligasti, ut te prae omnibus desiderem mortalibus, nec alicui tanto studio conglutinetur anima mea. te diu excogitatum in amicitiam recepi, te toto pectore totum admisi. tam audacter loquor tecum ut mecum.

Hugh is Osbert's truest friend.

Accipe itaque et intellige. opinabar iamdudum me ex Egypto fuisse egressum, ut cantare possem canticum novum in terra Iuda. et ecce rex Babilonis cum exercitu suo ad luti et lateris opera festinare coegit; spoliavit me tunica pacis et gloriae, et palearum suarum pulvere sordidavit. cumque primogenita Aegypti caesa existimarem atque consumpta, tanquam tricerberi capita revixerunt, Pharaonis crudescit impietas, et Ioseph non invenio qui frumenta ministret. qui operibus Babiloniae praesunt, captivis onerant mea colla catenis, Nabuchodonosor servire cogunt et statuam principis adorare. sic temptant ut suo subiugare velint imperio: sic impugnant ut deicere et in desperationem adducere contendant.

Osbert's continued persecution

Cf. Hier., Ep. xlv. 6 ad Asellam.

Cf. Ov. *Ars Am.* i. 215. Cf. Hier., Ep. xlv. 6.

Sed ego, sanctorum fultus angelorum auxilio, legiones exercitus eorum non formido. habeo virgam Moysi in dextera mea, quae virgas devoret Egyptiorum: serpens noster exaltatus in eremo serpentes et colubros transglutiet magorum: mendacia quibus falso arguimur veritas absorbebit. sancti in temptationibus proficere solent: in temptatione filii fidelis Abraham fidelior est inventus; Ioseph Egypto dominatur, dum zelantium fratrum venditione distrahitur. Iesus filius Iosedech sacerdos magnus a Sathana impetitur, qui a dextris eius stabat ut adversaretur ei. et haec est doctrina qua Iesus sacerdos noster suos erudit et informat, ut temptationibus proficiant: temptati non cedant, provocati non superentur, impugnati resistant. temptatus enim est, ne temptationibus frangamur: passus est, ne passionibus vincamur. hic est ille Iesus qui populum suum ex Egypto eduxit, qui prophetae

serves to confirm his faith in the great High Priest.

Cf. Ex. vii. 12. Num. xxi. 8.

Zach. iii. 1.

Zachariae vestibus sordidis indutus apparuit, qui me de Babilone regredi Ierosolimam imperavit, et sic de fornace ignis incendentis eduxit.

Hic Iesus, rex et sacerdos noster, in substantia illa videri non poterat in qua deo patri manet semper aequalis et iccirco in assumptione et forma humanae ostenditur carnis: stans coram angelo videtur, per quem magni con- [Cf. Hier. in Zach. iii. 1.] silii angelus intelligitur ;[5] non quod duas personas percipiamus in filio, ut alius sit deus et alius sit homo, sed quod unus idemque et quasi homo sordidatus induitur et quasi angelus mediator dei et hominum apparere videtur. stat autem quia stabili consistit gradu, et militum suorum victorias dirigit et praemiis remunerat sempiternis. hinc [Act. vii. 56.] est quod beatus Stephanus eum vidit stantem, et dum lapidibus opprimeretur ipsum fortiter adiuvantem. temptator a dextris eius stare perhibetur, quia Christi virtutibus in sanctorum suorum virtutibus contraire conatur, et dominus [Heb. iv. 15.] temptatus est per omnia pro similitudine absque peccato: pro similitudine, inquam, carnis, quia specie foris aliis apparuit hominibus similis, sed de transgressione Adae vitium non contraxit prevaricationis. afflictiones enim ignorat afflictorum, qui afflictionis sensibiliter nescit experimentum. Christus igitur non solum per hoc quod deus est omnia novit, sed etiam per hoc quod homo est et similia passionibus nostris in passione sustinuit. et nos temptati ad temptationes eius spem nostram iaciamus et ibi anchoram fidei firmiter figamus. in eo enim, ut [Heb. 8.] apostolus ait, in quo passus est et temptatus, potens est et eis qui temptantur auxiliari. iccirco humanis dignatus est communicare miseriis, ut compati experimento ac misereri di⟨s⟩ceret passis similiter ac temptatis; quatinus infirmitates nostras et visitaret ut proximus, et cognosceret ut easdem expertus, et sanare posset et [Cf. Heb. v. 8.] vellet ut deus, misericordiam didicit in passione per car- [Heb. v. 7.] nem, quam scivit ab aeterno per divinitatem. qui in diebus carnis suae preces supplicationesque ad illum qui posset eum salvum a morte facere cum clamore valido et lacrimis offerens, exauditus est pro sua reverentia.

quicquid egit Christus pro hominibus preces fuerunt [Cf. Primas. ad loc.] et supplicatio:[6] clamor validus sanguinis fuit effusio. in tempore nostrae mortalitatis exauditus est pro reverentia passionis. reverentia enim est quod causa salutis et redemptionis nostrae sine peccato passus est pro sola caritate.

Clamabit ergo pro nobis ad patrem ut increpet temptatorem nobis adversantem, non quod ipse unigenitus dei increpare non possit, sed quia ex unitate naturae cum alter increpat increpare sentiatur ille qui loquitur; quia pater et filius unus est deus. unde eadem incarnata dei sapientia ait: Qui videt me, videt et patrem. [S. Joh. xiv. 9.] hoc autem est quod propheta dicit: Et dixit dominus ad Sathan, Increpet [Zach. iii. 2.] dominus in te, Sathan, et increpet in te qui elegit Ierusalem. quod dominus increpationem quaerit a domino, id est deus filius a patre deo. huic simile invenimus in psalmo: Dixit dominus domino meo: [Ps. cix. 1.] id est deus pater deo filio suo. iste elegit civitatem suam sponsam suam, dilectam suam, Ierusalem supernam in caelis, ecclesiam in terris, animam fidelem in populis. qui torris de igne [Zach. iii. 2.] cognoscitur erutus, quia in carne peccati sine peccato apparuit, nec eius incendio est attactus; ardet enim rubus [Ex. iii. 2.] et non comburitur. qui bene sordidis vestibus induitur, quia redimens nos de maledicto legis factus est pro nobis maledictum, et qui peccatum non fecit pro nobis peccatum [2 Co. v. 21.] factus est, et trabea indutus mortalitatis nostrae potentiam occuluit divinitatis suae. sed haec sordida vestis est ei [Zach. iii. 4.] ablata cum nostra delevit in cruce peccata, resurgensque Christus a mortuis poenam evasit corruptionis. nos itaque in eo resurgentes cum iustitia candida semper habeamus vestimenta. Iesus sacerdos noster induitur mutatoriis,[7] quia caro eius immortalis iam facta est et impassibilis. cydaris mitra pontificalis esse dicitur, per quam dignitas [Zach. iii. 5. cf. Hier. *Comm.* ad loc.] veri sacerdotii figuratur. unde et cydaris, quod est splendor divinae maiestatis, capiti Iesu imponitur, ut idem deus et homo intelligatur; qui in domo Iosiae filii Sophoniae, qui venit de Babilone, coronis iterum aureis [Zach. vi. 10. cf. Hier. *Comm.* ad loc.] et argenteis coronatur. Iesus itaque salvator, Iosedec dominus iustitiae, Iudaea [a] confessio, Babylon confusio, Iosias salvatus, filius Sophoniae, id [b] est visitationis, interpretantur.[8] cum de peccatorum voragine per confessionem [c] educimur et paenitentiae luctui in ecclesia inhaeremus, vitia et peccata captivitatis nostrae in Babylone deserimus et ad Ierusalem supernam in caelis amore et desiderio suspiramus. illos enim quos [d] dominus visitat quasi de confusione reversos salvat; quorum profectus [e] sensu et sermone dominum confitetur.[f] in his duabus coronis [g] tanquam auro et argento Iesus coronatur; immo quot virtutes quisque [h] per paenitentiam congerit, quasi tot coronas salvator in singulis apprehendit: cuius pater interpretatur dominus iustitiae, eo quod dominus pater reddit unicuique secundum merita et operationes praesentis vitae. Zach. vi. 11, 12. filius Iosedech Iesus vocatur, eo quod salvaverit mundum; S. Luc. i. 78. et oriens est nomen eius, quia visitavit nos oriens ex alto et super eum orietur multitudo credentium. in diebus Cf. Ps. lxxxiv. 11, 12. eius orta est veritas et misericordia, et pax de caelo prospexit et iustitia. qui ecclesiam suam domum domini aedificabit, et accipiet fortitudinem et decorem ac profectum singularem et gloriam, ut insigne victoriae suae Christus in eis coronatus agnoscat, et unusquisque se filium Sophoniae, id est visitationis domini, intellegat; dum ille qui per maiora crimina fuerat a Iudea, id est confessione, Ps. cxxxvi. 1, 2. elongatus, domum domini in anima sua aedificet, et qui super flumina Babilonis in recordatione Syon sua flens Ps. lxxx. 3. organa suspenderat, in Ierusalem reversus psalmum et tympanum accipiens deo gratias et laudes agat.

In huius ergo sacerdotis ductu adurentes flammas iam evadere incipiens, et terram repromissionis aeternae cupiens introire, tertium sabbatizare sabbatum cordis desidero.[9] cordis etenim sabbatum ad sabbatum perpetuae iocunditatis introducit. ibi cantabit cantica canticorum qui hic canticis graduum inhaerere non desinit. cantica etenim

[a] Iudaea] iudeae. [b] id] ad.
[c] confessionem] confusionem; (confessionem, *a late med. hand in marg.*).
[d] quos] quod. [e] profectus] perfectus. [f] confitetur] confitemur.
[g] coronis] orationis. [h] quisque] quique.

graduum ascensiones sunt in corde virtutum. unde et sapientissimus Salomon ait: Mane semina semen tuum, et Eccl. xi. 6.
vespere ne cesset manus tua; tanquam dicat, Cum bene feceris, a bono opere nunquam desistas; matutinam iustitiam vesper inveniat,[a] vesperis misericordiam sol ortus accumulet; sic in prosperitate tua semina semen vitae, ut in morte mercedem valeas apprehendere; sic huius vitae exerceas actionem, ut in futura pertingas ad aeterni solis contemplationem. de quo idem, qui prae ceteris filiis hominum meruit supernarum sedium assistrici dei sapientiae copulari, subiunxit: Dulce lumen et delectabile oculis Eccl. xi. 7.
videre solem. de quo dicturi sunt impii: Et sol iustitiae Cf. Sap. v. 6.
non luxit nobis. lumen hoc comprehendere mundus non potest, quia mundano amore debriati ignorantiae suae tenebris occaecantur. qui in tenebris sedent adhuc in Aegypto versantur, nec esse aequaliter possumus cives Ierusalem et cives Babilonis. sed habemus consolationem nostram magni consilii angelum [10] qui nos de tenebris Aegypti eruere et ad Syon arcem David potens est misericorditer sublevare. de quo Ysaias ait: Habitantibus in regione Is. ix. 2.
umbrae mortis, lux orta est eis. ipsa est lux quae caliginem dissipat caecitatis internae et spiritualis intelligentiae claritatem infundit; infusio enim claritatis paenitentiae correctionem administrat; paenitentia autem corde con- Rom. x. 10.
cepta salutarem oris confessionem parit; confessio cum in lacrimas proruperit scintillas ardentes emittet. scintillae vero in flammas vegetantur accensas; flammae amoris verbo crepitantes et exemplo totum cor hominis igne caelesti succendunt. haec est lux quae ducatum volentibus praestat, haec quae currentibus perventionem attribuit, haec quae certantibus in agone bravium largitur et palmam. ista est lux qua apud Ioseph meridie fratres convivantur. Gen. xliii. 16.
in hac luce Abraham pater excelsus meridie meruit angelos ib. cap. xviii.
hospitio suscipere. haec est lux quae de sulphure et foetore ib. cap. xix.
Sodomorum Loth ad montana provexit. huius fulgoris splendor et excellentia de publicano evangelistam, de telo- S. Matt. x. 3.
neario apostolum fecit. haec Chananeam illustravit. haec S. Matt. xv. 22.

[a] inveniat] inveniet.

[Ps. xxxv. 10.] Mariam apud fontem vitae lumine luminis sui refecit. quae in persona totius paenitentis animae introducta in canticis [Cant. i. 4.] dicit: Nigra sum, sed formosa, filiae Ierusalem. formosa dicitur quia paenituit; quia de peccatis paenitentiam egit, sincera [a] morum conversio pulcritudinem formae interioris tribuit et decorem. sed nigra dicitur haec Ethyopissa quam Moyses noster duxit uxorem, quoniam quamdiu in hoc corpore ingemiscimus gravati, nunquam anima Christiana peccatorum sorde perfecte purgari, nunquam omnino dilui potest in salutem, quin in atro colore ipsa permaneat. et iccirco cotidiana lacrimarum inundatione lavemus conscientias nostras, et ferventi desiderio ad aeternam patriam nostram suspiremus in caelis, ubi cantare possimus canticum domini, quod in terra aliena cantare non valemus.

Summus patriarcha Habraham, cui specialiter de Christo facta est repromissio, ad primam domini dei sui vocem [Gen. xii. 4.] exivit de terra sua, exivit de cognatione sua, reliquit Chaldaeos urbemque confusionis deseruit et venit in terram quam monstravit ei deus. cui a caede quinque regum qui [Gen. xiv. 18.] nepotem suum Loth captivaverant revertenti occurrit rex Salem Melchisedech sacerdos dei excelsi et benedixit illi. obviat et occurrit Melchisedech rex et sacerdos noster cuique fideli de terra carnalium voluptatum egredienti, et dat gratiam post caedem vitiorum quae per quinque sensus subintrant et dominantur, eique benedicit bonorum[b] operum incrementa ministrando; dat ei panem et vinum, id est corpus et sanguinem suum, quo pasti et a praeteritis mundantur et in futurum conservantur. cui Abraham, id est fidelis, dat decimas omnium, quia omnem perfectionem suam ei attribuit in consummatione virtutum. et bene Melchisedech dicitur rex iustitiae, quia Christus inter procellas saeculi suos protegit et conservat. rex etiam pacis Christus, quia quos hic in iustitia regit, in pace aeterna regere non desistit. sacerdos dei excelsi Iesus dominus est, qui se obtulit in ara crucis pro peccatis mundi, factus sacerdos, sacrificium, redemptor et redemptio captivorum.

[Osbert's infirmities] In occursum igitur tanti regis et sacerdotis, si possem de

[a] sincera] sui vera. [b] benedicat.

patria et de cognatione egredi carnis meae, eique spirituales delicias contriti cordis offerre, benedictionem ab eo illam perciperem quae[a] ad caelestem gloriam et animam simul sublevaret et carnem. sed cum vires non suppeditent quibus campestria deserere et carnis protritis deliciis ad montana valeam festinare, detur mihi orationibus tuis sanctis ut a Bethania, quae domus dicitur obedientiae, ad visionem pacis, id est Ierusalem, sic iter arripiam, ut cum Lazaro de consuetudine peccatorum et pondere a Iesu suscitatus in aeternum resurgam; sicque, David sanctissimi regis exemplo animatus, de manibus hostium gladium merear extorquere, ut caput superbissimi[b] Golyae proprio valeam mucrone truncare. trahe me, dilecte, in orationibus tuis post te; trahe me, inquam, post te, et curram. in tractu difficultas est, in cursu libertas. sed ille praecucurrit qui exultavit ut gigas ad currendam viam; qui te iam traxit incrementa dando, et tu trahis alios exemplum et verbum vitae administrando; qui tibi viam sic effecit facilem, ut multi per te currendi habeant libertatem. trahe me post te incipientem, ut melius postmodum trahas proficientem.

defeat his aspirations.

He asks for Hugh's prayers.

Hier. *de N.H.* (Matt.).

Cf. Hier. Ep. lxx. 2.

1 Re. xvii. 51.

Cf. Cant. i. 3.

Ps. xviii. 6.

De cetero, quoniam prolixior quam proposueram epistola iam modum excessit, ad illud redeo quod in principio res ipsa coegit: de amicitia exordium accepi, in amicitiam terminare disposui. scriptum namque est: Si habes amicum, in temptatione posside illum.[11] in temptatione itaque mea ad te recurro, quem fidelem et pium invenire non diffido. quod si mea olim coram rege praevaluisset electio, in tribulationibus meis ad te mea fuisset conversio. sed quia rex me blanditiis et precibus delinivit, ut aliquamdiu ecclesiae nostrae cederem et Eliensem ecclesiam ad quam missus sum visitarem, adquievi voluntati eius et satisfeci imperio. nunc ibi positus multotiens per gratiam dei sentio amicos, quos aliquamdiu familiares pertuli inimicos; qui me amplius infestaverant, modo revocarent si possent. tu vero dominum in navi dormientem suscita, et dic ei, Exsurge, quare obdormis, domine? exsurge: te increpante ventos et

Cf. Eccli. vi. 7, et Hier. in Mich. vii. 5.

'If my election had been approved by the king I should have turned to you in my troubles: but he persuaded me to go away to Ely.

'Old enemies are turning to friends and wishing me back: help by your prayers.'

Ps. xliii. 23.

[a] quae] quem.

[b] superbissimi] superbyssum.

'This I believe you have done and will do.'

Prov. xiv. 20. Hier. in Mich. vii. 5.

S. Joh. xv. 15.

S. Luc. xxii 28.

Hier. in Mich. vii. 5; Hier., Ep. iii. ad fin.

'I have friends who help in word and act; you exceed them all.'

mare tempestas nubilosa dispereat, et te imperante serena ecclesiae tuae tranquillitas redeat. credo, spero, confido, quod sic fecisti et facis et facies. non enim in te reperitur quod de falsis amicis legitur: Amici divitum multi, a pauperibus autem etiam qui videntur discedunt. tu namque in vera eorum fundatus es amicitia quibus salvator ait: Iam non dicam vos servos, sed amicos meos: quoniam perseverasti mecum in temptationibus meis. secularium etenim talis est amicitia, ut amicos sequantur in prosperitate sua; qui, si rotam volubilem intellexerint fortunae, desolatum delinquunt in temptatione. unde quidam dixit; Amicus diu quaeritur, vix invenitur, difficile servatur. habeo tamen ex omnipotentis dei largitate quosdam amicos, qui me suis exhilarant praesentes et absentes tam verbo[a] quam scripto alloquiis, et copiosis rerum suarum sublevant beneficiis. quibus omnibus te solum praefero, te unum antepono, sciens quod voluntas tua omnes superat largitate et beneficia eorum copiosa excedit caritate; cui ita indefessis vestigiis in hac vita adhaereas, ut eam in futura gloria sanctorum veraciter a Christo coronatus apprehendas.

'Let my true friend Roger see this letter.'

'The task you set me has not been forgotten.'

Cum domino[b] Rogero,[12] altera anima mea, epistolam istam communica. salutatio mea in quantum orare audeo et sufficio ad dominos et seniores nostros perferatur in capitulo. obedientiae, quam mihi tua iniunxit sublimitas, parvitas et tenuitas ingenii nostri, quantum deus revelat per spiritum sanctum, insistit et insudat et studiose invigilat; sed propter curas animam meam affligentes diutius impeditus sum; quod illis per gratiam dei aliquantulum sopitis intermittere ulterius non possum.

Omnipotentis dei misericordia ita vitam tuam vitamque tuorum omnium in beneplacito suo per hoc mare magnum et spatiosum disponat, ut ad portum tranquillitatis aeternae cum benedictis ad dexteram feliciter introducat. Amen.

[a] vero. [b] dño.

## 2. *To Herbert, abbot of Westminster.*[1]

f. 39 b.
Anstr. xii.

Reverentissimo domino et patri H., dei gratia venerabili Occidentalis Monasterii abbati, filius eius et frater Osbertus de Clara, sic cum acuto ferri[a] delinquentes corrigere, ut cum reflexo pastoralis virgae paenitentes in misericordia non aspernetur attrahere.

S. Luc. x. 34.
'It is time for you to deal leniently with me.'

Satis satisque pater, et ultra quam expediat, in vulnera filii tui vinum infudisti. superest ut oleo permisceatur antidotum, cuius ope ad salutem convertas aegrotum. sic debet pater puerum virga percutere ut eum a delicto liberet et errore ; ita convenit patri adhibere correptionem, ne delinquentem adducat in desperationem. si aliquid vel insipienter vel sapienter egi quod tibi disp⟨l⟩icuit, non livoris aut malitiae sed simplicitatis fuit; et tamen illa simplicitas, qua te provocavi ad iracundiam, lacrimarum pene cotidie fluctibus irrigat faciem meam. non quod me conscientia arguat studio aut voluntate tibi quaesisse detrimentum, sed quia quolibet modo paternae severitatis me incurrisse timeo maledictum. non enim de generatione Cham mea generatio prodiit, qui patris nuditatem contemplando derisit. procedant testes illi, si placet, idonei qui me arguere possint aut metas fidei transilisse, aut iurata in Christi sacramenta tirocinia votis mendacibus excessisse. veniat Iesus Naue, qui me revera cum Achar probet sacrilegium incurrisse, et adsistat Finees qui in scorto Madianitide[b] adstruat veraciter adulterium commisisse: tuque, vindex scelerum, extrahe veri Salomonis gladium, et inter duas dissidentes meretrices proprium propriae matri reddere non differas filium: et si seminecem deprehenderis, age quod noster Samaritanus egit, qui languentem illum omnino non confregit, sed ut curaret imposuit in iumentum et misericordia motus duxit in stabulum.

'My intentions were good.'
Gen. ix. 22.
Jos. vii. 18.
Num. xxv. 7.
3 Reg. iii. 16.
S. Luc. x. 34.

Si prae ira turbatus est oculus animae tuae, non poteris interdum iuste iudicare. de domino deo nostro in libro Sapientiae scriptum est: Tu autem, domine Sabaoth, cum

'You must judge without passion.'
Sap. xii. 18.

[a] fieri. [b] madiatide.

tranquillitate iudicas. tranquillitas enim mentis oculus est rationis; unde pastoralis virga non potest esse dilecta ubi sententia praesidentis iracundiae fuerit stimulis agitata. audi quod inde beatus Gregorius Leontio exconsuli inter cetera dicit: Quotiens animum ira invadit, mentem edoma, vince teipsum, differ tempus furoris; cum tranquilla mens fuerit, quod placet iudica.

S. Greg. Ep. X. li.

Hoc, pater, in me non fecisti, sed pravo quorundam usus consilio, quorum adversum me saevit invidia, iustitiae praevalere nequivisti censura. factum est mihi publice praeiudicium, cum semper me obtulerim iudicium et iustitiam in omnibus subiturum. interdicta est mihi omnis concordia, et catholicae veritatis sententia denegata. quod tibi certe, reverende pater, non imputo, quia totum ex fomite processit alieno. crimina mihi falso imposita, praecogitata calumnia, sunt adinventa, cum de huiusmodi accusatione item Gregorius in haec verba scribat Johanni episcopo Panormitano: Si quid de quocunque clerico ad aures tuas pervenerit quod te iuste possit offendere, facile non credas, nec ad vindictam te res accendat incognita: sed praesentibus senioribus ecclesiae tuae diligenter est veritas perscrutanda; et tunc, si qualitas rei poposcerit, canonica districtio culpam feriat delinquentis. si tali tractata res fuisset examine, tanta non sustinuissem opprobria fraterna vexatione. unde beatus Augustinus in quodam sermone de verbis apostoli inter cetera ait: Cetera pericula quiescere possunt; pericula a falsis fratribus quiescere usque in finem saeculi non noverunt.

'I have had no fair hearing: false brethren have slandered me.'

S. Greg. Ep. XIII. xliv.

S. Aug. *Serm. Suppos.* cxi (Migne P. L. xxxix, 1966).

Credidit tibi Christus et custodiendam commisit animam meam; sed, ut salva tua reverentia dictum sit, luporum morsibus exposuisti eam. valde ergo, pater, timendum est ne dicat tibi dominus per prophetam: Sanguinem eius de manu tua requiram. cave ergo ne tua perditum iri videatur incuria quae paterna sustentari debuit disciplina. praecepit dominus in lege ut [a] post mortem summi pontificis rediret ad patriam si quis captivitatis expertus fuisset aerumnam. in morte sacerdotis nostri domini et redem-

Eze. iii. 20.

Jos. xx. 6.

[a] ubi.

ptoris Iesu Christi et quae in caelis et quae in terris omnia sunt restaurata; et sanctorum collegia, quae in inferno tenebantur captiva, se ab eo gratulantur potenti virtute liberata. inde sacrati temporis celebramus mysterium, quo libertas omnium debet restitui captivorum. restitui proinde deberem et ego inter eos qui ab Aegyptia servitute liberantur, et in eorum sorte numerari qui inter cives Ierusalem de Babylone educti numerantur.

'At this season I should be set free to return.

Sed videtur mihi illud de me ratum extitisse, quod de illo caeco scriptum est ⟨in⟩ evangelio: quia Christum veraciter voluit confiteri, iussus est extra synagogam fieri. et quoniam salvum ecclesiae volui esse senatum et iura in omnibus ecclesiastica praevalere, damnatus sum tanquam flagitiosus crimine pessimo, et nota nefariae traditionis infamis per te factus sum mundo. verum illa proditio nullo alio probari praevalet argumento, nisi quod sacrarum ruinas aedium, inedias domesticorum, domos conquassatas, tecturas reparandas, retractas seniorum dapes, diminutas thesaurorum opes, muros et moenia confractos et diruta, et fratrum necessaria absque discretione per manus alienas sine te male consumpta, tacere non potui; quae omnia tuo imperio inquirentibus revelavi: cuius rei te ipsum facis indicem manifestum, dum quod ego solo sermone simpliciter retuli in operum videtur reparatione singulorum. gratias deo et tibi, iam reparasti et adhuc reparas, restauras et innovas veteres et novas scissuras et portas murorum, utinam et morum.[2]

'My struggle for the rights of the church

S. Joh. ix. 22.

and exposure of dilapidations and want

are justified by your own efforts of repair.'

Sed quia longum est universa repetere, conscientiae precor tuae omnes angulos diligenter perscrutare, et, si male locutus sum, testimonium perhibe de malo; si autem bene, desine innocentem affligere, desistens ecclesiam dei membris propriis spoliare. omnes mortales sumus et mortis legibus subiacemus; nescimus diem neque horam; prope est tempus ut iudex veniat et unicuique secundum merita sua rependat. illic rationem redditurus es pro me; et quod a grege non aberravi sed violentiae cessi, deputabitur incuriae tuae. esto igitur memor quanta pietate summus pastor infirmam ovem umeris suis imposuit, et ad pascua

'Be warned in time.'

S. Joh. xviii. 23.

S. Mar. xiii. 32.

S. Luc. xv. 5. in aeternum virentia ut eam sanaret reportavit. hoc bonus pastor boni pastoris factum universis pastoribus reliquit in exemplum. vide proinde quid erga me ⟨faciendum⟩, quia et palam et in occulto fidem semper integram tibi servabo. nusquam et nunquam post exorta scandala lapsus sum in verbo, unde me recolam tuam offendisse clementiam aut maiestatem semel imminuisse paternam. omnipotens deus det tibi spiritum consilii et fortitudinis, ut ea intelligas quae tibi sunt sequenda, et opere fideliter impleas quae ad salutem plurimorum tibi sunt facienda.

Is. xi. 2.

'I am ready to love and respect you.'

Praesto adhuc sum cum obedientia et humilitate te venerari ut patrem, te supportare ut matrem, et puram tibi exhibere amicitiam, et sine depressione personae meae tuae paternitatis apprehendere disciplinam. nam ut beatus Ambrosius ait: Pietatis custos amicitia est et aequitatis magistra, ut superior inferiori se exhibeat aequalem, inferior superiori humilem. inter dispares enim mores non potest esse amicitia, et ideo convenire sibi utrius debet gratia, nec auctoritas desit inferiori, si res poposcerit, nec humilitas superiori. audiat quasi parem [a], quasi aequalem; et ille quasi amicus moneat, obiurget, nec iactantiae studio, sed caritatis affectu. neque monitio aspera [b] sit, nec obiurgatio contumeliosa. haec beatus Ambrosius. ceterum me poteris habere tanquam alterum te, in adversis et prosperis strenuum adiutorem et amicum fidelem; et ut idem Ambrosius ait: Solatium vitae huius est, ut habeas cui pectus aperias tuum, cum quo arcana participes, cui committas secretum; ut colloces tibi fidelem virum qui in prosperis gratuletur tibi, in tristibus compatiatur, in persecutionibus adhortetur.

*de Off. Min.* iii. 22.

*de Off. Min.* iii. 22.

'Let friends and foes alike hear this my appeal.'

Hanc epistolam volo audiant tam inimici quam amici; ut corrosores denotent, si possunt, maledicta, aut testes veritatis approbent si praevalent rationabiliter oblata.

[a] patrem (parem *Ambros.*). [b] aspersa (aspera *Ambros.*).

### 3. *To Henry, a presbyter of Westminster.*

Cogunt me quidam, qui de finibus illis in quibus conversaris adveniunt, ut tibi aliquid vel breviter scribam. quod fieri durum mihi videtur et importabile; nam in pace mea consistens dolores doloribus superadderem, si inimicorum meorum et hostium mentionem et memoriam litteris excitarem. et quid tibi scribam prorsus ignoro: quod tamen occurrit memoriae coactus scribo. quippe cum te scirem de genere meo traxisse carnis originem, et sanguinis propinquitate vicinum amicum in tribulationibus existimarem, spes me falsa fefellit. hostem enim infestissimum repperi, et super cervicem meam vibrantem gladium animadverti. gladius ille passionis et doloris, ut personam meam terraque marique infamem efficeret, et a me omnem honorem abscinderet et decorem coram rege et principibus eius, pilos exteriores secuit; sed misericordia protectricis gratiae dei pellem non tetigit, et de carne mea undam cruoris non extraxit.

f. 90 b.
Austr. xix.
'You have been a false friend, though a kinsman,
but you have done less harm than you meant.'

Quod Nisus Eurialo, quod Polinices Tideo, quod Pirithous Theseo, hoc cognatus erat cognato, prior ecclesiae presbytero, Osbertus Henrico: quodque David Ionathae fuisse legimus, hoc ego per omnia me exhibebam tibi. frequenter aerumnas tuas atque molestias meas faciebam; sudores laborum et inquietudines affligentium et oppressiones inimicorum tecum, tanquam sine te, ut amicus deflebam; quibuscumque modis poteram honori tuo inter domesticos et circumforaneos solatium impendebam. tu vero reddidisti vicem meritis expulsionem, proscriptionem, exilium. a sacris aedibus perlongatus in sacras aedes perveni: pro expulsione mille amplexus et receptiones et solatia amicorum repperi: exilium in patriam versum est. sicut Achitofel cum surrexit adversum David, sic cum complicibus tuis sine causa contra me insurrexisti. sicut Doech Idomeus in Achimelech sacerdotem domini manum extendit sacrilegam, ita pro ancipiti gladio non incruentam sustinui linguam tuam.

'In my banishment I have found kind friends.'
2 Re. xvi. 20.
1 Re. xxii. 18.

'My offence is to have laboured for the church and the brethren.'

1 Re. xxi. 6.

'Well might my troubles begin at Passion-tide!'

Si crimen obicis, sacri loci defensio et fratrum fidelitas et tuitio est: ecclesiae iura salva esse voluisse, opprobrium meum et incommodum est: honorem civibus detulisse, domesticis fidei in necessitatibus occurrisse, fratres Christi et proximos benigne excepisse hospitio, et panibus propositionis pavisse in cotidiana refectione populum domini, improperium meum et contumelia mea est. nec mirum si per sequipedas Iudae proditoris mea facta sit proditio, cum et ipse suum prodiderit magistrum, cuius me profiteor esse discipulum. in passione domini mea incepta est passio, et cum eiusdem traditione sub sacrati temporis hora eisdem diebus mea est[a] facta traditio, et iuste. illius enim vestigiis inhaerere cupio et passionibus cotidie communicare, cuius communico carni et sanguini.

'True friendship is a thing of the past.'

Cf. Sen. Ep. xxxv. 1.

Hier. in Mich. vii. 5.

Sen. Ep. iii. 3.

Haeccine est gratia? haeccine amicitia quam amicus amico debet impendere? verum est quod quidam sapiens ait: Non omnis qui amat amicus est, sed omnis amicus amat.[1] dicebas te amicum, sed animum fingebas subdolum. non amabas substantiam corporis mei, sed si quid extorquere posses peculii. legimus quendam, cum interrogaretur quid esset amicus, respondisse: Alter ego;[2] tanquam diceret, Talem requiro et tam fidelis animi amicum desidero, cui tanquam animae meae secreta mea, cui conscientiam meam revelare non timeam et nudare. sed ut Seneca scripsit: Quidam ea[b] quae ⟨tantum⟩[c] amicis committenda sunt obviis narrant, et in quaslibet aures quicquid illos urit exonerant: quidam rursus carissimorum etiam conscientiam reformidant, et, si possent [qui][d] ne sibi ⟨quidem⟩[e] credituri, interius premunt omne secretum. neutrum [enim][f] faciendum est. utrumque enim vitium est, et omni credere et nulli. haec Seneca. ego autem dico: Qui omnibus credit seipsum graviter in errorem[g] inducit; qui in nullo confidit, nunquam eius conscientia requiescit.

[a] mea est *supplied from Gale, the leaf in Vit.* (f. *92 top*) *being mutilated.*

[b] ea *om. Sen.* [c] tantum *Sen, om. Vit.*

[d] *om. Sen.* [e] *om. Vit.* [f] *om. Sen.*

[g] in errorem *supplied from Gale, Vit.* (*f. 92 b top*) *being mutilated.*

amicitia rara avis in terra, quia rara in hominibus est. amicitia ubi par est, quicquid volueris efficit: ubi superior est, inferiorem dedignatur ac despicit. ab amore enim amicus nomen accepit, tanquam cum amico eadem anima sit.[2] sed scriptum est in propheta: Noli credere amico; quia omnis amicus supplantatione supplantat. verum est, constans est, ratum est; experto enim credendum est. adeo rara est fides inter cara nomina et consanguinitatis affectum, ut non tam amicus eius sit quisquam quem amare se simulat, quam eius rei quam diligit et ab amico desiderat. lyricus ille, qui pro amico precabatur cuius anima illius animae conglutinabatur, quo affectu, quanto eius salutem optabat desiderio! Serves, inquit, animae dimidium meae. hic amici non requirebat pecuniam, sed prosperitatem et vitam; nec amici morte redemptam hereditatem, sed amicum salvum atque incolumem. in quibus tanta inerat concordiae unitio, nulla in animabus fiebat divisio. sed nunc rara fides aut nulla, rara spes aut nulla, rara amicitia aut penitus nulla est. aliud versatur in ore, aliud machinantur homines in corde. qui mella linguae tegunt sub labiis venenatis, hi falso sectantur lucra de amicitiis. unde bene quidam sapiens dicit: Non agnoscitur in bonis amicus, et non absconditur in malis inimicus.[3] nec prosperitas amicum indicat, nec adversitas inimicum celat. In novissimis diebus, ait apostolus, advenient tempora periculosa: erunt homines seipsos amantes, cupidi, elati, superbi, blasphemi, parentibus non obedientes, ingrati, scelesti, sine affectione, pactum non custodientes, delatores, incontinentes, immites, sine benignitate, proditores, protervi, inflati, voluptatum amatores magis quam dei, habentes speciem quidem pietatis, virtutem autem eius abnegantes. et hos, inquit, devita. tunc enim tradet frater fratrem, et pater filium, et inimici hominis domestici eius. et quid inclitus consul ille Anicius?[4] Nulla, inquit, efficacior pestis quam familiaris inimicus. et, ut beati prosequar verba Ieronimi[5] ex epistola de fictis amicitiis conscripta, in qua te non excipio, sed in te et a te primum incipio: Osculabantur, inquit, quidam mihi manus, et ore vipereo detrahebant.

Iuv. *Sat.* vi. 165.

Mich. vii. 5. cf. Hier. ad loc.

Hor. *Carm.* iii. 8. ap. Hier. in Mich.

2 Tim. iii. 1, ap. Hier. in Mich. vii. 5 q. v.

S. Matth. x. 21, 36.

Boethius, *Cons. Phil.* iii. Pros. v.

Ep. xlv, ad Asellam.

dolebant labiis et corde gaudebant. videbat dominus et subsannabat eos, et miserum me servum futuro cum eis iudicio reservabat.[a] alius incessum calumniabatur et risum, ille vultui detrahebat et cultui. hic in simplicitate aliud suspicabatur. plusquam biennium cum eis in sollicitudine magistratus vitam exegi. sic tamen eram superpositus ut omnibus secundum illius formam qui ministrare[b] venerat supponi non dubitarem. multa me monachorum et clericorum, crebro virginum et viduarum, nonnunquam vero secularium feminarum, frequenter vero civium turba circumdedit, quibus partim in ecclesia, partim in capitulo, legem dei prout potui persaepe disserui, panes propositionis familiae David cum Achimelech ministravi. sermo dulcis assiduitatem, assiduitas familiaritatem, familiaritas fiduciam fecerat. dicant quid in me unquam aliter senserint quam decebat Christianum. si summa criminis arguitur cuius notamur infamia, ut superius diximus, senatum ecclesiae salvum esse voluimus. et iccirco quantum ad eos spectat quorum accusatione proscriptus sum, ut Boetius ait: Bonis omnibus pulsus, existimatione[c] foedatus, ob beneficium supplicium tuli.

'I spent over two years in office with due humility.'

Cf. S. Matth. xx. 28.

'Men and women, religious and secular, attended my lectures in the church and the chapter-house.'

1 Re. xxii.

Cf. Boeth. *Cons. Phil.* lib. i, pros. iv med.

*Cons. Phil.* lib. i, pros. iv ad fin.

Sed breve putabo malum quod fine meliori terminabitur, et Flebile principium felix fortuna sequetur. modo itaque exclamare libet cum propheta et dicere: Maledictus homo qui confidit in homine. in deo enim sperare melius est quam in mundi principibus. homo despicit, creator hominis misericorditer respicit. benedictus deus semper per omnia, qui non derelinquit sperantes in se. qui sperat in eo, in anxietate propitium inveniet ac misericordem. qui sperat in eo, quando infirmior, tunc fortior et potentior. qui sperat in eo, quanto abiectior saeculo, tanto altior et vicinior caelo. haec ita. ceterum lege et intellige.

Ov. *Met.* vii. 518.

Jer. xvii. 5.

2 Cor. xii. 10.

Ille, qui omnium sapientium mentibus praesidet, deus, scit me nunquam magistratum nisi ob communem populi dei utilitatem voluisse; et cum graves ingruere coepissent

Cf. Boeth. *Cons. Phil.* lib. i, pros. iv ad init.

[a] reservabatur. [b] qui in ministrari.

[c] pulsus, dignitatibus exutus, existimatione, *Boethius.*

immitesque discordiae, pro personis et odiis, pro loco et tempore, cum constantia animi ad loca alia sitienter emigrasse. ['I withdrew for the sake of peace,] nec dubites me habere illud in me quod a quodam didici sapiente: Nullum, inquit, bonum adiuvat habentem, [Sen. Ep. iv. 6.] nisi ad cuius amissionem praeparatus est animus. nullius autem rei felicior amissio est, quam quae desiderari amissa non potest. sic amisi profecto quod habui, ut me dolor inde non cruciet, nec rursus habendi studium aut voluntas invitet. in honore enim et gloria et gaudio maximo atque [and am satisfied.'] tripudio vita mea tota substitit, et non ut plerique inter mortis metum et vitae tormenta miseri fluctuant, volunt vivere et mori nesciunt, ego mihi iocundam vitam facio, omnem pro illa sollicitudinem deponendo: non quod praesto non sim pro Christo et in Christo mori, cui semper decrevi honesta vita vivere.

[Hier. Ep. lx. 14, ad Heliodorum. [Phaedo, p. 64 a]] Platonis sententia est, omnem sapientium vitam meditationem esse mortis. noli ergo sic de producenda vita cogitare ut beatam vitam amittas. scito autem quod non minori mors incrassatos et pingues invadit audacia quam macilentos et tenues. tantundem metuit filios regum ut pauperum: non plus parcit purpurae et bysso quam sacco aut cilicio. tanto impetu intrat palatium divitis, ut tugurium mendici et inopis. haec time. de gravitate culpae quam exercuisti in me sedeat animo tuo sine paenitentia paenitere, sine paenitentia corporeae afflictionis formam in corde gerere paenitentis. vera enim paenitentia meretur remissionem: tali tenore clementer indulget, si tamen de reliquo cautelam adhibeas. quid docet Seneca? [Ep. lxxv. 5.] Concordet, inquit, sermo cum vita: ille promissum suum implevit, qui et cum videas illum et cum audias idem est: videmus qualis sit, quantus sit; unus sit. non delectent verba nostra, sed prosint. redi, redi, prevaricator, ad cor. [Is. xlvi. 8.] vir linguosus non dirigetur super terram. [Cf. Ps. cxxxix. 12.] vita et mors in manibus linguae. [Cf. Prov. xviii. 21.] illum qui seminat inter fratres discordiam, teste Salomone, detestatur deus. [Cf. Prov. vi. 19.] age ergo, age paenitentiam, si a deo promereri cupis indulgentiam. scriptum quippe est: Cuique peccatori exordium illuminationis est humilitas confessionis.

'I will meet you wherever you wish.'

Dictum est mihi quod me vis videre et alloqui. si obviam alicubi processeris, occurram tibi quocunque vocaveris.

## 4. *To David, monk of Westminster.*[1]

f. 115 b. Anstr. xxvii.

Salus in exordio amico praemittitur, nullius characteris nota signata. salutares amicitiae fructus excipiat qui amico salutem non negat et gratiam.

'I rejoice that you repent.'

Gratia magna est cum se deliquisse meminit vir honestus et paenitet et nebulas antiqui excludit erroris, confitetur delictum et cum excusatione non diffitetur quod egerat. redit ad cognitionem sui, qui a seipso prolongatus sese male distrahendo totus amiserat. seipsum amittit, quem alterius prosperitas stimulat et affligit. qui odit fratrem cum homicidis, apostolo teste, sortitur participium. cum igitur ad se redit, lucem iocundam ad animum revocat et integro praecordia serenat effectu: nullius tyranni maius tormenta desaeviunt quam cuiuslibet conscientia livoris et odii aculeo vulnerata. minus utique est contumeliam persequentis et quaslibet carnificis perferre iniurias, quam malitiosa exprobantium sustinere commenta; supplicia namque quandoque finiuntur, infestans autem odium semper indies accipit incrementum.

1 Joh. iii. 15.

Gen. xxxvii. 18.

'Joseph's injuries at his brethren's hands

Quod sacra illa nobis manifestat historia, quae filios Iacob armatos in fratrem venenata prodit invidia et sine culpae merito immerito et innocenti poenam exilii maturasse. maturant innoxio necem aut excidium, nec fraterni sanguinis affinitate placantur: de deserto forum efficiunt, de pascuis ovium loca institorum: ibi nundinas suas collocant et mercem Hismaelitis preciosam instituunt. fratres fratri non parcunt, et caro carnis suae suggerit detrimentum. quod ei illatum est ad dispendium, ad perpetuum suae posteritatis ministratur profectum: Ioseph venundatus Egypto dominatur, et secundus a rege regno praeficitur: fratres eius in terra Chanaan variis affliguntur pressuris, famisque et penuriae laborant inedia.

turned to his good.'

Haec de historia: in sequentibus quod inde sine labore

et litterae violentia elici poterit placebit absolvere. sed interim, his paulisper omissis, aliis, sed non alienis, insistamus sermonibus. sicut enim currus ille quo sancti conscendunt ad superos multiplex est, et quattuor rotis vehitur[2], ita biga illa levibus utitur vehiculis qua ad inferos penetratur. quattuor rotae quibus sapientiae currus innititur, prudentia, iustitia, fortitudo et temperantia sunt. curriculum vero insipientiae geminis sustentari didicimus orbibus, quibus superbia et invidia indita vocabula memorantur. sed de priore prius, de posteriore autem posterius intimandum. ut autem a sanctis diffinitum est patribus, prudentia hominem in agnitionem veritatis inducit; iustitia dilectionem dei servat et proximi; fortitudo vincit adversa mortemque contemnit; temperantia vitiosas reprimit voluntates et omnia moderatur. hic est currus dei, currus sapientiae, currus multiplex in milibus, quem qui ascendit elevatur ad supera et angustam viam vitae largo huius plaustri aggreditur adiumento. nam angusta via est quae ducit ad vitam, ideoque qui ad montana contendit magno conatu debet impelli. currum autem illum insipientiae, qui rotis geminis vehitur, levem iccirco dicimus, quia per spatiosam leviter viam incedit, quae ducit ad mortem. unde Virgilius:

The chariots of heaven and hell; their wheels.

Cf. Ps. lxvii. 18.

Cf. Ps. lxvii. 18.

Cf. S. Matth. vii. 13.

Facilis descensus Averni:[a]
Noctes atque dies patet atri ianua Ditis:
Sed revocare gradum, superasque evadere ad auras,
Hic labor, hoc opus est.[3]

*Aen.* vi. 126.

qui ad supera nititur graditur difficulter et eget victoriae: qui descendit currendo ad vallis ima prolabitur. superbia unius rotae radios orbemque praeoccupat: invidia alterius negotioso ministrat instrumento.

In huiusmodi curriculo vectabantur fratres illi, qui fratrem amore non tractavere fraterno, sed affectu et effectu profligarunt alieno. redeo igitur ad inceptam de historiae sacrae narratione materiam. cum superbia primum e caelis nativitatis ducat originem, semper ad altiora dirigit animum quam adquirendi habeat instrumentum. sed quia erroris

Jacob's sons mounted the evil chariot.

[a] discensus animi

sui nebulis pariter et tenebris fusa, caecitate multata, de superis corruit, ad locum ortus sui ut iterum redeat semitam investigare nullatenus sufficit: semper sublimia et lucida appetit, et in infimis semper et obscuris demergitur. et quia angeli quam viderant inviderunt deo gloriam, partem secum maximam illaqueaverunt ad ruinam. invidia de felicitate dolet alterius eiusque successibus, machinatur ineptias et diversas ei praetendit et subministrat insidias. in huius tam nefariae bigae curriculo ascenderunt filii Iacob ad ruinam fratris, aestimantes ei veritatem somnii supplantare, cuius futurum fratres in sole et luna et stellis formidabant mysterium. sed quis sicut dominus deus noster qui in altis habitat et humilia respicit in caelo et in terra? exaltavit itaque illum humilem Ioseph in solio regni, et eum secundum nomen typicum ad totum utriusque vitae promovit augmentum. sed primo, petulantis dominae voluptate contempta, carceris horrendo mancipatur ergastulo et multipliciter afflictus saturatur opprobriis. fortibus enim viris tribulatio occurrit et eorum animos temptationes persequuntur. sed sicut in Apochalipsi scriptum est: Qui vicerit non laedetur a morte secunda. prima mors est animae in peccatis, secunda in poenis. prima mors corporis quando dissolvitur, secunda quando in iudicio damnabitur. de utraque morte redduntur sancti dei securi quod non laedentur ab illa, qui innocentiae candida servant vestimenta, de quorum capite non deficit oleum, id est pietas et misericordia de eorum intentione principali.

Ps. cxii. 5, 6.

Gen. xxxix.

Hier. *de N. H.* (Gen.).

Apoc. ii. 11.

Videas tu, bone frater, videant ceteri fratres mei, si cum filiis Iacob elevati estis super hunc falcatum currum supplantationis adversum me; si sine causa vestras laxastis habenas et superbiae et invidiae. et cum non meis meritis sed electione vestra communi mihi cura vestrarum regulariter attributa sit animarum, sine regula, sine ordine, sine iustitia proscriptum, venditum, exclusum et a patria et a senatu fraterno et monastico elongatum, destinare in Aegyptum aestimatis ad iugum. sed nobis gratia dei Aegyptii persolvunt iam tributum. adauxit enim nos deus cum Ioseph in terra aliena. optimum inquam detrimentum est,

'Perhaps you and the brethren have done the same.

'I received cure of your souls by regular election:

you have irregularly sold me into bondage.

'There I flourish:

quod plura nobis emolumenta iam peperit. vos enim habitatis in terra Chanaan, ubi utriusque vitae famem et graviter ingruentes toleratis inedias et intestinis seditionibus sedulo tumultuamini. Chanaan zelus interpretatur vel, ut quidam dicunt, commotio. hortor[a] igitur et commoneo ut egrediamini de zelo amaritudinis, de zelo commotionis, et festinate quo vos vestra recto tramite vocat conscientia. exite inquam de zelo conceptae adversum me iniquitatis, quia quem vendidistis in Aegyptum iam cum Ioseph frumenta ministrat. ministrat itaque non sub Pharaonis imperio, sed sub Christo domini. opus eius est verbum dei loquendo et scribendo pluribus erogare et cum senatoribus terrae laudem in portis et favorem obtinere.

while you are physically and spiritually starved and torn by faction.'

Redite, redite, fratres, si tamen fratres, ad cor; quia praevaricati estis in me mandatum domini: caro enim vestra et frater vester sum. non enim propter me haec scribo, sed propter eos qui deliquerunt in me. pro eorum indulgentia cotidie flexis genibus et corde supplici dei omnipotentis imploro misericordiam, et ut eis delictum non imputet quod commiserunt in me: quoniam si aliquid adversitatis pertuli[b] peccatis meis exigentibus provenit. nunc igitur, dilectissime frater, cui haec specialiter intimans[c] tibi denuntio, per fratrem meum relatae[d] multiplicandae fuissent gratiae, nisi secretiori loco et tempore illas tibi utilius cogitarem multiplicare. quod tibi deus inspiraverit, et quod cordi tuo potius veritas ostenderit, sequere; quia seu facias quod dixisti seu dimittas, semper te diligam; nec adversus deum notam propter quempiam odii et maledictionis incurram. in hoc meo exilio, in hoc certaminis nostri spirituali martyrio, dicam cum Christo meo et orabo cum domino meo: Pater, ignosce illis, non enim sciunt quid faciunt. tu enim scrutaris renes et corda, tu es testis meus et conscius, tu scis conscientiam meam, quoniam nihil in illis desidero nisi ut convertantur et paeniteant, ut per te reconcilientur mihi propter te, et ego et illi communiter nos tibi reconciliare possimus.

Is. xlvi. 8.

'I would thank you through our brother, but hope to do so more privately.'

Cf. S. Luc. xxiii. 34.

Vale, frater, immo valeant omnes amici et fratres mei, et

[a] otior. [b] periculi. [c] intimanens. [d] relato.

'Remember what your name signifies.'

intelligant quam de illis apud deum exquiro vindictam qui mihi ministri facti sunt ad ruinam. interpretatio nominis tui ne decidat a memoria; quia si *manu fortis* ad malum, quod absit, extiteris, ironice et per antiphrasin alio censeberis vocabulo *desiderabilis*.[4]

## 5. *To Anselm, abbot of Bury.*[1]

f. 37. Anstr. xi.

The praises of Anselm,

Dan. ix. 23.

a favourite of kings and helper of the poor.

The sorrow of young and old,

the soldiers and the monastery, at his journey.

His eloquence.

Sol ab eois partibus corusca virtute resplendens, et nebulas circuitus erroris nostri radiis suae claritatis perfundens, oceani[a] undas sulcare disponit, et aerumnam nostram integra relinquere caligine desolatam.[2] ille, honestatis exemplar et totius gratiae speculum, forma fidei et sanctae religionis inexterminabilis disciplina, vir desideriorum meorum et gloria mea, deliciae regum[3] et gratia principum, pater pauperum et mater orphanorum, qui semper decus in clero et amorem indeficientem obtinuit in populo, quem Orpheus si vidisset fidibus et Sibilla versibus prosecuti essent, in nostram, pro dolor, iniuriam subita permutatione eripitur, et alienigenae plebi nova gaudia cumulaturus abscedit. hoc clamat vulgus, hoc per plateas et vicos publicatum accepimus. plorant pueri, lamentantur iuvenes, senes turbantur, gemunt viduae, virgines suspirant, plangunt pupilli: servuli dominum, filii patrem, milites ducem, domestici provisorem, et coetus monasticus abesse queritur protectorem.[4] sufficiebat etiam ad votorum copiam et totius laetitiae satietatem, quod nobis tam benigne praestabat familiare contubernium, tam lepore verborum quam schematum oblectamentis audientium animos naturalis musicae innata suavitate permulcens. boni[b] vultus et iocunda facies escas locupletes et deliciosas varietates apponebant. et quod ad communem omnium nostrum spectat iniuriam miseriamque renovat singulorum, cogor dicere quod cum ratione nemo potest refellere, nescit optare Pyerides nec Syrenarum investigare concentus qui illius conspectui praesens assistit. omne enim quod vivit, quod sapit, quod loquitur, quod agit, deo, sibi subditis, universae

[a] occeanas. [b] Doni.

ecclesiae proficit. non habet oculos Argi ut concupiscat, nec manus Briarei ut rapiat. liberalitate coaequatur Tito,[a] et misericordia copulatur Augusto; facundia Ulixis exuberat, et rhetoricis coloribus tanquam Tullius exundat.

[Suet. Titus 8. 1.]
[id. Aug. 51.]

Et quid illius laudibus laudes innecto? quid ipsius favoribus favores appono? transcendit scientiam hominis dulcedo ipsius et bonitas, et quemdam divinum tanti viri mores sentimus spirare saporem. testis enim mihi est ille, cui humanae patet abyssus nuda conscientiae, quod dum haec scribimus fluunt ex oculis rivi et anxiis curis exaestuat cor moerore confectum, quoniam in eius absentatione nullum infestissimi doloris admitto solatium. sed cum eum retinere non possint singultus et suspiria graviter afflictorum, neque ab incepti itineris coercere aut retardare proposito, angelus ille, qui beato patri Tobyae in peregrinatione sua comes individuus extitit, hunc ad loca desiderata ita prospero cursu perducat ut, peractis negotiis completisque in pace desideriis, ad pupillos quos absque patre iam deserit gaudio centuplicato feliciter redeat. sit cum illo Iesus sacerdos magnus qui in sanguine testamenti eduxit populum suum de terra Egypti, et qui dextram in mari porrexit Petro mergenti suum ei misericorditer administret auxilium et ad votorum suorum dirigat incrementum.

Osbert's grief

Cf. Tobit c.v. sqq.

and good wishes for his business.

Non est qui hoc magis desideret quam ego; non est qui eum magis diligat quam ego. non me fallacem reperiet Synonem, non Laomedonta experietur periurum, nec aliquando Prothea designabit ambiguum. non me adulatorio sentiet more palam oscula porrigentem et clam in viscera mergere fraude seductoria pugionem. illius non quaero regnum sed exilium, nec expeto glorificationem sed cum illo peregrinationem, nec cum eo obtinere gloriam sed salvam atque incolumem eius permanere personam.

Cf. Virg. *Aen.* ii. 57 sqq.

Sed quid est quod inaniter laboro? quid est quod tot eum blanditiis delinio? Hysmarus eum genuit et Rodope parturivit? nescio; nisi experimento didicero eum ex praeclara progenie domini et patris nostri Anselmi Can-

But Anselm is cold and reserved.

[a] tuto.

tuariensis archiepiscopi descendisse, qui et cunctis hodie viventibus sanctitate praecelluit, et in largitate misericordiae prae ceteris praelatis specialius effulsit. verum haec interim taceamus, et cum redierit revocabitur in iudicium: querimonia sibi fiet de seipso: calumnias ordinabo, argumenta componam, illius teporem litteris accusabo, erectus in cubitum inconstantiam obiurgabo, quod me qui tantundem diligo mutua vicissitudine tantundem non diligit. apud deum amplioris aestimatur gratiae qui amplius diligit: ipse enim dixit: Ego diligentes me diligo; et inter saeculi potentes maioris solet esse meriti qui maiori dilectionis arcetur desiderio. cetera enim sub secreto silentio consideranda atque examinanda relinquo. vigeat, inquam, et valeat, et per longa saecula subsistat incolumis, audiatque familiarius revelationem fratris mei, et aurem ei tutam praecordialiter applicet, nullique ulterius quod didicerit manifestet, meumque in omnibus negotium fideliter pertractet.

Prov. viii. 17.

'Listen to my brother; do not divulge what he says; and remember what you are to do for me.'

## 6. *To the same.*

f. 43. Anstr. xiii.

Domino suo, patri, rectori, protectori, asylo, consilii sui angelo dei gratia, Anselmo, frater Osbertus, totus suus, quicquid usquam boni est et sine quo nihil est.

A request that Anselm will return to his country: and a promise of a great welcome.

Dormitat anima mea prae taedio, dilectissime, quod desideratam non possum faciem tuam videre. suspirat proinde mens mea et caro mea vehementer affligitur, quoniam et diu abest pro quo langueo et nescio eius reditum quem desidero. redeat, inquam, redeat, nec moras innectat, et Orientales Anglos splendoribus suis tanquam sol novus irradiet, filiosque suos in desolatione et tristitia derelictos visitaturus acceleret. plateae consternentur tapetibus Aegypti, et via per quam transies frondibus olivarum: holosericis Tyri vestibus indueris, et circumdabis tibi purpuras Sydonis: auro et argento domus tuae resplendebunt, tibique lapides pretiosi deferentur. non negabuntur manibus tuis deliciae Ascalonis, quae in corde maris sita diversas per regna gazas transmittit. ebur antiquum et metalla

Cf. Eze. xxvii. 4.

singula tua tibi Brittannia ministrabit. non habet illa materialis Babilon varium quicquam aut delectabile quod non appareat oculis tuis. Salomon ille tuus, quem diligis, cui obsequeris, tibi regnum suum delegavit, et tanquam alter Melchisedech sacerdotis et regis corona praefulges. nihil est pulchrum visu, aut oculis delectabile, quod in terra requirere deceat aliena. redi ergo ad patriam. te omnes suspiramus, te expectamus, ut tibi valeamus occurrere et consona voce personare: Gloria tibi et salus diuturna, virtus et vita perpetua, qui venisti ad redemptionem populi in tui absentia tanto tempore desolati.

## 7. *To the same.*[1]

f. 24. Anstr. viii.

Suavissimo domino ac serenissimo patri Anselmo, dei gratia sanctae Romanae ecclesiae filio uterino, servus eius frater Osbertus, vivere et laetari in domino.

'Your zeal for the feast of the Conception is well known.

'We were keeping it in church when some vile persons opposed it on the ground of novelty;

and Bishops Roger (of Sarum) and Bernard (of St. Davids) who were in the neighbourhood tried to stop it as forbidden by a council.

'But we carried it through,

Quoniam diligentia sollicitudinis vestrae per diversa mundi spatia multos ad amorem beatae et gloriosae dei genitricis Mariae ferventer accendit, quae castis visceribus perpetuae virginitatis auctorem caeli et terrae Christum dominum concepit et peperit, et in multis locis celebratur eius vestra sedulitate festa conceptio, quam antiquitus apud patres veteres celebrare non consuevit Christiana religio. unde in ecclesia dei cum a nobis celebris ageretur illius diei festivitas, quidam post Sathan abeuntes dixerunt esse ridiculum, quod usque ad haec tempora omnibus fuisset saeculis inauditum; et in livore ac felle suae malitiae perdurantes duos episcopos, qui tunc in vicinio forte aderant, Rogerum videlicet et Bernardum, adeuntes convenerunt, ac de novitate solennitatis exorta facta relatione animos eorum ad indignationem provocaverunt. qui hanc festivitatem prohibitam dicentes in concilio, affirmaverunt quod cassanda esset nec tenenda ista traditio. nos tamen coepto diei insistentes officio cum gaudio gloriosam festivitatem exegimus et solenni tripudio. postremo vero aemuli mei et qui canino dente bona invidentes rodunt aliorum, qui vanas suas ineptias semper nituntur approbare, et dicta et

1 Tim. i. 7.

and, against those who claimed that it lacked Roman authority, we quoted English and continental precedent, and gave further arguments.'

facta religiosorum moliuntur improbare, nescientes secundum apostolum neque quae loquuntur neque de quibus affirmant, evomuere venenum iniquitatis suae, et in me sagittas linguae pestiferae iaculantes asseverarunt tenendam non esse festivitatem cuius primordia Romanae ecclesiae non habent auctoritatem. quos me rationabiliter refellente et eis secundum malitiam eorum respondente, multi testimonium perhibuerunt quoniam et in hoc regno et in transmarinis partibus a nonnullis episcopis et abbatibus in ecclesiis dei celebris instituta est illius diei recordatio, de cuius summa redemptionis nostrae salutari processit exordio. plurimumque exquisita multa indiximus[a] argumenta, quibus in cordibus fidelium catholica de beatae Mariae conceptione confirmaretur sententia.

S. Luc. i. 44.

Jer. i. 5.

Si enim beatus Iohannes, quem deus pater praecursorem misit filio suo angelo annuntiante conceptus est et in utero matris suae sanctificatus, multo magis credendum est in ipsa conceptione eandem sanctificatam fuisse de cuius carne sanctus sanctorum processit in mundo factus caro, tanquam sponsus de thalamo suo. quod si conceptio celebratur servi, quid debet fieri de conceptione matris domini? et si beatum Iohannem emundavit et docuit spiritus dei quando contra salvatoris adventum hunc exultasse in gaudio testata est Elisabeth in utero suo, dubitandum non est quin domus sapientiae dei, intra materna viscera fabricata, gratia spiritus sancti tota sit repleta, ardore concremata, candore virtutum dealbata et ab omni macula corporaliter etiam purificata. et quid mirum si in ipsa conceptione omnipotens deus illam gloriosam materiam virginei corporis sanctificavit, quando Ieremiam quosdamque alios in utero materno constitutos sanctificare voluit? sicut enim deo fuit possibile ut de costa Adae primam matrem sine peccato plasmatam adiutorium viro tribueret, ita ei non impossibile fuisse credimus ut ex massa praevaricationis Adae beatam virginem Mariam sine contagione peccati in ipsa conceptione[b] sanctificaret, per quam adiutorium humano generi de morte ad vitam resurgendi ante tempora praedestinatum

[a] induximus *cor. rec.* [b] conceptio.

donaret. sanctificavit igitur altissimus tabernaculum suum, et in ipso creationis et conceptionis exordio in matris utero virginalem fabricam et thalamum septem spiritus sancti columnis subnixum ab omni colluvione emundavit, defaecavit, illuminavit, neque aliquid impuritatis in carne illa de qua caro redemptionis nostrae assumenda erat reliquit.

Et quia controversiae schismata facientium, scandala moventium, haeretice garrientium, obstruendae sunt in domo dei catholica veritate et ecclesiastica defensione fidelium, ad hoc tendit stilus meus ut cum talibus religiosis personis et litteratis de hac invidorum calumnia et genitricis dei conceptione gloriosa vel scripto vel verbo loquamini, qui et subtilia sanctae scripturae argumenta non ignorent et vobiscum defendere contra inimicos veritatis causam beatae virginis Mariae non formident. et quia dominus et pater noster Gillebertus, dei gratia Lundoniensis episcopus, vir admodum catholicus, de his est sufficienter instructus, et vir vitae venerabilis, domnus Hugo abbas Radingensis, qui hanc festivitatem prece etiam regis Henrici solenniter celebrat, in divinis et humanis est liberaliter edoctus, hortor ut cum eis de hac eadem re sermonem instituatis, et ut eos coadiutores et cooperatores habeatis, ne de vobis dictum ironice a vestris inimicis audiatis: Quia hic homo coepit aedificare et non potuit consummare. haec iccirco dixerim quia vos aedificium tantae solennitatis incepistis. et vos perficite, quodque per vos consummandum est fideliter explete. cumque usu atque experimento consuetudines Romanae noveritis ecclesiae, si quid aliquando in ea dignum auctoritate de hac genitricis dei veneranda conceptione vel potuit vel poterit inveniri, per vos nobis petimus revelari. si enim omnia mei corporis membra essent integra individua, et unumquodque individuum haberet principatum suum, omnia pro eius caritate et dilectione morti dare non recusarem cuius virginitas singularis mundi genuit salvatorem. quae apud filium suum dulcedinem vestram atque serenitatem suis gloriosis commendet meritis et precibus auxilietur; nosque piissima mater misericordiae omnesque

'To complete our objectors' rout,

I beg you to consult others,

especially bishop Gilbert; also abbot Hugh of Reading, who keeps this feast at the king's order.'

S. Luc. xiv 30.

'You indeed initiated it.

'What light is thrown by the custom of Rome?'

amicos nostros una nobiscum ad gaudia felicitatis aeternae perducere dignetur. amen.

## 8. *To the same.*[1]

f. 119 b. Anstr. xxviii. Sen. Ep. xvii. 11.

Obsequium Parthorum regibus debitum [2] novo tibi hodie consecramus obsequio. eos absque munere non salutat quispiam: nos te salvere volumus, sed gratiae condimento salutationi impresso.

An Easter gift of a story about St. Anselm's powers.

Nova festivitas novas tibi delicias Christo resurgente cumulavit. virga Moysi nostri in serpentem conversa colubros Aegyptiorum absorbuit, quia crux Christi mundi principem triumphavit et mundum universum Christiano subiugavit imperio. Egyptum iam deseruimus, iam rubrum mare pertransivimus (Cf. Ex. iii. 18.): restat ut iter tridui faciamus in eremo et abominationes Egyptiorum domino solenniter immolemus. hoc triduum in passione domini, sepultura et resurrectione, sicut exteriori observantia celebravimus, sic interiori expedit ut illud mysterio celebremus. rationabilis ergo sit sapientia, quae dicta nostra purificet, moralis, quae facta nostra titulis praeclaris adornet, naturalis autem quae cogitationes nostras soli deo commendet. his tribus spiritus noster et anima et corpus integritatem poterunt eandem adquirere qua regem in decore suo promittitur (Cf. Is. xxxiii. 17. S. Matth. v. 8.) mundis corde in vivorum regione videre: haec est via trium dierum quae nobis in solitudine aggredienda proponitur, quia in silentio et quiete et lacrimis spiritualis homo divinae contemplationis gloria sublimatur.

Sed non omnes qui ex Egypto profecti sunt hoc triduum in solitudine ex integro perficiunt. alius est qui cogitatione delinquit, alius cogitatione et sermone, alius cogitatione et sermone et opere: in quibusdam possidet Pharao diem unum, in aliis biduum, in nonnullis vero totum simul triduum, quos in luto et paleis ad opera nititur carnis impellere, ut abominationes Aegyptiorum domino nequeant (Cf. Ex. viii. 26.) immolare. abominatio vero Egyptiorum ovis, simplicissimum animal, est. (Cf. Gen. xlvi. 34.) simplicitatem enim conscientiae suae nequaquam offerunt in sacrificium qui adhuc implicantur operibus peccatorum. hi cum in solennitate paschali innocentiae deberent agnum comedere, haedum foetentem peccati videntur potius devorare. tanta itaque malitia fermentati septem diebus azyma non faciunt, quia septiformi sancti spiritus gratia vacui pabulo sapientiae ieiuni recedunt. verum nobis Moysi nostri voce praecipitur ut (Ex. xiii. 3.) meminerimus diei huius in qua egressis de Egypto lux supernae claritatis infulsit, in qua de domo servitutis populum suum in manu forti virtus et sapientia patris eduxit, in qua abstinere a fermentato pane praecepit et in mensam[a] novarum frugum innovitatem, videlicet corporis eius et sanguinis, introduxit. septem itaque diebus his vescamur azymis et in septimo erit sollennitas domini, quia finito labore praesentis saeculi, quod septenario dierum numero volvitur, sanctarum requies animarum in futuri saeculi sabbato sine vespera celebratur.

Ad hoc sabbatum sabbatorum in quo domus David facta est dedicatio, redemptoris nostri scilicet in corpore suo gloriosa a mortuis resurrectio, anhelant omnes in hac carne sabbatum cordis sabbatizantes, et hoc quod illud significat sabbatum in tranquillitate mentis observantes; et, quia eis qui seipsos castraverunt propter regna caelorum similitudo (S. Matth. xix. 12.) repromittitur angelorum, cotidie psallunt psalmum spiritualem, quando terra sua ipsi David restituta est, (Ps. xcvi. tit.) videlicet terra corporis Christi in resurrectione glorificata.

Huius itaque praeclarae glorificationis possessor fieri in virginea carne sua praeoptans, gloriosus avunculus tuus, egregius domini sacerdos Anselmus, in huius sacratissimae solennitatis diebus azyma illius vegetavit animum, neque mundissimum corpus eius aliquid attigit fermentatum. in hac quoque solennitate pascha suum fecit ad superos et in transitu suo solennes promeruit angelorum triumphos.[3] et quia illius erat candelabri calamus, quod de auro purissimo (Ex. xxv. 31.) praecepit dominus fieri in tabernaculo testimonii, quemadmodum tota vita sua novum semper deo canticum cecinit ad laudem et gloriam, ita et nos quod de eo recens factum didicimus ad multorum cantemus utilitatem et doctrinam. reddo igitur promissum, et Parthorum regibus debitum

[a] mensem.

tibi ius est persolvendum. non est dextera scribentis a munere vacua, neque absque compendio salutatio praemissa. aperi ergo diligenter oculos publicis multorum utilitatibus debitos, et ne differas solenniter absque fastidio legere quod de tam solenni viro noviter contigit nos audisse.

Roger of Sommery died and was buried at (Tewkesbury).

Rogerus, ex Sumeriaco Normanniae oppido generosis natalibus oriundus,[4] vir inter Anglorum proceres maximae erat auctoritatis et famae, utpote vir longaevus et tota saeculi honestate praeditus et rerum saecularium copiis copiose suffultus. hic cum nimium provectae fuisset aetatis in confessione verae fidei viam universae carnis ingressus est et plenus dierum in senectute bona ad patres suos appositus. coniunx vero illius et filii, domini et patris sui intendentes, ex eo valde funebrem planctum devoto per omnia comitantur officio. ad monasterium ergo iuxta Savinnae fluvium in provincia Gloecestriae situm defuncti corpus delatum est et sub patrocinio beatissimae Mariae semper virginis solenniter et honorifice traditum sepulturae. dies abbati fratribusque statuitur ut tertia pars totius peculii pro defuncti remedio dividatur. observant sollicite tempus ut veniant, matrique et filiis quo vocantur occurrant. adfuerunt qui huius rei negotio deputati sunt fratres idonei, domnus Rogerius[5] prior Theokesberiensis ecclesiae, et Antonius.

His belongings had to be divided.

cumque omnia quae dividenda erant deducerentur ad medium, totam etiam supellectilem suam ad publicum protulit, et tam vasa pretiosa quam cetera aeque ornamenta divisit. nihil sibi voluit omnino relinquere quod sine parte defuncti deliberaret possidere, cum scyphus[6] ecce residuus unus supererat, quem praedicti

His wife (Christina) valued above all a cup which had belonged to St. Anselm.

pontificis extitisse eadem mulier affirmabat, eademque virago diligebat pateram ultra supellectilem quam possidebat[a] universam. sic illius in sancto viro fervebat devotio, sic amor ardere sentiebatur intrinsecus, ut cordis iocunditatem vultus profiteretur exterior. nescio utrum sibi dono[b] datum vas idem a sancto pontifice fuerit, aut a quoquam mutuum illud pro munere receperit beneficium. undecunque sibi tamen advenerit tanquam pretiosius auro posside-

[a] possiderat. [b] dona.

bat pretium, et argento clarius ipsius in pectore rutilabat absconditum. removere nituntur pateram fratres qui aderant, vel quia feminam probitatis pro devotione sancti viri hanc sciebant diligere, vel quia minus pretium, quantum ad substantiam saecularem pertinet, videbatur continere. noluit honesta mulier retinere proprium quod cum sponso proposuerat inter cetera dividendum: aperto etiam eis propalavit alloquio quod, sors defuncti viri si super pateram caderet, centum vel eo amplius solidis hanc si iuberent redimere non tardaret. tanti amoris in corde feminae sanctus sacerdos domini Anselmus obtinebat dulcedinem, ut in eodem vase probaret efficaciter diligentis firmitatem. tres e familiaribus fiunt partes supellectilibus,[a] et calix in iis celebrior ceteris numeratur.

Hugh of Digny counsels faith,

erat quidam inter eos qui adstabant ex monachorum societate laicus, Hugo de Digniaco nomine,[7] qui et mihi ex longinquo tempore cognitus et in omni probitate et fideli servitio a multis fideliter est expertus. hic beatae memoriae Radulfo, Cantuariensis ecclesiae archiepiscopo, familiariter aliquamdiu ministravit, et post eius obitum Siefrido nepoti suo diutius adhaesit.[8] iste cum tantam fervere devotionem sentiret in femina, voce palam omnibus clamavit excelsa. Hodie, inquit, mulier probitatis, tua in sancto viro apparebit devotio; hodie illius in te munificentia copiosis beneficiis redundabit; fidem tuam, quae erga illum hactenus tantopere efferbuit, tanti amoris hodie privilegio non privabit; hodie experimento cognosces verbum domini quia omnia possibilia sunt credenti: crede, hodie quod optas adveniet, et voti tui nulla dilatio intercedet.

S. Mar. ix. 22.

and the cup falls to her lot.

sortibus distractis accitur extraneus praesentis negotii tunc ignarus; mittit in incerto manum et retrahit et suam unicuique sortem apponit. cum mulier honesta sursum respiceret et dei misericordiam corde potius quam labiis inclamaret, scyphus sancti pontificis eius parti ascribitur, cuius tanta devotio fervere videbatur. conclamant omnes domino laudem et gloriam, et sancti viri cum lacrimis laudant praerogativam; lacrimae etiam ex quorundam oculis

[a] subpellectibus.

prorumpentes testantur obortam in illorum cordibus ex devotione laetitiam. domina vero Cristina, cui hoc in munere pro fide ferventi miseratio divina contulerat, gratias agens deo, sanctoque viro domini laudes Anselmo, thesaurum specialiter sibi dilectum utraque manu reportat: imprimit oscula vasi quod diligit, et tanquam pretiosas viri dei reliquias diligenter recondit.

Hic est ille mirabilis meriti antistes egregius, in cuius manu calix domini vini meri permixtus est plenitudine, scriptura videlicet et vetus omne testamentum legis divinae, in quo tanquam in faece novum latebat absconditum, cum spiritualia sacramenta corporalium praesignabant imagines sacramentorum. ex hoc itaque in hoc inclinavit [a] cum sententiarum sanctarum ponderibus ex veteri in novum testamentum reductis Grecorum perfidiam in sermone de processione sancti spiritus potenter redarguit, et eos ad fidem reducens eodem veritatis calice suaviter inebriavit. et pulcre vino et mero plenus describitur, quia et legis in praeceptis et iudiciis continet amaritudinem et misericordiae dei profluam in evangelio serenitatem. quod tibi tantisper de viro scripsi, vir honeste, magnifico, ad tui egregii generis respicit lineam, cuius frater matris tuae sanctus sacerdos Anselmus exornat parentelam.

Cf. Ps. lxxiv. 9.

Cf. S. Aug. Enarr. in Ps. lxxiv, § 12.

## 9. *To Adelulf, bishop of Carlisle.*[1]

f. 87. Anstr. xvi.

'Banished to Anglia,

Dilectissimo domino et patri Ađelwoldo, dei gratia sanctae Karleolensis [b] ecclesiae venerabili episcopo, frater Osbertus de Clara, peccatis suis exigentibus in Anglorum regno proscriptus, ita anulo fidei et virga directionis praemuniri ut utriusque praevaleat claris operibus insigniri.

Cum te dei providentia, pater egregie, iam super candelabrum ecclesiae tanquam novam lucernam accenderit, ut omnibus qui in domo eius sunt luceas,[2] non debet animae tuae aliquod taedium generare quod te consanguinei affectus monitoriis student litteris ad potiora virtutum exercitia promovere. quia enim summos domini sacerdotes pro toto mundo preces decet effundere sedulas, omnium

S. Mat. v. 15.

I, your kinsman, congratulate you, and exhort you by the example of your vestments.'

[a] inclinant. [b] Karleonensis.

figuram elementorum gestant in habitu[3] ut omnibus clara luce detur intelligi quam rutilo virtutum decorari iubeantur amictu. byssus vel linum terrae coaequatur, quia de eadem nascitur; aquis vero assimilatur purpura, quia cocleis marinis fulgescit intincta; aeri aequiparatur iacinctus; igni etiam comparatus est coccus. quae figura omnium elementorum in omni homine continetur; in calore ignis, in halitu aeris, in humore aquarum, terrae in soliditate membrorum. his conficitur talaris tunica sacerdotis, ut usque ad finem vitae studio[a] piae invigilet actionis. et iccirco summi pontifices, quando typicis induuntur, pro his quos vestes significant orare perdocentur; qui continentia corporali, quod significat linea, et spe debent radiare caelesti, quod repraesentat tunica iacinctina: superhumerale autem bonorum operum denotat pondera, et rationali mentis sapientia est signata: concupiscentia omnis compressa dispereat, quam castitatis balteus hinc inde constringat: tiara deinde in capite posita quattuor sensus discrete custodiat: laminam tandem de auro purissimo factam, in qua 'sanctum domino' opere caelatorio sculpi iubetur, in fronte semper sacerdos portare praecipitur, quia passionem domini qua redempti sumus ita venerari et amplecti convenit ut claritatem in ipso divinae maiestatis, per quam creati sumus, pariter confitendam esse sciamus, ita mortem assumptae humanitatis confitentes ut eandem resurrexisse non diffidamus. in Exodo autem scriptum habemus: Erit autem lamina semper in fronte eius sacerdotis, Ex. xxviii. 38. scilicet ut placatus sit eius[b] dominus. si lamina nominis domini scripta[c] semper fuerit in fronte pontificis, placabitur dominus populis subiectis; quia, cum doctorem suum divino fideliter servitio mancipatum conspiciunt, exemplis illius et monitis gratiam interni iudicis apprehendere contendunt. his te pariter indumentis amictum

[a] *Gale. In Vit. A xvii the first three letters are missing, as also the ends of* summi *and* pontifices, *carried away by the initial D of f. 87.*

[b] scilicet—eius *Gale*: *Vit. is mutilated, and retains only the* s *of* scilicet. *Vulg. reads* eis *for* eius.

[c] nominis domini scripta *Gale*: *Vit. retains the first* n *and bottom of* -pta.

non dubito, quem tanquam Aaron praefecit deus pontificem populo suo: qui oleum unctionis suae super caput animae tuae clementer infundat, teque invisibili spiritus sancti liquore perungat, ut in eius obsequio semper vivas consecratus, omnium virtutum sanctitate et splendoribus adornatus.

Ceterum quia tenuis est sensus meus ut tibi plura et profutura proferam, brevibus verbis explicare intendo necessitatem meam. esto servulo tuo quod dominum, et pauperi consanguineo quod decet amicum. nam ut Tullius ait: In amicitia vera [a] nihil est fictum, nihil simulatum, et quicquid est in amicitia verum, est et voluntarium; [b] quapropter a natura mihi videtur potius quam ab indigentia orta amicitia. naturalis igitur affectus cuiusque generis quod sibi proprium est aut amat aut odit. unde quidam ait:

*de Amicitia* iii. (26).

'Friendship and nature call you;

Quod natura negat non tantum belua laedit;

et ut Flaccus ait:

Hor. Ep. 1. x. 24.

Naturam [c] expellas furca, tamen usque recurret.

te ipsum, utique si velles [d], cohibere non posses, quin in adiutorium meum etiam [e] non rogatus assurgeres. hoc agit natura germanae originis, cui comes individua vera semper esse debet amicitia. de liberalitate enim animi et sanguine generoso nusquam inhonestum procreatur exemplum. agat ergo paternitas tua quod et genus hortantur et mores; et, sicut charactere meo et litteris amicorum suggeritur, causam nostram, quae multorum est, adeo in tranquilla statione compone ut et aemuli et corrosores nostram intuentes victoriam contabescant, et amici nostri de novi pontificis strenuitate laetentur et gaudeant. valeat serenitas tua per multa annorum curricula, et per te sacrificium deo pro ecclesia sua offeratur acceptum, quod in morte Abel et sacerdotio Melchisedech diu ante legem est praefiguratum.

take up my case, which is the case of many.'

[a] autem *Cic.* [b] et quicquid est id et verum et voluntarium. *Cic.*
[c] et ut Flaccus ait: Naturam *supplied from Gale*; *Vit. is mutilated.*
[d] ipsum utique si velles *supplied from Gale*; *Vit. retains only* -les.
[e] meum etiam] *Gale*; m . . . am, *Vit.*

## 10. *To Robert de Sigillo.*[1]

Reverentissimo domino et amico suo Roberto de Sigillo, frater Osbertus dei gratia claustrarium[a] Westmonasterii prior ordine, sed vita et religione longe posterior, sic in signaculo imaginis dei spiritualiter imprimi, ut ad similitudinem conditoris sui mereatur feliciter reformari.

fol. 88 b. Anstr. xvii.

Cum te, dilectissime, in fornace Babylonis ignis excoquat nec exurat, cogita tamen assidue civem te esse Ierusalem, illicque inter patres conscriptos caelestis senatus nomen tuum aureis litt⟨er⟩is annotari stude, ubi eas nulla abolere vetustas, nulla delere possit oblivio. ne intendas hic aedificare civitatem, quia fundamentum immobile reperire non praevales. Seneca autem docente didicimus beatum non eum esse quem vulgus appellat, ad quem pecunia magna confluxit, sed illum cui bonum omne in animo est. ne ergo glorieris in amore et divitiis principum, nec te fallat supellex et copia deliciarum, quoniam in temporali non adquires palatio quam suis hereditatem promittit deus in caelo. ⟨gloriatus est Nabuchodonosor⟩[b], cum civitatem sibi constituit, sed in illa florere diutius non potuit, quia hanc aedificavit perversa cupiditas, non bona voluntas. illius in sorte nolo ut tibi stabilias aedificium, sed mansionis aeternae Christum tibi fac fundamentum. memento quod Loth in Sodomis iustus fuit, et licet in curia inter Philisteos et allophilos constitutus sis, in pera David reperire poteris lapidem unde sternas funda iactantem[c] gigantem; cuius tibi manufortis ad demulcendos animos psalterium dirigo, certus quantum in hoc spirituali delecteris instrumento. in quo, dilectissime mihi, mittentis pensa precor affectum potius quam effectum nisi vel praeteritum. vale, et dilige me diligentem te, fixumque tene mortem aequalibus stadiis[d] differri a regum palatio ut pauperum tugurio.

'Amid the dangers of the court, build yourself an eternal home.'

Sen. Ep. xlv. 9.

Cf. 1 Cor. iii. 11.

'I send you a psalter, a stone from David's pouch.'

1 Re. xvii. 40.

Cf. Hildeb. Cenom. Ep. II. ii fin.

Cf. Hor. *Carm.* 1. iv. 13.

Cf. Hildeb. Ep. II. xii fin.

[a] *sic.* [b] ? ; *no blank in Vit. but a cross in marg.* [c] iacientem.
[d] studiis, *but see Hildebert, II. xii.*

## 11. *To Elmer, prior of Christ Church, Canterbury.*[1]

f. 43 b.
Anstr. xiv.

Reverentiae singularis speciali cultu vere dilecto, et sincera caritate diligendo, domino et patri Almaro, dei gratia sanctae Cantuariensis ecclesiae venerabili priori, frater Osbertus de Clara, eadem gratia qualiscumque prior Westmonasterii designatus [2] ecclesiae, subiectionem et obedientiam et integram per omnia [a] amicitiam.

'I cannot thank you enough for kindness to me and mine.'

'Close to worldlings, — cf. Job xv. 16. Prov. vi. 12. — I ask some spiritual help from you.'

Jos. vi. 12.

Quot quantisque, pater dulcissime, modis vobis debitor sim effectus, nec lingua ut decet explicare nec apicibus sufficio comprehendere litterarum, tum quia meos inter vos amoris praecipui sublimatis officio, tum quod me ultra meritum meum immensis semper honoribus ampliastis. gratias proinde vobis et gratias uberes ago, quod, tot et tanta bonitatis vestrae experto sentiens beneficia utriusque vitae consolationibus, orationum vestrarum suffragiis spero praemuniri. cum enim ego Tyriis et Sydoniis vicinitate sim proximus, ubi venatores solent inutiles spirituales frequenter angustias Israelitis ingerere, vos cives in Ierusalem cum Iosue triumphali certamine contra alienigenas dimicantes ad terram lacte fluentem et melle redundantem palmas victoriae cotidianis exercitiis delegatis. iccirco humiliter postulo et suppliciter obsecro ut dum muros Iericho cum tubis sacerdotalibus septem diebus ad terram prosternitis, me in domo Raab delitescentem spirituali gladio ab hostium incursione muniatis et sacris exhortationibus vestris tanquam novo vomere inculta meae mentis terra proscindatur, unde ad utilitatem subditorum fructus iustitiae multipliciter oriatur : et sicut hic in sexta desudamus per laborem, et septimam expectamus ad requiem, in octava autem et corporis et animae gloriosam praestolamur resurrectionem, sic ex hac materia de fonte scientiae vestrae nova imbui flagitamus disciplina, unde mentes [b] nostrae supernae dulcedinis haurire praevaleant condimenta. rudis enim miles et dux incompositus nescit sine duce ductor existere, nec sine doctore militiae praeliantibus

[a] omnem. [b] mentis.

documenta praestare. vos pleno gutture gaudia iam suprema ructatis, quorum a longe positi vix spiramus odorem. igitur aquam de cisternis vestris illam nobis propinate quae spiritu sancto irrigante ariditatem nostram infundat et eadem nobis influat ubertate, ut omnem a mentibus audientium saecularium deliciarum amaritudinem abstergat.

Huius tam necessariae petitionis portitorem precamur fieri fratrem nostrum domnum Azonem, qui nos de adventu suo dulcedine fraterna laetificet, et quamdiu vobis visum fuerit suam apud nos infirmitatem deportet. si inde cum domino archiepiscopo loqui oportet, legationem hanc agite pro nobis, quia vos estis epìstola fidei atramento conscripta et charactere verae dilectionis in corde nostro subtiliter signata.

'If Dom Azo may bring the answer we will nurse him here.'

'Speak to the archbishop if necessary.'

Cf. 2 Cor. iii. 3.

## 12. *To Simon, bishop of Worcester.*[1]

f. 45.

Petitio venerabilis viri Wigornensis ecclesiae decani obtinuit a me religioso favore Warini ut tibi, praecelse pontifex dei Symon, meritis potissimum offerrem negotium, quod excusare non potuit inopia facundiae et penuria litterarum. plena quidem bonitatis effulget materia, sed vereor ne insulsi artificis minus appareat obfuscatione decora. tibi namque pontificalibus infulis circumdato praedictus heros astitit, ea die qua pastore suo Persorensis orbata congregatio hunc te mediante matris collocavit telluris in gremio. hoc monitorio praeduce usus es pro lucro rogandi laborem [a] ut ex virtutum natura quaedam nova et inusitata de genitricis dei generosa parente congererem, quibus fulgor aethereus suam in tenebris spargeret claritatem ; amplexusque me ubi sacerdos ad aram debebas procedere : Hanc, inquis mihi, carissime, repende vicissitudinem, ut de beata nobis Anna novum proferas deo inspirante sermonem ; solennitas eius festiva singulis annis in Wigornensi recensetur ecclesia,[2] et quo propensiore possumus honoris indicio eius praerogativa dignitatis

'At dean Warin's suggestion I dedicate to you the work you enjoined on me at Pershore—

lessons for the Worcester festival of S. Anne

[a] labore.

attoll⟨itur⟩[a] incremento; duobus enim privilegiis in ⟨observando⟩ celebrior penes nos cunctis tempori⟨bus extitit⟩; ego praelibo solennem fratribus refectionem in die prima, decanus vero praesens luce ministrat octav⟨a⟩: in tantae festivitatis tripudio tui laboris ditesc⟨e⟩re postulamus augmento, ut in nocturnis solennibus sit nobis ad solatium quod sanctae praerogaveris ecclesiae cum historiae decantatione legendum. haec pia curatio est et honesta ut liberis postulatis respondere velis, et tantopere flagitatis insistas officiis: ad laudem tibi spectabit quod obedientia praecipit, et ab eius nepote remuneratus in praemio inter choros angelorum caelesti vestieris ornamento. cumque excusatione tali modo praetenderem quod ad hoc peragendum minus idoneum me sentirem, et quia nulla mihi sufficere videretur historia, appareret materia futuris temporibus impolita, mordacia quoque formidarem convicia detrahentium, et invidiam praecavere mallem, quod apud Siculos omnibus suppliciis maius dicitur et crudelius fuisse tormentum;—quae omnia mihi interdixisti ne pertimescerem, sed de adiutorio beatae dei genitricis et perpetuae virginis existerem securus[b] quia illam in hoc opere mecum cooperatricem haberem. de cuius auxilio et protectione confisus, tuum prout potui adimplere sategi, dei sacerdos, imperium, tibique sequens opus quod petisti destinare curavi tuisque successoribus ad legendum; orationem praeterea quam rithmice ad beatam matrem Annam edidi, annectere[c] scriptam non praetermisi; historiam praeterea et solennes hymnos, si mecum beatae matris affuerit Annae dignatio, tuae, illustris antistes, devotioni consecrabo.

and a metrical prayer and hymn.'

Te salvere, pater egregie, per saecula diuturnae prosperitatis incolumem, te valere toto corde desidero inter hierarchas ecclesiae principaliter eminentem. ora ergo sanctissimam pro me devotis precibus Annam, ut hoc opus, obedientiam mihi tua paternitate[d] imperante compactum,

[a] *This letter is not in Gale, nor the devotions which accompanied it. In Vit. the green initial P of f. 45 a has perished, carrying with it some letters, conjecturally restored in brackets, in f. 45 b.*

securus *interlined.* [c] annescere. [d] tue paternitatis.

clementer suscipiat, et apud Christum filium semper virginis Mariae, illustris et gloriosae filiae suae, pro peccatis meis sedula mediatrix et propitia interventrix existat. haec sanctae progeniei ita series incipit, et in illius laudibus desinit in cuius honore exordium sumit.[3]

## 13[a]. *To Warin, dean of Worcester.*[1]

Rogasti me, pater Warine, venerabilis decane Wigornensis ecclesiae, ut aliquid scribendo tibi de conceptione beatissimae ac perpetuae virginis Mariae deberem innuere, quod ad celebranda tantae festivitatis gaudia animos posset audientium alacrius incitare. cuius operis excellentiae cum me profitear exequendae minus idoneum, timeo ne unde nequeam emergere incidam in[b] infinitae profunditatis abyssum. quis enim tam glorioso dignus existat officio? aut quis se tam egregio metiri parem iudicet arcano? angeli de hoc mirantur in superis, et homo peccator id praesumet in infimis? calestes ut opinor spiritus sibi crederent esse difficile quod tuis hortaris monitis ut polluta gestans labia debeam explicare. utinam ergo veniat ad me cum ignito angelus ille carbone qui labia purificavit immunda prophetae. utinam de superno altari incendium illud accipiat unde tactum os meum in laudibus pretiosae matris dei solenniter erumpat. dicere tamen non audeo quod de hac sancta generatione corde concipio; quoniam caelestes non licet palam margaritas coram multis spargere, qui ad solis claritatem densiores erroris sui tenebras consueverunt[c] cumulare. nolo tamen ut aliquis aemulus cynico me dente incipiat rodere et detractionibus perversis integritatem fidei meae lacerans infestare. utinam universa de mea credulitate expertum haberet ecclesia, quo me sibi praesidio vindicet et tueatur catholica fides et orthodoxa. corde autem credo, et ore confiteor, quod ante saecula temporalia deus sibi matrem praeelegit virginem, de cuius aula virginalis uteri

f. 98.
Anstr. xxi.

Accompanying sermon on the Conception.

Cf. Is. vi. 6, 7.

'I cannot say all I believe.'

[a] *No rubric; 2 lines blank: at the bottom of the page a later hand has written* Incipit prologus in concepcionem beate dei genitricis marie, *but this is almost obliterated.*
[b] in *added by corr. rec.*
[c] consueverant.

faceret egredi mortalitatis humanae piissimum redemptorem ; et in illo ventre tanquam in thalamo regali nuptias praeordinavit ecclesiae, quas ad perfectum usque perduxit, cum incarnationis suae mysterium, passionis et resurrectionis simulque ascensionis, ascendens ad patrem admirabili consummatione conclusit. huius indicibilis misericordiae Ioachim, deo imperante, quasi figulus extitit, et uxor eius Anna, tantae lebes ut decuit gratiae, parens officiosa radiavit. de quorum carne in hac conceptione tota illa dulcedo et caeleste nectar effluxit, quod a Seth, filio resurrectionis, usque ad tempus quo virgo concepta est, in omnes iustos emanare potuit. desinant ergo infideles et haeretici de hac sancta solennitate in sua vanitate multiplicia [a] loqui, et discant quia filii matris gratiae non de actu peccati celebritatem faciunt, sed de primitiis redemptionis nostrae multiplicia sanctae novitatis gaudia solenniter ostendunt. non potui igitur tuae reluctari, pater, obedientiae, sed tuum executus sum ut decet imperium, et sermonem tibi transmitto qualicunque vulgari lima minus decenter artificiali decore politum. hocque fidentioribus animis opus arripio, quia referre consueveras quod de beata prius Anna conscripseram, multis in legendo placuisse fidelibus, et quod per nonnullas iam solenni veneratione diffusus esset ecclesias ille tractatus. accipe ergo quod tibi negare non audeo, illudque repraesentare saepius ex mea sedulitate caelorum reginae non desinas ; quae sua ineffabili pietate maculas scelerum nostrorum purificabit occultas. vale, pater in Christo, et sanctae novitatis incudem aggredi solenniter tali ne pigriteris exordio.[2]

Hier. *de N.H.* (Gen.).

The tract on S. Anne well received in many churches.

## 14. *To Alberic the legate.*[1]

*Incipit epistola in vita beati regis Edwardi* [b] *domino Alberico Ostiensi episcopo et* [c] *Romanae ecclesiae legato praemissa.*

Vit. A. xvii. f. 17 b.

Addit. MSS. 36737, f. 139. CCCC. MS. 161.

Innocentii summi pontificis sanctaeque Romanae et apostolicae sedis legato venerabili, totiusque religionis ac

[a] multiplicare. [b] Eadwardi regis anglorum *Add.* [c] et sanctae *Add.*

famae viro in omnibus praecellenti, domino et patri serenissimo Alberico, dei gratia ecclesiae Ostiensis [a] episcopo, frater Osbertus Westmonasterii praepositus,[2] usurpato indigne vocabulo appellatus : salutem et obedientiam et debitam ubique terrarum tantae personae reverentiam.

f. 138 b (abbreviated). Anstr. Ep. ii.

Quia tibi, antistes dei electe, nihil deesse cognoscitur ad doctrinae salutaris integritatem et ad iustitiae plenitudinem, beatissimus Petrus, princeps ordinis apostolici et clavicularius regni, tuo credidit ministerio suae fidei firmitatem. unde beatum iudico omniumque penetrale virtutum reverendum censeo pectus tuum, de quo velut ex adytis [b] divina prodeunt oracula [3] et aromatum pigmenta caelestium dulcedine spirant gratiosa.[c] aura namque exsurgens ab oriente salubris per te fines toxicatos invisit occidentis, in quibus corruptus aer morum offendicula peperit animabusque multorum virus aeternae mortis infixit. igitur medicinalis virtus apostoli aggredietur in te avertere desolationem regni, in quo quisquis tantae paternitatis reverentiae detrahit Romani nominis dignitatem minuit et offendit. gladio proinde sancti spiritus omnis est apostata coercendus, induendique sunt manu tua lorica iustitiae quos rigor ecclesiasticae circumdat disciplinae. Balthasar enim ad dispergenda vasa domus domini manus iam ubique extendit pollutas in scelere, quem tanquam Petrus [d] Malchum saevientem in Christum auctoritatis apostolicae persequaris ultione. Oza titubantem undique apud nos arcam domini indigna manu quasi sustinet. sed tu qui angelus domini Sabaoth appellaris, age ut citius praefocatus expiret. ignis domini succensus Nadab et Abiu non in ira furoris sed rationis devoret, dum ignem uterque alienum in sacrificio offerre non timet. Dathan et Abiron terra viventes absorbeat [e], et Oziam sacerdotium usurpantem lepra percutiat, magusque Symon corruat indigno volatu tendens ad sidera, et haereditas domini per te

The praises of Alberic.

Cf. Hildeb., Cenom. Ep. II. xiii.

The needs of the English church.

Cf. Dan. v. 3, 23.

S. Joh. xviii. 10.

Cf. Hildeb. Ep. II. xviii.

2 Re. vi. 6.

Cf. Hildeb. Ep. II. xxix.

Lev. x. 1 sq.

Num. xvi. 32.

2 Par. xxvi. 21.

[a] hostiensis ecclesiae *Add.*

[b] aditis *Vit., cf. p. 118, l. 23*, abditis *Add.*

[c] generosa *Add.*, graciosa *interlined.*

[d] Petrus *Add., om. Vit.*

[e] absorbebat *Add.*

Ep. III. xxxv, cf. Hildeb. Ep. III. viii.

respiret iam usque ad interitum paene consumpta. ex usu enim venit, sicut Symmachus dicit, ut opem desiderantes ad suffragia probata confugiant. ad te itaque confugimus, qui mala superiora annis pluribus experti sumus, quem et claritas commendat ex nobilitate generis et maiestatis potentia ex auctoritate legationis.

K. Edward's miracles,

Cant. i. 2.

Gen. xxvii. 27.

Sen. Ep. xxxix 2.

incorruption,

and good laws.

A general demand for Alberic's help towards Edward's canonization.

Respice ergo, pater pie, respice pietatis intuitu ecclesiam nostram, et super candelabrum erige quae diutius latuit in pulvere lucernam nostram. dominus enim et princeps patriae nostrae, rex insignis Eadwardus, caelestibus mundo miraculis totiens ostensus, dignus est attestantibus signis celebri festivitate inter homines in terris, cuius copiosa apud deum merita coronantur in caelis. lege itaque eius vitam et nobis in auxilium salutarem porrige dexteram, ut et tibi ante deum hoc deputetur [a] in munere, quod mundo gaudere detur de praeclara tanti regis festivitate. oleum enim effusum nomen tuum, cuius de longinquo ad nos usque pervenit opinio, et nunc odorem circumquaque celebrem spargit in proximo. sit igitur ager noster ager ille cui per te benedicat dominus, et sub tanto cultore sterilis ficus redeat in gratiam, quae hactenus non floruit nec fructus suavitatem protulit gratiosam. Seneca namque dicit: Habet hoc optimum in se generosus animus, quod concitatur ad honesta: neminem excelsi ingenii virum humilia delectant et sordida, magna eum [b] rerum species ad se vocat et extollit. intende proinde, sacerdos egregie, generoso labori tuo; insiste officio tuo; labor tuus consolatio est ecclesiae; [c] officium tuum exaltatio sanctorum est.[d] vocat ergo te [e] caelitus ad suum christus dei Eadwardus obsequium, cuius species integritatis adhuc hodie, ut confidimus, ostendit in carne quanta virginitatis titulos mentis coluerit puritate. eius temporibus exaltatum est solium iustitiae, ita ut vitia hunc experirentur iudicem et mores generosi inter domesticos provisorem. in persona totius ecclesiae nostrae tuae aggressus sum maiestati scribere, et

[a] deputetur] *Add. CCCC 161* deputet *Vit. Gale.*
[b] magnas eum *Add.* magnarum *Sen.* [c] ecclesie consolatio e t *Add.* [d] est sanctorum *Add.* [e] te ergo *Add.*

tanti patris authentica subsidia postulare. ex diversis namque hoc opus fratrum imperio collectum est schedulis[4] quas sancti patres nostri nobis reliquerunt scriptas, qui eas viderunt et audierunt, sicut referimus perpetratas. tuae itaque celsitudini novum regis opus sacrandum dirigitur, quia inspirante spiritu veritatis sic retexere ordimur historiam, ne mens officiosa lectoris eam sentiat impolitam.

The Life drawn from good sources.

## 15. *To Henry bp. of Winchester and legate.*

*Item epistola Osberti de Clara ad dominum Henricum Wintoniensem episcopum, apostolicae sedis legatum,*[1] *de canonizando sancto rege Eadwardo.*

f. 19 b.
Anstr. Ep. iii.

Sanctae Romanae et apostolicae sedis, summo pontifice Innocentio praesidente, venerabili legato, serenissimo domino et suavissimo patri, Henrico, dei gratia Wintoniensis urbis episcopo, sanctitatis eius et gratiae servus, frater Osbertus de Clara, Westmonasterii praepositus: debitam tanto regali sacerdotio reverentiam et canonicam secundum decreta patrum obedientiam.

Ingenuus sanguis et innata nobilitas regii generis egregiae maiestatis vestrae, pater excelse, magnificant praeconia, dum ex officio vobis iniuncto cunctis responsio redditur gratiosa. confluunt undique ad desiderata tam praecellentis personae praesidia agmina certatim ecclesiastica; et quem fama virtutis et titulus laudis ad caelos usque sublimiter extulit, triumphare solenniter in virtutibus sanctorum attollendis indicit. cui regnum duplici diademate debetur aeternum, quoniam sapientia dei per quam reges regnant prudentiam vestram ad informandos orbis principes efficaciter imbuit, et regia sanctitate ab annis puberibus absque morum offendiculo triumphaliter adornavit. sceptrum namque regalis dexterae vestrae nequaquam ex auro fabricatur aut ebore, sed discreta facundia et sanctorum operum praecipua claritate; ac per hoc virga directionis, virga regni, virgaque sacerdotii, quod imperante domino a vobis ad profectum administratur fidelium, quorum acquisitio labori vestro cumulat spiritualium in supernis copiam thesaurorum.

The praise of Henry.

Prov. viii. 15.

K. Edward's Life based on written sources, living witnesses, and personal experience. (Ailred. *Vita S. Ed.*, Twysden, 410 sqq.)

Protendatur ergo tantae potentiae dextera ad opera iustitiae efficaciter explenda, et quem regii sanguinis parentalis admixtio per vos hortatur ut floreat, sanctum domini confessorem et regem Eadwardum, ne patiamini ulterius ut inglorius delitescat; cuius tot et tanta in temporali vita et post transitum eius ad superos visa sunt in mundo radiasse miracula, quae si per singula scriberentur volumina inde cuderentur infinita. de quibus pauca quaedam, sed relatu digna, ad dei laudem et gloriam perstrinximus, sicut rei gestae opere probat effectus. plurima namque ad monumentum viri dei reliquerunt post se scripta nostri praedecessores in ecclesia, qui ei in regno temporali officiosa sedulitate ministrare soliti studuere diligentius sanctitatem vitae eius sollicita investigatione perscrutari. nonnulla vero didicimus ab his qui ea propriis meruerunt oculis cernere, qui usque ad annum quartum quo Stephanus frater vester regnavit superstites extitere. quaedam autem ab eis qui haec in semetipsis senserunt audivimus, quaedam in nobismetipsis, teste deo et angelis eius, experti sumus.

Henry's ancestral connexion with Edward.

Praeterea causa in propatulo manifesta subnectitur, cur ei vestro in tempore iusta reverentia debeatur. avus enim vester, rex Willelmus, Angliae triumphator egregius, Rodberti Normannorum ducis, qui in Nicea urbe pro Christo peregrinus obiit, filius extitit, ex amita cuius, illustri regina videlicet Emma, sanctus Eadwardus procreatus exivit. praefatus autem victoriosissimus princeps Adelam genuit, quae pretiosa et insignis virago ex Stephano comite Palatino sponso suo liberos suscepit, pontificesque et reges et consules in lucem temporalis ortus effudit. haec, depositis inflatae carnis fastibus et purpura gloriae saecularis abiecta, apud Marciniacum et saeculum vicit et sexum, eo in loco sibi statuens Ierusalem, tanquam regina Saba regem adiit[a] Salomonem, auro et argento et gemmis onusta et sincerae mentis aromata deferens pretiosa. quae locuta est ei omnia quae habebat in corde suo, et a tanto rege diversis munerata donariis praemiorum spiritualium

2 Re. x. 2.

[a] abiit.

in aeternum regnatura cum domino introducta est in terra viventium.

Igitur quia prolixitas epistolaris finem debitum postulat, moveat officinam pectoris vestri ad amorem tanti regis consanguineus carnis affectus, et per vos eius celebritas in mundo manifestetur hominibus qui in caelestibus apud superos regnat cum angelis deo gratus et carus. et quia dignatio maiestatis vestrae sententia alloquenda est philosophica, cum virtus in vobis constet sita deorum, herculeaque manu vestra gigantes caelis irrumpere attentantes propulsati decidant, robore fortitudinis vestrae caelestibus gaudiis admixti et supernis sedibus digni in terrae pulvere sine honore deinceps non arescant.

## 16. *Henry bp. of Winchester to pope Innocent II.*

f. 21. Anstr. iv.

Innocentio summo pontifici, domino et patri sanctissimo, Henricus dei gratia Wintoniensis ecclesiae minister et suae sedis legatus, salutem et debitam in omnibus obedientiam.

Commending Osbert.

Pro praesentium latore fratre Osberto, bonae siquidem opinionis viro, sanctitati vestrae, pater reverende, preces porrigimus; qui quanta devotione ecclesiae, in qua deo militat, et sancto regi Eadwardo, qui in ea miraculis coruscat, substernatur, labor eius et propositum et vita viri dei et mors pretiosa manifestant. supplicamus itaque reverentiae vestrae ut negotium ipsius benigne audiat, et secundum quod ei desuper datum fuerit effectui mancipare dignetur. dignus est enim idem sanctus dei in terris veneratione hominum, quem in caelestibus castris gloria et honore rex coronavit angelorum.

## 17. *King Stephen to Innocent II.*

f. 21 b. Anstr. vi.

Innocentio summo pontifici, excellentissimo domino suo et dulcissimo patri, Stephanus rex Anglorum et dux Normannorum, salutem et obedientiam et omnem honorem et gloriam.

Quia sanctorum regum instantia, pater excelse, multum

Asking for canonization of K. Edward.

profecit Anglorum ecclesiae in religione Christiana ut beatis apostolis Petro et Paulo omnibus regnis specialius annua tributa persolveret, hoc adiecit omnipotens deus ut Romanorum pontificum grata benedictio eandem gentem familiarius confoveret. unde innata pietas virtutis et sanctimoniae tanta in sanctis Anglorum regibus, deo donante, consuevit excrescere, ut quosdam deo placuisse sciamus per martyrii meritum, nonnullos vero ad Christum pervenisse per sanctae virginitatis insignem triumphum. in quibus et gloriosus dei famulus et rex praeclarae nobilitatis Eadwardus solenniter rutilat, et ad sepulcrum eius signorum frequentia caelestium claritatis suae radios caelitus vibrat. tam densis enim floruit et floret et in vita et in morte miraculis, ut uxori sacramentis ecclesiasticis alligatus a virginitatis candore non recederet, et diversis aegritudinibus pressos allevans post triginta et sex annos suae regalis sepulturae integra carnis gloria repertus appareret. hic ex amita Rodberti, patris Willelmi regis, triumphatoris Angliae, natus prodiit, qui matri quae me genuit in carnali genitura pater fuit. ea de causa vestram maiestatem, gloriose pater et domine, humiliter et suppliciter submissa petitione convenio, ut vestra instauret auctoritas diem sancti regis natalitium celebrari solenniter in Anglorum ecclesia. qui princeps dives opum beneficia contulit ecclesiae copiosa, coenobium beati Petri quod Westmonasterium dicitur vetustum renovavit et celsis reparavit aedificiis et possessionibus ditavit et ornamentis. et quia illa est regia sedes mea et specialis sanctae Romanae ecclesiae filia, mittunt ad vos et abbas et conventus ecclesiae seniorem religionis et famae, Osbertum nomine, qui per quinque annorum tempora congregationi in prioratu iam praefuit, et eam utiliter ad honorem ordinis dei regulariter rexit. vitam sancti regis et quae necessaria sunt ad solennitatem vobis mittimus, ut omnia in nuntii redeuntis adventu authentica cum gaudio suscipiamus. cogit me ad postulandum ab auctoritate sedis apostolicae sanctitas beati viri, cuius honorem et gloriam qui tanto tempore quaerere distulimus cruentos cotidie persequentium gladios

The bearer has been five years prior of Westminster.

cervicibus nostris imminere sentimus. ita pater sancte, pater excelse, ita dei princeps egregie et firma columna et stabilis ecclesiae, ita suscipiat quod petimus vestra dignatio ut memoria nominis vestri per saecula resplendeat prae cunctis in regno Anglorum pro tanto talique negotio.

Custodiat deus personam vestram longo tempore salvam atque incolumem ad regendum populum sanctum dei. amen.

## 18. *Chapter of St. Paul's to Innocent II.*

f. 21 b. Anstr. v.

Venerabili domino et patri suo Innocentio, summo et universali pontifici, conventus beati Pauli Londoniae, debitae subiectionis reverentiam.

Latoris praesentium personam vestrae maiestati commendare nos condecet, tum pro opinionis suae bonae siquidem reverentia, tum pro suo cui militat et laborat venerando monasterio, tum pro venerandae et sanctae memoriae, qui in eadem miraculis coruscans requiescit, rege Eadwardo. excellentiam igitur vestram, reverende pater, obnixe postulamus ut praefati viri negotium audiendo benigne suscipiat, et secundum dei voluntatem et vestram discretionem et praedicti regis dignissima merita nullatenus inexpletum relinquat. dignus enim est honore hominum, qui honorem in caelo meruit angelorum.

## 19. *Innocent II to abbot Gervase and the convent.*

f. 22 b. Anstr. vii. Wilkins, *Conc.* i. 419.

Innocentius episcopus, servus servorum dei, dilectis filiis G⟨ervasio⟩ abbati et fratribus sancti Petri Westmonasterii, salutem et apostolicam benedictionem.

Deferring the canonization.

Quoniam religiosum virum, priorem Osbertum, a vestra fraternitate cum litteris vestris directum gratanter excepimus, eum pro merito probitatis et conversationis egregiae ut dilectum filium nostrum proprie et specialiter vobis commendamus. cuius honesta importunitas adeo nos coegit vestro satisfacere desiderio ut, si sufficientia prae manibus habuissemus testimonia episcoporum et abbatum, iam canonizatum in catalogo sanctorum a Romana secum curia

A festival which concerns the whole realm must be demanded by the whole realm.

Henry the legate is to protect Westminster.

reportasset regem vestrum. ea de causa consulentibus fratribus nostris episcopis et cardinalibus petitionem vestram perficere hac vice distulimus, quia, cum tanta festivitas debeat fieri ad honorem et profectum totius regni, ab omni regno pariter debet postulari. in vestro igitur pendet arbitrio congrua si vultis testimonia quaerere, et eadem per instructas monasterii vestri personas nostro conspectui praesentare. in his vero et in ceteris secundum deum preces vestras libenter volumus exaudire et iura vestri monasterii vobis illibata servare. inde est quod venerabili fratri nostro Henrico Wintoniensi episcopo, apostolicae sedis legato, per apostolica scripta mandavimus ut de his qui ecclesias, possessiones et bona vestri monasterii iniuste detinent plenam vobis iustitiam faciat. vestra itaque interest, dilecti in domino filii, ita iuxta professionem vestram religiose vivere et beati Benedicti regulam observare, ut vestrae bonae conversationis exemplum alios ad bene vivendum edoceat, et mater vestra sancta Romana ecclesia de vestris bonis actionibus valeat exultare.

9 Dec. 1139.

data Laterani V idus dec'.

## 20. *Innocent II to Henry bp. of Winchester.*

f. 17 b. Anstr. i. Wilkins, *Conc.* i. 418.

Bidding him protect the properties of Westminster.

Innocentius episcopus, servus servorum dei, venerabili fratri Henrico Wintoniensi episcopo, apostolicae sedis legato, salutem et apostolicam benedictionem.

Ex parte filiorum nostrorum, monachorum beati Petri Westmonasterii, per dilectum filium nostrum Osbertum querelam accepimus, quod videlicet ecclesiae possessiones et bona ipsius monasterii a multis in partibus[a] illis eis auferantur, et violenter detineantur. et quoniam ad hoc vices nostras in terra illa obtines ut iniuriam[a] patientibus, praecipue personis ecclesiasticis, iustitiam facias, per apostolica tibi scripta mandamus quatenus querimonias eorum audias et debitam eis iustitiam facias exhiberi, et nullam eis iniuriam vel molestiam permittas irrogari.

data Laterani V idus dec'.

[a] *mutilated.*

## 21. *To his niece Margaret.*[1]

f. 128. Anstr. xxx.

Osbertus de Clara, factus in peregrinatione gratia dei novus evangelista Iesu Christi, dilectissimae neptae suae Margaritae, sanctimoniali virgini deo dicatae: claritate virtutum et lampade bonorum operum ita splendescere ut in corona regis aeterni inter rutilos lapides valeat coruscare.

Busy preparations for the journey to Rome.

Labor Romani itineris, qui mentem meam occupavit curis diversis pariter et causis, manum meam invitat ut debeam a scribendo retrahere, et resarciendis peris comitum meorum et baculis novam studiosius operam dare. sed pura et nitida devotionis tuae vigilantia hortatur ut vel breviter aliquid tecum colloquendo edisseram, quamvis negotiosa supellectilis meae praeparatio persuadeat instanter ut sileam. intende itaque quod dico et diligenter reconde in animo tuo.

The pearl of virginity. Cf. S. Matth. xiii. 46.

Vocabulum nominis tui Margarita dicitur, ut splendor sanctitatis perfectius in te crescere moneatur. haec est illa margarita, virginitas videlicet pretiosa, de qua cum summo negotiatore inisti commercium ut vibrantium obtineas triumphales in caelis palmas radiorum. inter ceteras margaritas haec una splendidior, inter omnes alias haec sola praeclarior. hanc invenisti in agro benedictionis dominicae: stude eam diligentius in thesauro cordis tui repositam conservare. vide ne lapis iste pretiosus frangatur ab aemulo tuo, ne publicetur ad distrahendum inimico tuo. aemulus tuus spiritus fornicationis est, inimicus tuus corruptor castitatis est. Quicumque, inquit apostolus, violaverit templum dei, disperdet illum deus. non possum aliud tibi dicere, nisi quod voluerit spiritus sanctus inspirare. sunt quaedam virgines, sed fatuae, quibus valde displicent sanctarum scripturarum testimonia, cum in eis fulgura minarum caelestium terrent et feriunt corda in suis iniquitatibus obstinata. satagunt namque peccantes auctoritates quaerere, quibus tanquam clipeo suas possint immunditias defendere et munire. mentes enim earum in carnalibus illecebris infatuavit amor saecularis, et superni saporis nesciunt dulcedinem, et desiderabilem caelestis sponsi nolunt

Cf. 1 Cor. iii. 17.

Cf. S. Matth xxv. 3. concupiscere speciem et decorem. cave proinde ne in earum numero deputeris, ne lampadem circumferas oleo vacuam, conscientiam scilicet bonorum operum claritate vacuatam. esto virgo sed prudens, esto formosa sed sapiens. quid igi- Prov. ix. 1. tur scriptum est? Sapientia aedificavit sibi domum. quam domum? corpus tuum incorruptum et spiritum immaculatum: hanc dixit apostolus domum, hoc astruxit dei templum. qui hoc templum intendit ut violet, et deus illum de terra viventium disperdet. custodi ergo domum suam sponso tuo, et templum suum deo et domino tuo. margarita ista quamdiu fuerit integra, nullius decoris splendore privaberis, nullius honoris et gloriae expers eris. omnes virtutes reliquae huic famulantur tanquam sequipedae omnes ut dominae subserviunt et reginae. huic clamat sponsus cae- Cant. iv. 7. lestis in canticis: Tota pulcra es, amica mea, et macula non est in te. tota formosa dicitur, tota nitida et speciosa praedicatur. non iudicatur in aliquo reprehensibilis cui non dominatur fetida putredo corruptionis. hanc itaque vasa confracta non habent gloriam, hanc sordidata non possunt corpora retinere praerogativam. et ideo huic reginae inter filias Ierusalem et iuvenculas Syon virtutum varietate circumdatae canitur a sponso in epithalamico car- Cf. Cant. iv. 8. mine: Veni de Libano, veni, et coronaberis. veni per fidem, veni per virginitatis candorem, veni per amorem, veni prius in corpore, veni soluta a carne, veni glorificata in resurrectione. hoc est nomen tuum, hoc est opus tuum, hoc est praemium tuum. de Libano veni, id est de candidata virginitatis gloria, et coronaberis immortalitatis laurea sempiterna.

Pro hac conservanda beata pugnavit virgo Margarita, pro hac dimicavit martyr in passione purpurea. sicut habes nomen eius, ita imitare opus strenuitatis eius. claritas quae in eius mente resplenduit tuo semper radiet flos insignis in animo, ut angelo dei comitata incedas caelestis sponsi paranympho. quotiens tibi molesta cogitatio occurrerit aliqua, epistolam hanc tibi propone tanquam personam corripientis in pictura, et licet moenibus intersim Romuleis imaginem tamen in illa videre poteris tui avunculi haec scribentis; cumque gratos de te rumores in redeundo gratia dei comite amplexatus fuero, ad terram meae nativitatis redibo securius, et te deinceps usque ad finem vitae amabo sincerius. hanc paginam communica cum sancto senatu sacrarum virginum, ut cotidiana earum oratio pro me in supernis ascendat[a] ad deum. per undas oceani ipsarum precibus me non despero sublevari, et ad summorum cum prosperitate attingere apostolorum limina, et urbem invisere, terrarum dominam, martyrum milia praeferentem trophaea purpurata. non possum Antiochiae[b] beatam Margaritam quaerere, sed gloriosam sponsam dei Ceciliam Romae conabor flexis genibus obsecrare. haec interim haereant memoriae tuae, donec redeam, donec ut gigas ecclesiae ab itinere mei laboris exultando recurram. sit mecum eius gratia de quo loquor, pro cuius amore primitias Romanae peregrinationis amplector, qui te custodiat in patria manentem et me deducat a meis concivibus exulem, Iesus Christus deus et dominus noster, qui cum patre et spiritu sancto vivit et regnat in saecula saeculorum. amen.

Cf. Ps. xviii. 6.

## 22. *To his niece Cecilia.*

f. 123 b.
Anstr. xxix.

Osbertus de Clara, servus ecclesiae dei, insignitus charactere Iesu Christi, Ceciliae neptae suae dilectissimae: inter filias Iherusalem ad beatae visionis dei pertingere contemplationem.

Praise of the monastic life.

Memento, filia Syon, quod sponsus ille caelestis, cui depacta es vinculo caritatis, splendoribus animam tuam illustrare dignatur aeternis. vocat enim te ad supernae regnum vitae rex pacificus, qui tibi iuventutis perpetuae promittit elegantiam et viriditatis aeternae iocunditatem gratiosam. in illa enim superni imperatoris aula erunt paranymphi tui angeli, cives dei, ut te ad regis introducant cubiculum, et investiant purpura et bysso coloribus intinctis, sanctorum praerogativa meritorum: virginitas vero tua, quae in sacris nuptiis nescit dispendium castitatis, diademate coronata radiabit aureo, et pretiosi lapides tuo subtilius

[a] ascendet. [b] Antiochiam.

inserentur[a] vestimento: manus vero tuae caelibes resplendebunt sapphiro pulcriores bonorum lampades operum accensis luminaribus coruscantes: sindone vero munda et deliciosa amicta decorabitur caro tua, nec mutatoriis in illa beatitudine ulterius indigebis, quam sine fine perornabit vestis immaculata caritatis. integritatis enim auctori satage sollerter ut placeas, qui te in cellam introducat vinariam, in qua amoris eius iocunda delectatio mentem tuam inebriet, ut oblivisci praevaleas quicquid mundi gloria concupiscibile promittit ut fallat. qui multo itaque vino madent, praeterita validius oblivisci solent; sic quos sustollit ad alta contemplatio, evacuant a memoria quod delectavit in mundo. en, ipse stat post parietem tuum respiciens per fenestras, prospiciens per cancellos. stat enim in humanitate nostra gladio accinctus, ut pro te contra tyrannum dimicet qui te petulantibus substernere lasciviis efficaciter studet. per fenestras respicit, id est per propheticam et apostolicam doctrinam,[1] in quibus tibi et forma virtutis imprimitur et candor virginitatis splendidius insignitur: per cancellos item electus tuus prospicit, quia, qui infirmitate carnis ex passionibus latuit, ut nobis appareret miraculis coruscavit. haec venerare, haec dilige, quia quae erant occulta sub umbra testamenti veteris, manifesta facta sunt in eius mysterio incarnationis.

Cant. ii. 4.

Cant. ii. 9.

In beato Ieremia et in Iohanne evangelista virginitatis tibi decor exprimitur, quorum adornata vita caelibe pudicitia virginibus sacris imago est sigillo castitatis impressa. aspice gloriosam semper virginem in secreto cubiculo cum angelo fabulantem, aspice in Nazaret conversantem, ut discas in floribus pudicitiae mansionem tuam constituere, et in interna quiete cum supernis nuntiis sermonem miscere. Nazareth enim flos dicitur, in qua Nazareos habitare condecet qui domino consecrantur. dum enim secum interius habitant et foris non vagantur elati, per intimam inspirationem loquuntur cum domino, et dulcore suaviter reficiuntur interno. intuere quot feminae perierunt violato pudore, et quot sibi coemerunt mortis periculum dotalibus

Cf. Hier. *de N. H.* (Matth.).

[a] inserenti; inserti *cor. rec.*

tabulis nuptiarum. dum namque intumescit uterus, pallescit facies, vena grossescit, cavantur oculi, macrescunt digiti, cutis nigrescit, ubera distenduntur, scinduntur interiora, et exteriora in partu fiunt cuncta deformia, animadvertere potes quam iocundior et deliciosior est ille partus in quo nulla perit dum parturit, quam generosi fetus quos virtutes germinant, et in quibus castitas dispendium pudoris non patitur et puerpera in sponsi cubiculo non violatur. reminiscere, filia dei, quam sollicite sponsas suas custodiunt divites huius mundi, et ne sexus inferior corruat in lapsum fideles suos deputant ad custodiam feminarum.

Ora igitur auctorem vitae Christum ut castimoniae tuae custodem deputet beatum martyrem Laurentium, quem in gloriosa passione nominis Christi roboravit confessio, et in eius conspectu apud superos iuvent⟨ut⟩is perpetuae decoravit pulcritudo. huius tibi cotidiana specialiter imprimatur certa ratione memoria ut cum revocaveris ad animum despectis ignibus tanti viri triumphum, insurgentium incendia extinguat in te vitiorum. iuvenculas namque et adulescentes solet ignis in carne libidinis adurere, et nocivus calor fomesque peccati sexum debilem validius inflammare. vicit quidem preciosus levita incendium in seipso divini amoris incendio, et ros caelestis gratiae humores noxios effugavit, nec in eodem dolio cum quolibet habitare oleum consensit atramento. praesto utique est opem tibi subministrare salutarem, et superni roris imbrem dignanter infundere, si te perspexerit infestos carnis aestus velle fortiter superare.

A recent miraculous appearance of St. Laurence.

Accidit in quadam eius ecclesia Romae res mira et nostris temporibus de aliis sanctis inaudita, quam diligenti sollicitudine mentis tuae studiis oportet ut imprimas, et hanc communicare virginitatis tuae concivibus non omittas. aedituus namque nimis tardaverat [2] aliqua nocte ad sacras vigilias fratres excitare, suoque vigilans iacebat in cubiculo nescio quid operiens illo temporis intervallo, cum repente conspicit totam fulgore corusco radiare basilicam, et per orientalem aedis almae fenestram e regione mensae dominicae praeclaram regis introire personam quem candidatus epheborum comitabatur exercitus; eratque infinita gloriosae illius multitudinis copia, purpura et iaspide, byssoque ac sindone ab omni parte auro circumtecta. heros vero insignis sceptrigera praeminebat dignitate praecluis, quem gloria ineffabili coronabat diademate, et elegantia decorabat immarcescibili iuventute. quem cum ingredientem secretarius ille contemplaretur stupefactus, tantaeque novitatis gloriam miraretur insolitam, caelestis hierarcha pavidum praevenit alloquensque ambiguum hac ratione convenit: Quid, inquit, tam longa in sacris detentus es mora vigiliis? cur tibi in nocturnis non inservit cura maior excubiis? iam, inquit, illa celebris hora praeteriit, qua tinnientibus cymbalis a somno desidiae excitandi fratres fuerant, a nocturna recreatione. cumque pavefactus et stupidus ad vocem eius et aspectum haesitaret aedituus, iterum persona spectabilis alloquitur hominem toto corde et animo tanti viri sermonibus inhiantem: Ad visionem gloriae meae quae tibi praesens est noli expavescere, quia non huc veni ut tibi timorem incutiam, sed inaestimabilis gloriae meae dignitatem ostendam. haesitas fortasse quis sit qui tecum loquitur, cuius tantam intueris pulcritudinem, ut solis videatur transcendere claritatem. miraris etiam qui sint consodales mei, quorum decus et decor et tantae multitudinis copia tibi solent esse hactenus inusitata. sed ut securior fias, et ad meum constantior deinceps obsequium, tibi sine dubio intimabo nomen meum. ego sum sanctus martyr dei Laurentius, cuius titulis praesens consecrata est basilica, cui praesentis familiae servit devotio gratiosa. ego sum dominus tuus, cuius insudas obsequio, ad cuius nominis soles gaudere vocabulum, et ad eius applaudere gloriam qua inter concives radiat angelorum. ego etiam sum athleta ille Christi, qui pro eius nomine in igne et ferro fortiter desudavi, qui pro illis omnibus semper assisto in orationibus ante vultum dei in caelis, qui mei memoriam venerantur in terris. teipsum etiam meis scias orationibus commendatum, quia te semper erga me devotum repperi, et fidei tuae atque dilectionis fervorem inveni; et in omni septimana eadem feria qua passionis meae victoria extitit consummata, hanc mihi deus praerogativam tribuit gratiae, ut multos poenis deditos dignetur misericorditer liberare. descendo enim ad eos in ergastulis carceralibus positos, et quos poena ante meum torquere solebat adventum confestim cum gaudio ad vultus mei relevantur aspectum. quotquot enim meis lateribus adhaerere possunt, a poena mecum ad gloriam sublimiter resurgunt. hinc est quod hi, quos hic vides in tam inaestimabili florere pulcritudine, de locis poenalibus hac nocte mea educti sunt potenti virtute. dilige ergo meam quemadmodum incepisti cum intima devotione memoriam, quia pro omnibus illis in precibus assiduis semper assisto ante vultum domini, qui cum mentis dulcedine mentionem nominis mei consuevere venerari. surge itaque et excita fratres ad nocturna sollennia; quia iam diu est quod hoc fecisse debueras, nisi te sermonum meorum grata dulcedo detinuisset. noveris etiam quod locus ille celebris mihi specialiter est singularis, eumque frequenter cum amore maximo revisere soleo, quia familia mea sollerter satagit ut placeat deo. nunc vero tibi et omnibus illis valefacio, et ad dominum meum cum triumphalibus spoliis victor ascendo. et haec dicens sanctus martyr dei Laurentius eodem tramite quo venit mira dei virtute recessit, quia sublevatus a terra visus est in aere firmiter incedere et per mensam dominicam secus eucharistiam corporis Christi pertransire. cum autem ad fenestram orientalem pervenisset, quemadmodum vitrum penetrat solis radius ita eandem penetravit martyr invictus. ascendens vero ad supernam cum felici captivorum multitudine gloriam, excelsa voce illam incepit antiphonam quam universa deo sollemnizans in eius laude canit ecclesia: In craticula,[3] inquit, te deum non negavi, et ad ignem applicatus te Christum confessus sum. quod vero reliquum fuit omnis illa multitudo excelsis vocibus cecinit, et usque ad caelos cum tanta melodia chorus ille felix et gloriosus ascendit.

Considera ergo, dilectissima mihi, quanta sint patrocinia beati martyris Laurentii, et illum advocatum habe ne importunum sentias iudicem quem in casta conscientia praestolari debes redemptorem. si ei secretiorem cordis tui devotionem volueris committere, et poterit et volet infirmitatem animae tuae caelestibus medelis procurare. potens est enim apud dominum suum, et potens est deus omnem gratiam in te abundare facere per eum, ut tibi virginalis gloria in disciplinis regularibus placeat, et tua voluntas a voluntate dei non recedat. respice etiam ad illas quae integra virginitate sponso caelesti pepererunt sobolem et imminutum in puerperio non senserunt pudorem, ex quibus unam tibi specialiter praefero in exemplum, cuius ut confido geris cum carnis integritate vocabulum, beatam dico Ceciliam, quae et gemmis radiare consuevit et auro, et tamen testibus angelis dei induta erat cilicio. imitare eius constantiam, et comitem assume tibi prudentiam, ut diligendo creatorem tuum merearis patrocinium suum. spiritus ille sanctus, qui eam voluit in amore suo inflammare, mentem tuam calore suo dignetur accendere, ut per vestigia beatae Ceciliae virginis et martyris incedas, et coronam perpetuae virginitatis per eam in caelis apprehendas, praestante sponso suo virginis filio Iesu Christo, deo et domino nostro, cui cum patre et eodem spiritu sancto sit honor et imperium per omnes generationes saeculi saeculorum. amen.

## 23. *To Anselm, abbot of Bury.*[1]

f. 26 b
Anstr. ix.

Item domino, item amico, item viro apostolico scribimus: scribimus quia cogimur desiderio et dilecti amore suspiramus. salutem optamus, et ut salute perfruatur et pace sollerter oramus.

'In my great troubles you are my chief friend.'

Illisi fluctibus et procellis agitati, illius nos credere pietati non diffidimus in cuius sinu et dilectione studiosius immoramur. cum enim cotidie alii eligant quid diligant nobis nostra potissimum sedet electio. elegimus et praeelegimus ipsum ad quem subscribimus, cuius honestatem et mores praedicamus, quibus explicandis Maro non sufficeret et Tullianae scientiae eloquentia fluctuaret. id praecinit clerus, proloquitur populus, urbes praedicant, orbis proclamat. ipsi qui eum diligunt huius praerogativae participio perfruuntur. quam felix praesentis temporis aetas in qua nostrae imbecillitati consulem, immo consilii angelum, dei providentia destinavit, et virorum meritorum praerogativas emeritum mundi domina nobis delegavit Roma! inter egregios, inter summos, inter praecipuos eum Latina fovit ecclesia, eum curia Romana provexit, eum in urbe senatus ecclesiasticae dignitatis instituit; neque enim fastus urbis, et superbientes antiquae vetustatis arces, templa superum, palatia regum, tam liberalem, tam sanctum, tam strenuum, consilio, religione, fortitudine, hac tempestate produxere. gratulentur fideles et decinctoribus[2] eius amici insultando resistant: tabescant invidi et corrosorum lingua repressa silescat. honor namque amici specialis est gloria diligentis.

England is fortunate to have gained so favoured a son of Rome.

'May your friends resist your enemies.'

Hunc itaque cingulo laetitiae accingere, et cum eo totius iocunditatis balteo desideramus accingi. iterum gratias deo et gratias illi quod Martio campo et Tybridis unda rostrisque relictis ad mundi sese partes occiduas contulit, nec illum praetexta aut praetextatorum purpura, prece, pretio, subtrahere, evertere, a pura intentione, a votivo multorum desiderio, praevaluit, potuit.[3] gratum itaque mihi est cum in tanti viri laudes et gloriam aliqua me honestatis deportat occasio, cui comes individua a puero semper excrevit honestas; affluunt sane, quae se ultro ingerunt, tot praeconiorum iubila ad vestram, vir apostolice, coronam et famam et favorem et gloriam et seriem generis commendandam, a proavorum vestrorum prima creatione consulari dignitate concatenatam. sed quia satis superque notum est qua nobilitas vestra descenderit stirpe progenita, in praesentiarum supersedemus referre, nisi quod unum excipimus quem vidimus, quem specialiter cum tota ecclesia doctorem egregium approbamus, felicis et gloriosae memoriae virum, Anselmum videlicet Cantuariae urbis archiepiscopum, cunctis nationibus per saecula toto orbe venerandum, quem tota Latinitas, tota Graecia ut dominum et patrem amplectitur, et in tractatu de processione spiritus sancti magistrum recepit et profitetur. cuius morte affligimur, viduamur absentia, eius absentis memoriam ut vivam praesentis imaginem spirituali charactere mentibus nostris cotidie imprimimus. ex eius sorore sancta atque religiosa vestra prodiit in mundo nativitas, a primis infantiae annis sacram genealogiam omni morum honestate prosecuta. ceterum si quando super honorum gradibus et divitiarum vestrarum insignibus quaestio oritur, patet profecto quia in neutro vobis et maiestas et copia deest. si enim hac tempestate cogamur personas conferre personis, benignitate, scientia, religioso cultu David, Tullium, Machabeum evincere, aequare, transcendere consuestis. sicque inter patres conscriptos aeternae urbis aureis nomen vestrum annotatur litteris, quoniam iustitiae et sanctimoniae professores illos in amore soletis aestimare pares, qui in gratia et meritis inveniuntur differentes.

'You come of a wealthy and honoured line.'

Ergo ad vos tanquam ad singulare asylum nostrae recurrimus militiae, et quia operarii et mercenarii more hactenus detenti sumus, usuris sed egregiis, exactionibus sed non plebeiis,[a] ditescere appetimus. quibus, inquis?[b] amore speciali, singulari consolatione, infatigabili solatio. haec itaque stipendia inter illius opes sunt cuius sum: haec non deneget impetranti, quae dispersa non minuuntur et diffusa non pereunt. aurum non sitimus, et nisi pro[c] servientium expensis argentum non quaerimus. cupiditatem enim exaestuantem et famem tenendi execrabilem facto aggere sepelivimus: hae nempe sunt sanguisugae filiae, quae neque copia saturantur neque extenuantur inopia. nudi itaque crucem domini baiulamus: et evangelistae fieri appetentes, eius imperiis, illius doctrinae inhaeremus, cuius formam imitari cupientes, dativo cuncta non invido facta communione pro consuetudine gratis erogavimus.

'I need assistance.'

Prov. xxx. 15.

Dyogenes, qui in dolio recumbebat peram habens pro cellario, cum scyphum sibi fictilem reservasset, et vidisset quendam concavis manibus haurire aquam, admiratus expavit, idemque vas longe a se proiciens ait: Nescivi hucusque quod natura haberet poculum suum. quid ergo facturi sumus de superfluis Christiani, quando naturae con-

Cf. Sen. Ep. xc. 14.

[a] pleberis. [b] iniquis. [c] per.

cessa gentilis philosophus, ut expeditior fieret, reliquit necessaria? Minervam utique non doceo, cuius prudentia et scientia instrui et doceri quaero. deficit sumptus in presistarchiis[4] nostris, expensae abierunt, aera non suppetunt; plorant pueri, lugent servientes; vernula pannos, scriptor mercedem,[5] cum thesaurum non habeam, et exigunt et requirunt. quae larga dextera vestra suppleat, et nuntium cantantem et saltantem remittat. ab uberibus consolationis vestrae hoc modo recreari et ab instantibus oppositionum varietatibus curari poterimus. amor nescit otiosus incedere; amor nescit ingratus existere. apostolicus vir emplastrum componat apostolicum, et cor inde reficiat et reformet aegrotum.

'I am in extreme poverty.'

Valete qui potestis cuius bonitate speramus valere qui needum possumus.[a] contulimus verbis, respondete effectibus.

## 24. *To Stephen, prior.*[1]

f. 89 b. Anstr. xviii.

Suavissimo domino et serenissimo patri Stephano, dei gratia venerabili priori, frater Osbertus de Clara, in terra aliena peregrinus et hospes, sic matutinum deo offerre sacrificium ut vespertinum fieri mereatur holocaustum.

Quoniam dulcedo pietatis tuae circumcirca, pater reverentissime, in tribulatione positis misericorditer est declarata, tantaeque sanctitatis formam laudat et veneratur omnis terra, ad tam insigne dignum duxi in anxia necessitate convolare subsidium, ubi bonae spei fructus nulli usque hodie defuit argumentum. praeterea familiaritas et conversatio illa mutua, quae me olim tibi brachiis dilectionis astrinxit, ad provocandum in auxilium meum mansuetudinem tuam audacem inde[b] hoc negotio nimis effecit: in aure enim tuta dilectissimi senioris et dulcissimi patris nemine teste pressuras meas effundo, illiusque in angustiis meis quantumlibet placuerit indigeo relevari beneficio.

'Your good name and our friendship make me turn to you.'

Inveterata cordis amaritudine vehementer afflictus cogor poculum miseriarum mearum solus ebibere. unde fratribus nostris dedit deus per me, bonis prius sublatis, libere

[a] possunt. [b] *Perhaps for* in *or* de.

'I am in debt to a Jew.'

communicare. hac de causa quemdam Hebraeum [2] dirum creditorem et crudelem ultra modum patior exactorem. nunc itaque, quia secunda mihi tabula post hoc naufragium sunt beneficia et consolationes amicorum, precor sicut audeo et quanta devotione possum imploro ut in tanta afflictione mihi tua gratiam subministret dextera, et, quae bonum opus solet avertere, procul ab hac dignatione arceatur sinistra. memento, pater, quid beatus Gregorius egerit quando in specie naufragi angelus ab eo beneficia postulavit. et memoriter recines [a]—nec memoriae excessit—quod eleemosyna in specie virginali cuidam apparens ait: Ego sum prima filiarum regis. his plura addere supersedeo, quia a domino et amico parva et non magna munera requiro. gratias autem deo quod plures amicos habeo qui me pluraliter in hoc sustentabunt negotio et suo iuvabunt beneficio: humana autem verecundia vetuit quod tibi per os meum causa nequaquam ista innotuit. fac ergo secundum velle et posse tuum, fac, pater dulcissime, per nuntium tuum filio tuo quod Joseph fecit per ministrum suum Beniamin fratri suo. si aliquid dederis, plura tibi debeo; si nihil impenderis meipsum nihilominus tuae servituti subicio.

Cf. S. Matth. vi. 3.

*S. Greg. Magni Vita* auct. Iohanne Diacono ii. 23 (Migne, P. L. lxxv. 95).

*Vita S. Joannis Eleemosynarii*, c. vii. (Migne, lxxiii. 345).

Gen. xliv. 1 sq.

Dei omnipotentis ineffabilis bonitas concedat mihi pacatum invenire animum tuum, ut nuntio meo cum gaudio redeunte laetus suscipiam beneficium tuum, et pro temporali quod mihi facturus es beneficio aeternaliter beatificeris in caelo. si litterae nostrae effectu caruerint, iterum ad nos redeant: si postulata obtinuerint, apud vos mansionem accipiant. vale pater in domino.

'If you cannot help, please return this letter.'

## 25.[1]

f. 95. Anstr. xx.

Lege litteras istas, carissime frater, fraterno ex corde profusas, et puro caritatis affectu pia tibi etiam compassione delegatas.

Pleading with a brother who was tempted

Manant lacrimas oculi mei, irrigatur fonte dilectionis facies mea, et pro te singultibus et suspiriis afficitur lugu-

[a] retines *Gale*.

bris et lugens anima mea. te enim, quem tanquam Abraham venerabatur omnis terra, utpote qui egressus fueras de terra nativitatis tuae, de terra carnis et de terra maledictionis, de terra etiam spinas et tribulos germinanti,[a] et veneras ad terram quam monstraverat tibi deus ut faceret te in gentem magnam spiritualium excrescere virtutum, video ad Ur Chaldeorum denuo reverti disponere, et exemplo uxoris Loth bonum propositum non bona intentione commutasse. ubi est Nazareus ille, qui tanquam Samuel in tabernaculo domini sacras exercebat excubias, cui dominus deus Israel causas consilii sui manifestabat occultas? ubi est gloriosus ille David, qui Goliam Getheum proprio ipsius interfecerat gladio, qui singulare praesidium solet esse populo a gentibus alienis illius fortitudine liberato? egressus fueras, dilectissime, per sanguinem agni immaculati de servitute Egypti, et ut maneres cum filiis Ionadab in tabernaculis et tentoriis deserti donec venires ad patriam promissionis dei, quia te peregrinum exhibueras et hospitem huius mundi: et ecce iterum ad Egyptiam intendis redire servitutem et in illa tibi cum Cain floridam et deliciosam reaedificare et dedicare[b] civitatem. quid est, dilectissime, quod agis? quid est quod teipsum persequeris? manum tuam misisti ad aratrum, et relicto aratro conversus es retrorsum vel respicis retrorsum? eheu carissime, eheu, dilectissime mihi, quam gravis dolor animam meam pro te invasit, quam immensa tristitia totam vitam meam pro te afflixit, quoniam metuo ne notitia et impressio dilectionis meae facta sit causa perditionis tuae. ante illud tempus quo familiaritas nostra speciali amore concatenata[c] est ad invicem, sic in sancto proposito religiosum circumferebas monachum ut toto tempore vitae praesentis totum teipsum deo redderes holocaustum. sed postquam materia tibi per me crevit evagandi, crevit ambitio et cupiditas adquirendi, ita ut occasio

to return to the world.
Gen. xii. 1 sq.
Gen. iii. 18.
Gen. xix. 26.
1 Re. iii.
1 Re. xvii. 51.
Cf. Jerem. xxxv.
He. xi. 13
S. Luc. ix. 62.
'I fear the opportunities of wandering,

[a] germinantis.

[b] deliciosam reaedificare et dedicare] *Gale, all except the last* -re *being lost in Vit.*

[c] non catenata.

which came through me, especially the visit to your relatives, have led you astray.'

Gen. xxxiv. 1 sq.

illa, qua sic disposuisti parentes revisere, laqueus et ruina facta videatur[a] animae tuae. egredi vis cum Dina ut mulieres alienae regionis videas, et ut cum Sichem filio Emor moechiam in transgressione divinae legis incurras. vere murus Ierusalem dissipatus est et porta eius succensa

3. igni. tu factus eras porta civitatis dei, quia per bonae vitae meritum et doctrinam sanctae praedicationis fratres tuos[b] accendebas ad desiderium supernae beatitudinis. nunc itaque quia praedicatio est subtracta, maxima in muro ruina est facta, cum tu, qui multis prodesse poteras[c] tam verbo quam exemplo, liberum in ecclesia dei introitum in tua discessione praebeas inimico. non hoc tibi, dilectissime, ut faceres persuaseram, sed praelato tuo persuasi simplicem et puram exhibere semper obedientiam: illud idem tibi adhuc tanquam verus amicus persuadeo, ut quam fecisti professionem conservare et illibatam reddere non differas deo. quid enim, secundum verbum domini, proficis, si mundum universum lucreris animae vero tuae detrimentum patiaris? si per inobedientiam in regno Romuli tibi adquireres cruciatum[d]? esto, igitur, esto, dulcissime mihi, constans in ecclesia tua, et secundum deum et secundum honorem saeculi diliget te et laborabit pro te anima mea. scribe in corde tuo sermonem apostoli Iacobi dicentis: Vir duplex animo inconstans[e] est in omnibus viis suis. et Seneca: Qui ubique est, nusquam est. et Flaccus ille tuus:[2]

S. Luc. ix. 25, cf. S. Matth. xvi. 26.

S. Iac. i. 8.

Cf. Sen. Ep. ii.

Ov. *Am.* iii. 4. 17.

Nitimur in vetitum semper cupimusque negata.

recollige itaque teipsum intra temetipsum, et adhibe tibi duos custodes, humanam videlicet verecundiam et divinum timorem, qui te non ferrea religent catena, sed doceant iustitiae examinare censura. revertere, revertere, Sunamitis, mortificatis viciis et concupiscentiis, et luge dum es in Babilone tempus tuae captivitatis; revertere ad cognitionem humilitatis, revertere ad ianuam sincerae confessionis, revertere ad mandatorum dei obedientiam, revertere

Cant. vi. 12.

[a] videantur.

[b] doctrinam . . . tuos] *Gale. Three-quarters of a line is missing in Vit. after* do. [c] poteris. [d] cruciatura [e] constans.

ad pristinae dignitatis tuae spiritualem praerogativam. esto columba, non corvus. utrumque continet arca nostra, sancta videlicet ecclesia, in diluvio huius saeculi. corvi [Gen. viii. 6, 8.] sunt qui ea quae sua sunt quaerunt: illi autem sunt [Phil. ii. 21.] columbae qui ea quae Christi sunt non differunt quaerere. defer proinde in ore tuo ramum virentis olivae, id est [Gen. viii. 11.] sanctae unitatis, caritatisque concordiam pura gere intentione. esto simplex, non duplex, quia et simplicem possidemus amicum et duplicem habemus inimicum. amicus noster est Christus, inimicus autem noster diabolus. cave igitur versutias eius, nam et ipse transfigurat se in angelum [2 Cor. xi. 14.] lucis. fuge, carissime, quia fugiendum tibi est; et ut beatus Ambrosius ait: Haec est vera sacerdotis fuga, abdicatio [*de Fuga Saeculi*, ii. 7 (Migne, P. L. xiv. 572 c), cf. Jerem. i. 13.] domesticorum, et quaedam alienatio carissimorum, ut suis se abneget qui servire deo gestit. ne sit mens tua olla succensa, maligni scilicet hostis suasionibus instigata. fuge pessimas occupationes filiorum hominum. fuge turbas et tumul⟨t⟩us carnalium cogitationum, et ascende ad Selmon [Ps. lxvii. 15, 16.] montem dei, montem pinguem, montem deliciosum, montem umbrosum, id est Christum, ubi semper nive paenitentes dealbantur et sub ramis eius, secundum quod nominis sonat interpretatio, ab aestu incentivorum et concupiscentiarum illecebris obumbrantur. si me audieris, [Hier. *de N. H.* (2 Re.).] audies amicum tuum et qui tibi utriusque vitae desiderat honorem et profectum. si vero refugeris volumen istud [Ez. iii. 1.] comedere quod apponitur tibi, timeo ne cadat retrorsum ascensor equi et sic forte annuntietur in Geth et audiatur [Cf. 2 Re. i. 20.] in competis Ascalonis et audiant et laetentur filiae incircumcisorum. tu itaque, qui cum Samsone olim adeptus es fortitudinem, videto ne in brachiis Dalilae spiritualem [Iud. xvi.] incipias amittere carnem.

Multa tibi in hunc modum possent argumenta suppetere, sed metam prolixitas excedit epistolae. quid enim ago? Minervam doceo: in silva⟨m⟩ ligna fero, et in mare aquas fundo. immo ei quem nimium diligo nimia dilectione devinctus scribo. age tandem, ita age, dulcissime, ut tota vita tua domino et redemptori nostro fiat sacrificium, et de stabilitate tua angelis dei cumuletur gaudium, mihi

Cf. 2 Tim. ii. 12.
Rom. viii. 17, 18.

etiam et ceteris amicis tuis proveniat laetitiae incrementum. quia sicut apostolus Paulus ait: Si compatimur Christo, et conregnabimus cum illo. quoniam Non sunt condignae passiones huius temporis ad futuram gloriam quae revelabitur in nobis.

Haec tibi tantisper iccirco scribere curavi, quia per nuntium tuum mandaveras te ulterius, ut sperabas, in hoc saeculo non visurum faciem meam nisi ante transitum meum contingeret ut videres eam. dei omnipotentis ineffabilis gratia mentem tuam in sanctae religionis et factae professionis ita[a] consolidet fundamento, ut hic nos frequenter invicem † [b] aeternae cum gaudio et perpetuae gloriae portionem cum sanctis percipere mereamur in futuro. amen.

## 26. *To Jocundus, prior.*

f. 110.
Anstr. xxii.

Iocundo priori in comparativo et qui primus in superlativo incedit, ille qui in positivo graditur et fuit et non est.

Asking money to pay his servants, or at least a coat.

Arridet tibi littera nostra, et ut ei clementer arrideas inclamat: inclamat et ingeminat ut rememoreris quibus quosdam fortuna sublimat insignibus et quantis eosdem iterum lacessit iniuriis. sed quicunque sub fati vel casus conditione concludantur, quos prius tuam constantiam dilexisse constat, non est eis gratia deneganda, non sunt subtrahenda sanctae dilectionis obsequia. propter pravorum mendacia et maliciosa commenta nescit vacillare firma constantia, neque simplex aut integer a suo poterit deviare proposito. absit ut ille qui amat amicum relinquat in angustiis constitutum, quem dum ad astra fortuna sustolleret hunc cum iubilo etiam ad caelos usque persequebantur inimici. hodie sors alicuius lamentanda apparuit, cuius heri cuncta vidimus gratiosa: hodierna lux multos circumdat indigentes, quorum crastina propulsabit inopiam. scriptum reminiscere:

Hor. Ep. I. xviii. 84.

> Nam tua res agitur paries cum proximus ardet.

ne credas fortunae, quae multis arridet ut derideat, nonnullis favet ut fallat.

[a] ita ut. [b] *A word such as* visentes *seems to have fallen out.*

In patria nostra, quam pro exilio mutavimus, aliquam a vobis speravimus consolationem : et qui ad pedes philosophiae fueras enutritus in illius laboribus obversatum eiusdemque lacte potatum piis debuisses auxiliis relevasse et iuvisse suffragiis. hoc inquam vere speravimus : speramus idem adhuc, nec diffidimus, quia amici inter amicos votivo indigemus obsequio. obsequuntur enim nobis qui cotidie laborant, qui ut exactores clamant, penurias loquuntur, rogant mercedem, stipendia quaerunt ; quorum cum carere nequeamus obsequio, obsequii non debemus retributione privare. verum quia non suppeditant sumptus, expensaeque deficiunt, per amicorum copiam nostram relevari non dubitamus inopiam : in quibus et te inter illos primos ponimus quos Priscianus in gradu computat [a] superlativo. quodsi aliud fieri non potest, spontaneus offer quam in praesentiarum indigeo, vel monetam qua toga redimatur, vel eandem interius villosam exterius autem planam et recentem et puram. sic tibi serviat comparativus et superserviat superlativus.

Cf. Ep. 27 *ad fin.*

## 27.

f. 111. Anstr. xxiii.

To one who has been 'banished' asking help : a coat.

In veteri amico nova stipendia quaerere et in senioribus antiquis investigare sapientiam detrita est omnium materia saeculorum. unde ego in te quaerere, vir insignis, non differo quod insitum natura et innatum impressit. ipsa omnium parens te scire instituit qualiter bonitas tua se metiri debeat meritis [b] singulorum : argumenta pietatis, qua affluunt viscera tua, mansuetudo et modestia reverenter occurrunt : parcus ut debes, et diffusus ut decet, inter domesticos fidei sine defectu appares : cani sunt autem sensus tui et vitam sapientia immaculatam custodit. in laribus philosophiae versatus, quid consolationis proscriptis debeas ex tuis olim didicisti periculis. nunc igitur, cum exilio claudamur et rerum quarundam afficiamur inopia, beneficiis tuis et suffragio nostra speramus leviari dispendia, ut regressi quandoque in patriam gratiarum exhibeamus actionem, verique amoris integritatem in codice sanctae

[a] competat. [b] mentis.

dilectionis ascribamus; neque aliquibus separabitur intervallis sed amplioribus semper proficiet incrementis. nec in animo languor nec nostro debilitas regnat in corpore, quia utrumque praecidi, utrumque dei gratia removeri fecit. votivis amicorum abundamus, immo multorum superabundamus servitiis: quae, sicut una manu colligimus, ita impaenitenti dativo duabus siquidem erogamus. legimus namque in Seneca: Benignus causam dandi excogitat. hac denique, amice, suffultus sententia, cum spolia spoliatis distribuas, quam potius elegeris adoptionem arbitrio tuo committimus, ut toga de tribus una nobis ex dono tuae largitatis transmissa deserviat. et quia epistolaris clausula festinat ad exitum, ex ore amici ad te profecti quae trina vestis sit advertere poteris. scrutare liberalitatem illius egregii imperatoris Titi Vespasiani filii,[1] qui diem eundem se reputabat amisisse in quo principalem animi sui nobilitatem affluentibus large et ingenuis donis solennem non ostenderet. salvum te esse volumus, et per longa saecula valere incolumem.

Vid. inf. p. 228.

## 28.

f. 111 b.
Anstr. xxiv.

'You have rare teaching powers, now consecrated in the church.'

Te, dilecte, salutat epistola dilecti et dilectoris charactere designata. salutat, inquam, quem omni salute et gratia dignum non dubitat; quippe quem in suis philosophia educavit laribus lacteisque poculis nutrivit et satis accurate raptum ab uberibus honestis instituit disciplinis. Atheniensium curiae, academicis studiis, Romuleis theatris, Grecorum gymnasiis tua nec invidet excellentia nec indiget. operae pretium est retexere quod nulli secundum tuum in inventione novimus ingenium, in facunda ubertate tam praeclarum et tam subtile nullius eloquium, in recordatione memoriae neminem tam capacem tamque profundum. formam tuae institutionis et studium ingentia illustrium agmina sequebantur virorum; quidam togati, alii trabeati, nonnulli vero praetextati, dum saecularium litterarum exercitiis insudares, diversa a te scientiae accipiebant stipendia. tam praecellens et tam lucida linguae tuae floruit facundia, ut quadam immortalitatis praerogativa et virtute et fama ipsa etiam astra conscenderit. Socraticis demum atque Aristotelicis collisionibus spretis atque relictis, ad verae gazas philosophiae tua convertisti exercitia, ubi in sinu paupertatis Christi multi sequaces tua iterato informantur prudentia, et sanctitate atque religione transmittuntur ad supera: in quibus et me ipsum adnumerare desiderarem, si incolatus exilii et proscriptio nostra cessaret. interdum donec istud vel aliud ad utilitatem animae meae dei operante misericordia cum amicorum nostrorum consilio pariter fieri possit et auxilio, diligamus nos iuxta mandatum domini sicut hucusque dileximus in invicem, et misericordem gratiam dei lacrimis et precibus pulsemus pro invicem.

Haec ita. ceterum, dilectissime, gratias et gratias infinitas tuae paternae debemus excellentiae, quod ad locum incolatus nostri venire dignatus parvitatem nostram voluisti invisere. sed quia pro Iudeis quibusdam exactoribus vetera a me quaedam debita exigentibus aberam, quae in necessitatibus et negotiis ecclesiae prius expenderam, ab hospita tellure frustratus tuo reversus es desiderio. si aliquid in hac causa deliqui, tuae est pietatis ignoscere. libros praeterea tibi optime conservatos remittimus, quos gratuita praestitos gratia ex tua nobilitate delegatos accipimus. rogamus itaque ut nullum tantae paternitati generetur fastidium, quod per tanti temporis retenti sunt intervallum.

'Debt to Jews kept me from home when your paternity called.'

'I return books.'

Liberatrix et salvatrix gratia dei lucernam doctrinae tuae ita ut in sublime super candelabrum accendat excellentiae, ut videam oculis meis antequam moriar te in summo constitutum sacerdotio, sicut populum Christi sanguine redemptum verbo informare sapis et exemplo. vale, dilecte, vale, et in aeternum vale.

'I hope the highest honour for you.'

## 29.

f. 113. Anstr. xxv.

Quod ultra terminum quem statuimus sine certa veritate evagati sumus, non egit incuria sed infirmitas. nam ad privatam domus nostrae rediens mansionem tam subita

After grave sickness, asking for a renewal of friendship and a visit

aegritudine sum depressus, ut nec tuam faciem videre ulterius nec salutem aliquando redituram sperarem. convalescens igitur nunc et sospitate donatus, ad te tanquam ad unicum animae meae reclinatorium dirigo, pristinam redintegrare cupiens amicitiam; et quem ut deceret obsequio non praeveni, muneribus et promissis eleganter convenio. accipe itaque, dilectissime, quod tuum est cum multiplici gratiarum actione, quippe quia me et immensis honoratum, immo oneratum, ad propria remisisti donariis, et apud te detentum utriusque vitae deliciis uberius satiasti. concludimus itaque epistolam non excludentes amorem, immo quem et in praecordiis animae nostrae charactere tuo signavimus et in pectore clausum supra ceteros specialiter possidemus. ad huius praerogativae experiendam excellentiam rogamus ut ad visitandum nos praepares animum, quoniam gratiae obsequium reperies praeparatum. vale, et in diligendo modum nescias, qui in obsequiis modum excessisti. aliquibus praesentem nuntium relevari petimus beneficiis, qui utriusque nostrum subservit imperio.

'Please give the bearer something, as he serves us both.'

## 30.[1]

f. 113 b.
Anstr. xxvi.

I am grateful for your words and help in my exile,

Copiosas tuae, pater, excellentiae grates referimus, quod aerumnas nostras pariter et sedasti, et consolidasti defectus. in exilio enim quo versamur nebulam calamitatis et fortunae claritatis tuae radiis illustrasti; et, quia doloris calicem familiares propinaverant inimici, tuis relevatum alloquiis invitas ad pocula gaudiorum. spiritus namque tuus spirat dulcedinem, et liquor ex eo balsami fluit: nescit absinthium eructare, et omnis ei cedit amaritudo. in omni fortuna enim amici consilia pariter et auxilia expendenda sunt: si prospera succedunt, participata cum amico bona efficiuntur meliora: adversa si fatigant, immensum remedii et consolationis ab eo percipiunt incrementum. unde a tanti viri tantique amici memoria nec separor per diem, nec gratiam pectori commendatam noctium in me densitas aut caligo obfuscat: sigillat etenim animae meae et claudit arcanum imago tuae caritatis impressa. nec ceteri in me pares tui

and for the friendship of one so powerful and so generous.'

huius sibi praerogativae privilegium vendicant, quia et supra ceteros specialiter praemines, et pares tibi eosdem nulla virtutis potuit conciliare materia. aliena autem et tanquam extranea a caritate tua castra sunt aliorum, quos eiusdem cathedrae et potestatis tibi conformat identitas; namque in sinibus avaritiae intercludunt quicquid de rapinis pauperum usurpare consuerunt. tu vero indigentibus erogas, et non quaerentibus ultro satis eleganter occurris. ministras cum eo fratribus eius subsidia, qui non venit ministrari sed ministrare. illuc tibi thesauros praemittis recondendos, unde raptor extorquere vel minimam nequeat portionem.

S. Matth. xx. 28.

Sed paucorum ista est virtus ut in divitiis versentur et compatiantur indigentibus. ego igitur a senatus mei concilio, tanquam a natalis soli dulcedine, in paludis antiquae barbara cohabitatione proscriptus, unam mihi consolationem et solam matrem philosophiam adhibui, quae, lactatum uberibus sufficienter reficiens, et ab omni tumultu diutius reddiderat iam securum et totius immunem cupiditatis effecerat. Inaestimabile enim bonum est, ut ait Seneca, suum fieri: et, quia tali deditus otio, curis paene liberum et exoneratum pectus gerere consueveram, beatus eram. sententia est praedicti viri: Otium sine litteris mors est, et vivi hominis[a] sepultura. nunc itaque quibusdam privatis occupatus negotiis, intimae quietis amissione destituor, et novam deflere sum coactus iniuriam; maxima enim ea iniuria est de libertate in servitutem, de copia ad inopiam transitum facere. liber itaque et copiosus est qui aurum non quaerit et animum prorsus inclinare nescit ad argentum: servus vero et inops aestimatur quem mundi cupiditas allicit et enervat. quare nihil cupio propter me, sed propter eos tantum qui in peregrinatione mea secuti sunt me. adhaerent mihi namque sedulo, frequentant obsequio, exhibent ministerium, ostendunt affectum. puer suis usibus rem familiarem, scriptor indies inquirit mercedem, et cum sine stipendiis militare non valeant debita extorquere stipendia non cessant. haec sunt quae me gravant, quia cum

'Here in an ancient uncivilized marsh I find relief in study.'

Sen. Ep. lxxv. 18.

Sen. Ep. lxxxii. 3.

'But my poverty afflicts my servants, whom I cannot pay.'

[a] hominis vivi *Sen.*

debitoribus iura persolvere deberem, nihil praeter solvendi reperio voluntatem. institoriis utique non sum mercibus deditus quibus pecunia copiosa adquiritur, nec saecularibus adeo quaestibus mea implicatur intentio, ut talenta in minutias contendam expendere [a]. sola amicorum subsidia et defectum excludunt et necessarium solent ministrare profectum. secundas enim res, teste Tullio, splendidiores facit amicitia, et adversas partiens communicansque leviores. sed nostris temporibus, dum in naufragio perverse succedit, nulla proximo cultura impenditur. in aura leni, quae prospera nuntiat, imperturbatus etiam animus permitigatur: secunda non est tabula post naufragium, ut naufragum aliquis introducat ad portum. exulem nemo visitat, civem [b] etiam inimici consolantur.

Cic. *de Am.* vi. 22.

Hucusque satis, et ultra citraque modum nihil penitus, quoniam omnia communicare cupio cum amico tanquam mecum. kalendis septembribus profecturi sumus ad concilium, verum expensas requirit et labor itineris et communis participatio conviantium, ibi cum illo per gratiam dei decernentes miscere sermonem cuius tibi germanus sanguis et mihi amicitia [c] concinnat venustatem. nihil enim quaero, sed apud amicum querimoniam facio. videat ergo dominus, amicus consideret, potens intueatur, copiosus perpendat, quid servo, quid dilectori, quid imbecilli, quid inopi conveniat, et valeat. cuiusdam enim sapientis dictum legimus: Saepe quod datur exiguum est, quod sequitur ex eo magnum.

'On 1 Sept. I set out for the Council, but need money.

'I hope there to have speech with my friend, your distinguished relative.'

Sen. Ep. lxxxi. 14.

## 31. *To Clarebald.*[1]

Dan. ix. 23. f. 131 b. Anstr. xxxii.

Salutem tibi desideriorum meorum diligentis dextera dirigit, quem te diligere serena facies et iocundus vultus ostendit. contemplatur spiritualia bona tua quanquam absens corpore et aemulatur illa dilector tuus tanquam praesentia, Clarebalde, immo, ut nomen excellentius in tanta persona resplendeat, Clarevalde. claritas nimirum tua non magis fuscatur in verbis quam in operibus totius pro-

[a] imminutias c. extendere. [b] uuem ; civem *cor. rec.*
[c] amicitiae. [d] tocius ; *? read* tocies *or*, *better*, probitatis.

batis honesta moralitas[a], dulcedo affabilis, probata religio, eadem vultus alacritas, compositio habitus, gestus non insolens, submissa benignitas, humilitas non remissa, doctrina assidua, disciplina temperata, rigor unicuique indulgens quod proprium, in tanto viro stabile locavere fundamentum. hunc in inermi philosophiae militia diu conversatum, cum Pytagoricus apex praemisisset ad bivium, sic operibus adhaesit quae ministrat dextera ut a via declinaret quae sinistra suggerebat. cum filiis Ionadab spontaneum domino offerens sacrificium a vino cupiditatis et calice Babilonis penitus abstinuit, et calicem pluribus salutarem in congregatione propinavit. assumptus inde et raptus est tanquam dux emeritus, et filiis transmigrationis Iudae praelatus qui virtutibus adhaerent detestantes vitia deoque facta sua confitentur universa. tali ordine in domo defuncti fratris sui successit ut pro eo suscitaret semen in Israel et ut filii eius hereditatem in terra viventium possiderent. hic est Booz vir vere insignis, vir plenus virtutibus, et secundum etymologiam nominis vir dei virtute fortis qui agrum Elimelech, qui interpretatur deus meus rex, in Bethleem Iuda iura propinquitatis obtinuit et Ruth formosam sibi in coniugio copulavit. et quia Ruth videns vel festinans dicitur, haec est contemplativa vita fidelium quae festinat ad regnum ut dei visione perfruatur inter choros angelorum. ex hac uxore spirituali prosapia Obeth filium sibi genuit, qui iuxta nomen suum per opera virtutum et orationis studium deo fideliter servit. Obeth namque serviens dictus est. iste igitur, Elimelech defuncto succedens, agrum illius in Bethleem Iuda cognationis vicinitate promeruit, quia in ecclesia dei, quae est domus panis vivi et sanctos angelos in caelestibus reficit, sanctarum pabula scripturarum de campo feracius exculto fidelibus[b] eius impendit. hic est Elimelech vir ille caelestis, de quo Salomon in proverbiis, qui longissima via ad caelos abiit, qui sacculum pecuniae, corpus videlicet suum, in quo sunt omnes thesauri sapientiae et scientiae absconditi, secum tulit, plenilunio ad iudicium in maiestate rediturus gloriam resurrectionis et decus immor-

Ier. xxxv.
Clarebald's oversight of a monastery.
Deut. xxv. 5.
Ruth ii. cf. Hier. *de N. H.* ad loc.
Ibid.
Hier. *de N, H.* (in Jud.).
Prov. vii. 20.
Col. ii. 3.
Prov. vii. 20.

[a] mortalitas. [b] fidelius.

talitatis suis fidelibus largiturus. de quibus sicut scriptum est: Candidiores Nazarei eius nive, nitidiores lacte, rubicundiores ebore antiquo, sapphiro pulcriores. (Thren. iv. 7.) in Nazaret, enim, Clarevalde, Nazarei tecum virtutum floridi floribus florent et caelestis vitae candore absque totius naevi contagio solenniter candent. et sicut lac de carne elicitur et caro inde non laeditur, sic temporalium administratione in hac carne praemines ut spiritualium vigorem intrinsecus nullatenus graves. et merito rubicundiores ebore antiquo tui asseruntur esse discipuli, quos castitatis gloria adornat insigniter et voluntas martyrii coronat excellenter. quos sapphiro pulcriores bene propheta praedicat, quorum in caelestibus semper est conversatio et in divina contemplatione solida fortitudo. (Thren. iv. 2.) hi sunt filii Syon inclyti assidue in specula commorantes et amicti auro primo, fulgore videlicet sapientiae coruscantes. non sunt itaque vasa testea, non sunt quemadmodum nos vasa lutea et caenulenta; quae cum figulus venerit virga ferrea conteret, et tecum suos militantes Nazareos sceptro et diademate gloriae decoratos ad regnum assumet.

Emergit ecce in mente mea quaedam novi doloris nova recordatio, cum de Nazareis dei novus ex ore meo sermo progreditur et venerandam illorum vitam mea nequaquam vita infelix imitatur. sed ex altera mihi parte consolatio nascitur cum Nazarei Samsonis historia ad memoriam revocatur. (Iud. xvi.) meretrix Dalila capitis eius crines rasit et allophylis ad deludendum tradidit. captivatus et caecatus est et ad molam deputatus. creverunt crines, redierunt vires, eductus de carcere sistitur ad ludibrium quo convivabantur principes Phylistinorum. excussis itaque columnis, quibus domus innititur, cunctis secum prostratis de adversariis vindicatur. ('I am like the shorn Samson.') ego autem infelix et miser qui inter Nazareos dei florere sacris actibus debui blandiente carnis enervatus mollitie privatus sum robore virtutis divinae, expoliatus septiformis sancti spiritus gratia, tanquam Samson septem crinibus, deceptus sum et hostibus ad illudendum traditus, et effossis oculis ad molam in carcere violenter adactus. intellectus in me penitus obtunditur, cuius splendoribus homo interior illustratur: sicque caecatum et per exteriora vagantem desideria ad opera deputat inimicus aliena. amisi tanquam Samson contemplationis oculum, et sermo in vanitatibus [a] rerum mundanarum. sic me circuitus molae huius transfert ad vertiginem ut ad amissam nequeam resurgere quietem. sed adhuc me dei misericordiae maxima spes erigit quae paenitentibus assistere mirabiliter consuevit. redeunte coma, hoc est Christi reflorente gratia, ad antiquam reparabor fortitudinem, et tanquam duas a domo corporis mei columnas a carne luxuriam, ab animo excutiam cupiditatem, hisque collisis vitia occumbent universa et prostratis hostibus celebrior fiet secundo victoria, moriarque cum Samsone voluptatibus carnis multo pluribus animae destructis adversariis quam cum eis convivebam in fetore iniquitatis. haec (Apoc. xx. 5.) est, ut Iohannes ait, resurrectio prima. beatus et sanctus qui habet partem in resurrectione prima. prima resurrectio a vitiis in hoc corpore est resuscitatio. et vere beatus et sanctus qui ita resurgit a peccatis ut gloriam expectet aeternae beatitudinis. in his qui sic resurgunt in hac vita (ib.) potestatem mors non habebit secunda, sed erunt sacerdotes dei et Christi et regnabunt cum illo. ora igitur, dilectissime, pro me, et ora Nazareos domini qui tecum iugiter ante illum assistunt, ut ipsi pro me dignentur orare ut qui simplici sua resurrectione duplam resurrectionem nostram praesignat de sepulcro vitiorum cum quatriduano Lazaro ad vitam resuscitari faciat. ego vero peccator sed sacerdos, quotiens altaribus sacris assisto, illius summi sacerdotis corpori te commendo ferventer et sanguini qui in ara crucis (Cf. S. Ans. Orat. xxix.) pro nobis misericorditer voluit immolari. si quid potest ibi pro te mea specialiter aget oratio ubi filius apud patrem pro excessibus nostris intervenit et ima summis et divina humanis ineffabili mysterio concorporat et connectit. annuat igitur ipse qui est rex regum, princeps principum, sacerdos sacerdotum et dominus dominantium ut cum sanctis sacerdotibus ita sibi dignum offeramus sacrificium quatenus cum illo regnare mereamur in aeternum.

In gravi supra modum corporis angustia et infirmitate

[a] vanitatibus in sermo.

'I am in distress and sickness.'

Prov. xi. 31.

positus haec tibi ultra vires, carissime, scripsi. sed quia virtus in infirmitate perficitur, idoneam tuis orationibus mihi conferri postulo patientiam, quia per eandem pertingitur ad coronam. in proverbiis namque scriptum est: Si iustus in terra recipit, quanto magis impius et peccator? si Iob et Thobias in quibus inventa est iustitia multas in carnis tribulatione pertulerunt angustias, quid mirum si ego pro impietatibus meis sustineam multiplices passionis aerumnas? interim pro piaculo dei oportet flagellum humiliter excipere, et donec transeat iniquitas iudiciorum suorum pondera tolerare. nam scriptum est: Quem enim diligit dominus corripit, flagellat autem omnem filium quem recipit. vale, dilectissime Clarebalde, immo mi Clarevalde, et Nazareos qui tecum in Nazareth conversantur nostra de parte salvere iube, quorum forma et imitatio mihi patientiae suggerant documentum ut tanquam vas figuli in probationis fornace decoctus sperare non diffitear divinae propitiationis mercedem et triumphum. flores praeterea rosarum et lilia paradisi, quae in vere et aestate ecclesiae domnus Nicholaus ex areis aromatum et hortulis balsamorum et pigmentorum agris mihi colligere debuit, si aliquid in colligendo profecit per praesentem nuntium reportari toto cordis affectu suppliciter postulo ut fragrantissimus eorum odor exacerbantem minuat aegritudinem et praelibatus sapor nectareus corporis et animae reparet sospitatem.

Prov. iii. 12. Heb. xii. 6.

'If Dom Nicholas has gathered any sacred flowers for me, pray send them by this messenger.'

## 32. *To Geoffrey, abbot of St. Albans.*[1]

f. 135. Anstr. xxxiii.

Reverentiae titulis et cultibus solenniter honestatis insignito, venerabili domino et patri Gaufrido, Albanis patribus meritis et sanctitate praelato, Osbertus de Clara, suae dilector iustitiae et aemulator fidei et doctrinae, sic caelestis sapientiae canis albescere ut vitae senectus immaculatae eum inter lilia paradisi valeat collocare.

'I am forced to desert literature for agriculture.'

Cf. S. Greg. Mag. Ep. I. v.

Novae cultor [et] mansionis et hospes exercendis iugeribus otium praebeo, qui litteris vacare consuevi studii caelestis deditus incremento; et quem formosa Rachel inter brachia sua consuevit astringere, nunc lippientis Liae foecunditati in filiorum procreatione cogor laborare;[2] quique cum Maria aliquando consueveram vacare silentio, modo cum Martha satago sollicitus et frequens in ministerio. erga plurima crescit assidue turbatio mea: et dum filiorum nostrorum in Christo gemebundus in ordine suspiro penuriam, prae dolore languentis animae carnem sentio vehementer attenuatam. sic humiles casas mihi commissas ingressa est mea simplicitas, ut cum omni bonorum copia easdem sperarem temporaliter affluere, totius humanae substantiae reique familiaris videantur indigentiam sustinere. unde et ad maiestatem tuam recurrit, quod inferius sequitur, ut de liberalitatis tuae beneficiis nostra familia gratuletur:

(Migne lxxvii. 449). Gen. xxix. 17. S. Lu. x. 39 sq.

'My lowly homestead is poverty-stricken. Please help.'

Parva mihi commissa domus caret his alimentis,
est humana quibus natura fruens elementis;
frugibus in terram pro consuetudine iactis,
deficit alma Ceres, et pressi copia lactis;
nec caro nec piscis apponitur intus edenti
sed potus calicis est solo pane bibenti.
sic destructa fuit rerum possessio quaeque
harum possessor res ut non spargeret aeque.
ergo decet sapias quod sentit inops et egenus
ut nos respicias pietatis munere plenus.
huc appone manum, pater inclyte, dux animarum,
sisque per Albanum rerum solidator earum.

Magnificis[a] clarus titulis[b] prior est Ademarus,
ingenuis natus virtutum dote beatus,
rhetor civilis, morum gravitate senilis;
vitae forma bonae praestans in religione
militat aetheriis sublimis in orbe tropaeis;
et dux in castris lucrum gregis inserit astris,
ingrediturque vias quas est ingressus Helyas,
cui virtute dei famulatur opus Helisei.
huic me commendo, mea sit tutela tuendo,
martyr Pancratius decus est et gloria cuius.

Vincit religio, vicit quia cardo Britannus
in Christi gladio Iubilaeus cum redit annus.

[a] *No break in Vit.; but? a fresh poem.* [b] titulus.

frons libertatis rebus patet ecclesiarum
munere primatis cum ius renovatur earum.
quam festiva dies nostro resplenduit aevo
cum sacra progenies mundatur schismate saevo !

## 33. *To the monks of Ely.*[1]

f. 136 b.
Anstr. xxxiv.

Excellentissimi senatus Elyensis ecclesiae ingenuis patribus, municipii Clarensis indigena, consenator capitolii eorum, Osbertus.

A Shropshire miracle of S. Audrey, told by Osbert, prior of Daventry.

Splendor beatae et gloriosae virginis Eđeldriđae, quae per diversas partes orbis diversis fulgurat virtutibus et signis, novam vobis spiritualis tripudii repraesentat laetitiam, et gloriam suam magnificat solennibus radiis mundo declaratam. res est in propatulo, relatu digna pretioso, quam mihi vir auctoritatis et gratiae domnus Osbertus retulit, prior Daventrensis ecclesiae,[2] cuius vita egregia virtutis forma praeminet in domo domini et religiosa conversatio exemplar est fidelibus ad caelestia suspirandi; monachus namque Cluniacensis idem est a diebus antiquis et primo canonicus in Brommiensis campi[3] fulsit ecclesia, in cuius confinio contigit historiae sublimitas vestris conventibus memoriter retinenda; diuturno praeterea tempore eleemosynam dividens in sanctae virginis Milburgae sobria congregatione[4] clericorum multitudinem ex fragmentis seniorum recreare consuevit, quorum pars quaedam religiosa huius relationis testis existit. consortes autem eorum facti sunt in itinere, quibus gloriam beatae virginis dignatus est dominus de supernis revelare.

In provincia Merciorum lignea antiquitus fabricata est ecclesiola quae a beato Anna orientalium Anglorum rege dicitur olim fuisse constructa. hic carnalis genitor Eđeldriđae gloriosae virginis extitit praedictamque in transitu basilicam fundavit. fines enim regni sui quorundam desiderio excesserat amicorum ut eos dulci cognationis affectu familiarius inviseret et sui praesentia partes occiduas aliquanto tempore satiaret. in reditu vero construxit hanc aedem caelestibus postea miraculis redundantem quae in

Brettonum confinio et Anglorum posita nomen a beata virgine obtinuit Eđeldriđa,[5] eius namque adhuc hodie ecclesia dicitur et in eadem ad honorem dei ipsa a fidelibus invocatur. cum vero familia cuiusdam memorandi militis, Herberti videlicet de Furcis,[6] per huius loci diverteret campestria ut de una mansione ad aliam deberet mansionem militis tendere, quaedam matrona quae liberos eius educare consueverat orandi gratia voluit introire: consodalibus autem suis persuadere non potuit ut quisquam ad orationis domum secum vellet procedere et sanctae devotionis in ara mentis domino vitulos immolare. ipsa tandem tacta spiritus sancti gratia propriumque complere gestiens desiderium ingreditur ut totam se mactet holocaustum. illapsa intra ostium femina repressit cito vestigium: hinc enim terror illam percusserat mirabilis et inde confortabat visio caelestis. considerat namque ante altare virginem orationi incumbere praecellentem, cuius tam venusta erat species et tam decora pulcritudo quod humano explicari non posset eloquio. quae manu altera praeferebat psalterium, et cereum altera gestabat accensum. sic cum talibus instrumentis inservit virgo orationibus sacris, cum mulier ad illam propius accedit et de nota vocabuli diligenter inquirit. Quae es, inquit, domina gloriosa? qualis es, et unde tanto splendore[a] conspicua? edicito mihi pro Christo celebre nomen tuum, quae tam venustum et insignem conspicio cultum tuum. cui virgo splendida responsum reddidit, eamque affabili dulcedine mulcere non tardavit: Quandoquidem mihi amorem dei rememorari satagis et per eum nominis mei notitiam inquiris, Eđeldriđa virgo sacra nomen meum dicitur, cuius virginitatis integritas caelesti sponso copulatur. quod vero tibi deus dignatus est ostendere, nemini studeas revelare. his dictis heros generosa conticuit et femina quamdiu voluit oravit. orabat virgo excubans ante aram in sacrario; orabat prostrata extra chorum mulier in ecclesiae pavimento: sed sive pavimentum sit, sive solum devotae sibi ministrabat orationis arcanum, quamdiu in ecclesia mulier fuit caelestem personam vidit;

[a] splendere.

quando vero exiit eam interius dereliquit. rediensque ad consortes, qui praestolabantur in itinere, quod erat viae reliquum hortatur maturare. ascensis autem equis et succincte expeditis audiunt repente ex ecclesia caelestes resonare concentus in aere et supernum melos angelicis vocibus solenniter insonare. Quid hoc, inquiunt, est quod audimus? quae est tanta dulcedo quam auribus haurire non consuevimus? aliqua suavitas superae miscetur harmoniae, quam deus fortasse nostris dignatus est mentibus revelare. tunc altrix militaris matrona prolis: O, inquit, miseri et infelices, o infausti et desides, vos per incuriam vestram atque inertiam cernere noluistis mirabilia domini, quae mihi per eius gratiam contigit in ecclesiola paulo ante speculari. vidi nempe in illa beatam Eđeldriđam insignem virginem caelestibus radiis ineffabilis pulcritudinis,[a] cuius psalterium et ardentem cereum intuita tantae gloria contemplationis gratulor insignita. eo autem caelestium fistulae reboant organorum quo densa per eam[b] redundare solet copia miraculorum. qui tristes et moesti supra modum effecti ad aedem redire deliberant praedictam si forte beatae virginis faciem speculari liceat gloriosam: ad basilicam vero gressu[c] praepete procurrentes caelestis adyti non meruerunt oraculum nec caelestium haurire dulcedinem meruerunt angelorum. ita sublatum est eis ex omni parte quod cupierant, nec gloriam dei intro conspicere nec hymnis ultra meruerunt angelicis interesse. expeditis item iumentis iter arripiunt, et cum longius aliquantulum progressi essent ab ecclesia melos caeleste denuo concipiunt in via; eodemque modo quo prius secundo redeunt, et quanto propius ad ecclesiam erat accessio, tanto maior superni concentus sentiebatur diminutio. suo autem frustrati revertuntur desiderio, cum paululum progressi caelesti tertio refoventur dulcedine, et mirantur exaudita vocis angelicae suavitate: redeuntesque properant ad locum quo melos resonabat in aere supernum, ampliorem-que[d] tonorum sperantes concordiam provinciam percipiunt nectarea dulcedine vacuatam. intelligentes vero deum suo

[a] ineffabili pulchri. [b] eum. [c] gressi. [d] *mutilated.*

crudeliter exacerbatum esse peccato deflent humiliter cordis amaritudinem, quia divinam miseri offenderant pietatem. et quid amplius? usque ad densam paene noctem consumpserunt diem, euntesque ac redeuntes organorum amittebant harmoniam caelestium, nec lumen eis infulsit diu desideratum. pergunt itaque quo eos iter vocat ad hospitium et mirabilem sacrae virginis Eðeldriðae praedicant apud deum gratiam meritorum.

Venerabilis Osbertus, prior Daventrensis ecclesiae, cum adhuc eleemosynam divideret pauperibus sanctae Milburgae virginis hoc ex eorum ore veraciter didicit quibus id deus audire partim annuit partimque negavit, quorum testimonio fidem faciebant lacrimae et longa suspiria de profundo cordis altius revocata. de eorum namque fide vir non diffidebat egregius, quos et in cella paupertatis Christi frequentius ante refecerat, et de relatione veridica non dubitabat.

## 34. *To Silvester, abbot of St. Augustine's, Canterbury.*[1]

f. 146.
Anstr. xxxvi.
Dec. 1153.

Silvestro, collegae quondam in itinere Romano nunc autem domino et patri suo serenissimo, venerabili videlicet Cantuariensis coenobii praelato virtutum operibus splendido, Osbertus de Clara, re familiari nequaquam amplis possessionibus locuples, aeternae civitatis dei caritate superos coaequare cives.

De nominis tuo vocabulo, vir illustrissime, pauca quaedam praelibare cupio, ut quod bonum est inde mihi tua gratia vertatur in commodum, et quod ab utilitate dissentit meis nequaquam usibus vergat in detrimentum. in silva namque nonnunquam ligna reperiuntur fructifera, quae et nuces pariunt et mala granata; et in monte Lybani cypressus et cedrus arbores nascuntur imputribiles quorum odor viperas fugare consuevit et serpentes. alia vero innumera in silvis et nemoribus reperiuntur frutecta quae nullo utilitatis flore fecundantur vel fructu, quaeve commoditatem quamlibet repraesentant in actu. ex illarum itaque fructibus arborum

The good promise of his name.

quae pariunt emolumentum aliquod in nomine tuo postulo suppliciter patere mihi subsidium, ut pro antiqua familiaritate et ferventi quae communis nobis extitit amicitia nullum mihi ruborem ingerat facta ab amico quod non decet repulsa. nollem penes te silvestres animos offendere, sed humanos praecordialiter affectus in tua liberalitate sentire: familiaritatem etenim inter nos sperabam indissolubilem, ut qui magis posset et melius suis extolleret consolationibus et iuvaret opibus indigentem.

The troubles of this year. 'In the little house I rule we have only the barest needs.'

Praeesse me parvulae domus familiae coegit obedientia, quae ante reformatam pacem[2] in transacto praesentis anni tempore per circumcingentia nos quinque castella est paene destructa. panem tamen adhuc, deo gratias, habemus et potum: sed ad cetera quae restant victualia nullum nobis suppeditat in necessitate subsidium. iccirco de liberalitatis tuae virgulto fructum aliquem postulo, qui me a domesticae necessitudinis expediat detrimento. misericordia itaque pretiosum humanae naturae dinoscitur ornamentum, et ab illa quisquis in crudelitatem degenerat quantus sit fructus misericordiae suum ad commodum non ut deceret pensat. reformido plurima tibi ne fastidium generent scribere, quia nollem penes te in arbore sterili folia non fructus invenire. mandabis itaque mihi in beneplacito tuo, quia dies instant misericordiae, si aliquid mihi de dulcedine tuae pinguis olivae liceat sperare. valere te per saeculorum saecula cupio, sed ut me in alicuius boni commoditate salvere iubeas, pater praeclare, memento.

It is the season of mercy.

## 35. *To the seniors of Westminster.*[1]

f. 147. Anstr. xxxvii.

Conversationis egregiae senioribus in coenobio Westmonasteriensi caelorum domino militantibus, conservus eorum et in Christo confrater Osbertus de Clara, magni consilii angelum semper in suis habere consiliis ducem et principem, ut ab eo doceantur viam[a] mandatorum dei cognoscere et tenere veri iudicii cum discretione veritatem.

Delatae sunt ad nos usque ex auctoritate vestra quaedam

[a] in viam.

familiares litterae in quarum serie intellexi quod salutem nostram et honorem cui praesidemus ecclesiae diligitis, dum nos ne agamus illicita fraterna caritate castigatis. magna nobis auctoritate, qua maiore non potestis, ne quendam ex ordine Cisternensi suscipiamus interdicitis, et ne hoc ullatenus fiat super amorem et obedientiam, quae deo et vobis debemus, constanter inhibetis. sed, salva tanti conventus reverentia, plus iusto in fratres vestros voluistis excedere, qui non fuerant arguendi, dum opus quod iis obicitur illicitum nequaquam unius verbi principio studuerunt maturare. qua de re vehementer admiramur unde penes vos tam dolosae fraudis chaos emersit, magisque mirandum quod nos adeo debuistis insulsos et irrationabiles credere ut contra sanctae canonem regulae infausta praesumptione deberemus aliquid usurpare. in mentem nobis non venit ab ecclesiae unitate dissidere, nec, vobis inconsultis, etiamsi maxima inde proveniret utilitas, quicquam novitatis arripere. contra ius autem et fas nulli religionis tribueremus habitum quia sine abbatis potestate tale quid agere non est aliquatenus nobis permissum. sed negare nec audeo prorsus, nec volo, nec debeo, fratrem quendam honestatis egregiae, nepotem videlicet Roberti filii Noelis, ad nos aliquotiens advenisse qui nobis multotiens in hominum nostrorum et pecudum captione dum spiritus furoris debaccharetur in patria fidelis amicus astitit, et frequenter cum capitis etiam sui periculo quae fuerant ablata non sine gravi sudore perquisivit, cui in Hyspania vel Hybernia pro amore consanguineo si illum inter gentes exteras cernerem eadem tanquam mihimetipsi pro tempore bona cumularem. huic itaque nec novum superaddere intendimus[a] habitum, quodque credere non debetis haud certamus auferre diutius usitatum. de illo nescio, nisi quod nobis retulit, quod sine litteris abbatis sui commendatitiis et licentia regulari nihil novum attentabit. de cetero notum est vobis quod salva sancti patris Benedicti regula licet cunctis, qui aliquibus in ecclesiis dei dignitatibus praeminent, et religionis viros sicut praedictum est

You charge me not to receive into this house any Cistercian.

This I have never done,

nor would I place our habit on any man without the abbot's licence.

'I have only given hospitality to a nephew of Robert fitz Noel who defended our men and cattle in the troubled times,

whom I ought to receive for his kindred's sake anywhere.

'He himself would not act without his abbot.

'Custom permits us to receive travellers of dignity in any church,

[a] intendere.

especially kinsmen.'

1 Joh. iv. 1.

gradientes suscipere, et qui sibi consanguinitate iuncti sunt in fraterna[a] misericordia familiarius ceteris extraneis quantum sibi placuerit retinere. nolite itaque, sicut dicit apostolus, omni spiritui credere, per quod a via veritatis et iusto iudicio multi frequenter consueverunt deviare. valeant domini et seniores mei dilectissimi.

## 36. *To Theobald, archbishop of Canterbury.*[1]

f. 148.
Anstr. xxxviii.
c. 1154.

Sanctissimo patri et serenissimo Cantuariensis ecclesiae pontifici et totius Brittanniae primati, venerabili domino suo, apostolicae sedis legato dei gratia Theobaldo, Osbertus de Clara, filiorum suorum ultimus, gloriam quam suis fidelibus pollicetur deus.

Vid. inf. p. 228.

'You have restored order to our distracted country,

and humbled the turbulent.'

Hor. *A. P.* 97.

Merito te tantum ac talem veneretur omnis mundus domini sacerdotem, cuius fortitudine et prudentia ad formam pacis regni desolatio rediit, cuiusque temperantia copulata iustitiae tyrannos rapinis pauperum haud inglorios absque sanguinis effusione dispersit. de radiis namque tuae videtur oriri claritatis quod suis Seneca dicit in Proverbiis: Bona fama in tenebris proprium splendorem habet. in caligine vero naufragantis huius vitae sic in te superni luminis fulgor supereminet ut universas partes mundi iubar sanctissimae opinionis illustret. gloria in excelsis deo qui hanc tibi contulit sua ineffabili caritate, pater orthodoxe, victoriam, ut per te faceret pravorum corruere municipia qui ex destructione gloriari consueverant aliena. multos circumquaque conspicimus pedites incedere qui de equorum fuerant superbia cursorum et feritate tumescentes; et quos arma decoraverant persaepe victricia nunc innixi palis sustentantur aut baculis, ostiatimque mendicant a pauperibus etiam vilicis stipem diurnae refectionis: ampullas[b] et verba non proiciunt sesquipedalia[c], sed modum, cuius respuebant nomen attendere, timore coacti modo nequaquam videntur ignorare. arcuum antiqua delitescit iniuria, dum de pharetris sagittae non exeunt, quae strages in populo facere consuerunt. intelli-

[a] fratrem. [b] ampulla. [c] sesquipedaria.

gimus ergo quia propitiante deo hanc te sapientiam ut pax in regno fieret angelus ille edocuit qui in nocte nativitatis dominicae cum multitudine caelestis militiae pacem hominibus bonae voluntatis nuntiavit. quod Roma dum attendit augmentum tibi apostolicae legationis attribuit, ut per Eboracensem provinciam et Scotiae regnum tantae paternitatis exerceatur imperium et insulas adusque penetret[a] Orchadarum.[2] eapropter deceret[b] ut pro tam expedita sancti operis tui hierarchia arcuum tibi triumphalium erigeretur fabrica, in quibus futuris intimaretur generationibus quam desiderata populo suo bona tuis per te temporibus operatus sit deus. in descensu vero montis Tarpeii fabricae triumphalis machinam diligenter inspexi quam post destructionem urbis Ierosolimae Tito Vespasiani filio, eius victoriam saeculis omnibus propalantes erexerunt Romani: quod et tibi iuste tota deberet Britannia facere et pretiosiore satis excellentia studium vigilanter, si ad hoc sufficeret, adhibere. verumtamen quod in marmore sculptum non patet aut ebore, argenti spiritualis et auri revelabitur claritate, quodque poterimus nostro non caligabit eloquio, et ad laudem et gloriam nominis tui talem attemptabimus materiam incidere quae nullis deinceps ignibus aut aquarum inundationibus debeat subiacere.

S. Luc. ii. 14.

'Now you are made legate over all Britain.'

Cf. *de Mir. S. Edmundi*, ii. Prol., p. 152 (R. S.).

Ita, pontifex dei, tintinnabula gestas in vestibus aurea ut effectus tui sermonis claritate supernae lucis resplendeat, cum omnia quae vox tua praedicat bona semper actio confirmet.[c] quibus mala coniunguntur ideo punica quia sicut multa interius grana uno muniuntur cortice, ita innumeros Brittanniae populos cum renovata pace fidei solidas unitate. per diversa autem regnorum imperia praedicationis huius vigilantia perhibetur audita, et nisi laminam ex auro ferres purissimo fronti cordis affixam, diutius radicatam haud sedasses tanta facilitate discordiam. sed quia cum puritate cordis te perlustrat munditia corporis, congrue portas in fronte nomen domini ineffabile, quod quattuor litteris constare sacrae manifestat series

The meaning of pontifical vestments.

Ex. xxviii. Cf. Bed. *de Tab. et Vasis eius*, iii, c. vi.

Cf. Bed. paullo superius.

[a] penetrat. [b] diceret. [c] confirmat.

Cf. Hug. de S. Vict., *Adnot. in Pent.*, ad loc.

amplectanda scripturae, HE, scilicet quod interpretatur iste, JOTH, quod est principium, ETH, quod est passionis, VAV, hoc est, vitae;[3] quod totum videtur sonare iste principium passionis vitae, quia Christus nobis vitae fulsit aeternae recuperandi principium, quam per Adam perdidimus, primum parentem nostrum. bene itaque radiant in te mysteria redemptionis nostrae, quae in multorum signata perhibentur sacerdotum operatione. nisi enim ornamentis omnibus istud in te supremum praeluxisset excellentius,

Ex. xxviii 38.

non esset adeo dominus quemadmodum contemplamur populo suo placatus. tu namque in magna tempestate factus es cum tuis principium passionis vitae, quando contra te persecutores et tyranni coeperunt vehementer

Church and State are at one;

insurgere. divisum a regno eo tempore erat sacerdotium, sed nunc sacerdotio tua sedulitate copulatum est regnum. pro iustitia namque non dubitasti sicariis cervicem extendere, cum sanctae congregationis tuae clericos aggressi sunt lictores impii detruncare. per illum passionis articulum qui praecessit, ecclesiis Anglorum et populo dei vita rediit,

Ag. i. 1.

quia novus Zorobabel cum Iesu sacerdote magno, cuius in te figura radiat, ex hostibus viriliter sine caede triumphat. cum itaque de pristina tribulatione tua regno laetitia sit exorta, satellites Babilonii, quibus restitisti constanter usque ad sanguinem, virtutis et constantiae non potuere tibi surripere libertatem, quique regio praeerant malitia instigante palatio nisi sunt ergastulo multitudinem sanctam recludere, quam ecclesiasticae religionis auctoritati noverant inservire. debacchabantur caeco furore ducti nequitiam exercere sacrilegii, et sacramentum regni obtinere gestiebant execrabiles, qui vipereo spiritu sacri Christi mysteria in suis lacerabant membris crudeliter

enemies dead or discredited.

saevientes. verum quidam eorum luteum egressi sunt carnis humanae tentorium, et inscrutabilis iudicii dei peccatis exigentibus intraverunt abyssum. apparatus eorum, qui de statu regni inter Christi rebelles emerserat, efficacem non potuit sortiri victoriam, nec gloriam consequi diuturno tempore machinatam. sicque procax turba et infamis non potuit suis proficere lenociniis, cuius videlicet opera omnimodis erant substrata flagitiis. et quanquam inter tui secreta cubiculi doloris huius querimoniam ruminares lacrimabilem, tuis tamen sanctis promerentibus meritis sepulta⟨m⟩ impiorum novimus feritatem. illi qui quasi Nemroth non pecudes venabantur sed homines, et turres contra deum in castellis erexerant, ut araneae[a] tabescentes viscera sua adiciunt ut consumant: quique tanquam domini in saevis fuerant imperiis tumidi, nunc pedissequa paup⟨er⟩tate discurrunt ubique sordentis conscientiae atramento fuscati. arrectae sunt aures plurimorum diffusumque recolligunt spiritum cum evacuatam cernunt iurata iam pace tyrannidem, et in sanctarum novitate feriarum restitutam gratulantur regno libertatem. tali modo tua, pastor egregie, in hilaritatem dilatatur[b] angustia, et inde potius sumit augmentum unde livor edax invidiae vergere videtur in defectum. sicut enim Balthasar, qui de vasis templi domini sacrilegus bibebat illicite, ex inopinato interiit, sic omnis plebs infausta in momento corruit, quam potens dextera divinae virtutis elisit. subita super eos irruit ignominia et angustia atque calamitatis afflictio repentina, quique ut gigantes in superbia nitebantur caelum conscendere confusis vultibus in terra deiecti tanquam languidi coguntur aegrotare. confusa sunt eorum labia et quod sibi prosit loqui nesciunt; post virtutes caelestis exercitus in sua vanitate disperdunt. urbis autem, novae Syon videlicet, muros erigis,[c] armatamque Christi auctor instruis victoriose militiam, cuius expugnatione tyrannidem impiorum magna iam videmus ex parte repulsam. quae scilicet bona tantum ac tale per te sunt sortita principium, et novae iubilationis cantica per totum a filiis dei iam celebrata sunt regnum. quamdiu enim depopulationi et exilio patria subiecta fuit, silentium laudis et gloriae universas regni provincias tenuit: musica enim in luctu, teste Augustino, importuna narratio est.[4]

Gen. x. 9. cf. Bed. *ad loc.*

Dan. v. 2, 3.

Eccli. xxii. 6

Sicut titulus quinto psalmo et nonagesimo praefigitur: Psalmus David quando domus aedificabatur post captivitatem, sic templum domini, quod a tyrannis Babilonicae

[a] aranea. [b] dilatur. [c] elingis.

immanitatis hoc destructum in regno disperiit, iam per te reaedificatum in nobilem structuram pacis Christianae consurgit. et quia subsequens illum alius habet titulum: Psalmus David ipsi cum terra eius restituta est, quando videlicet caro nostri redemptoris cuius David formam gerit a mortuis resurrexit, et quasi phoenix rediviva novae iuventutis gloriam induit, ita etiam nationis Anglicae terra summo regi possidenda tuae paternitatis auctoritate iam cessit. Christus igitur, qui nos redemit, per te pater inclyte, vincit: Christus regno sibi restituto in Anglorum populo regnat: Christus adversariis usquequaque deletis aeternaliter imperat.

'But many go hungry still; we too, who were wont to receive you as a guest.'

Verum quanquam haec omnia pateant toti mundo tua feliciter auctoritate consummata, ex iniquis tamen tyrannorum actibus[a] malum illud adhuc experitur terra residuum, quod fame pereunt agmina plurimorum. inter quos nostram vehementer deflemus inopiam, quos adeo inundantium aquarum afflixit diluvium ut triticum in horreis exterminaret universum. nec illa quae me fulcire solet copia, cum tanto patri placuit ingredi nostrae parvitatis hospitium, reddere potest modo propter depopulationem provinciae adeo tanta facultate munitum.† quia vero sanctae venter

Cant. vii. 2.

ecclesiae sicut acervus est tritici vallatus liliis, ad te, qui cardo totius maioris Brittanniae caputque post Christum in dei populo diceris, recurrimus postulantes ut pro dilectione quae ex deo est memor esse digneris indicibilis nostrae calamitatis. tunc itaque venter a te geritur sicut acervus tritici cum per bonorum fructus operum contingit pauperibus membris Christi ex tuae pietatis abundantia ministrari. et bene penes te idem acervus vallatus est liliis, quia munditiae et castitatis decus in tuis et in te resplendet gratia divinae claritatis. ea profecto larga sunt eleemosynarum opera, quibus manus dextera tua[b] nusquam esse consuevit inusitata. indigentibus autem tam spiritualem quam corporalem impendis refectionem. in gestis

Migne, lxxiii. 345.

itaque beati Iohannis Alexandrini legitur patriarchae quam praefulgida muliebris speciei ei per visum apparue-

[a] *or perhaps* astibus. [b] dexterae tuae.

rit eleemosyna, eumque docuerit quod filiarum superni regis eadem merito sit et dicatur[a] prima, cuius super solem splendor innotuit, et ramis olivarum coronata. hac laureae figura quanta sit virtus compassionis et misericordiae evidenter ostendit, quae retulit se egisse ut in terra deus homo fieret et homines sua pietate salvaret. per eundem autem sanctum sacerdotem omnes superna pietas sacerdotes dei voluit praemoneri ut operibus insistant misericordiae, quibus etiam attestante scriptura possunt publicani et peccatores tam vim quam violentiam caelis inferre. sacerdotes vero dei debent in sanctorum splendoribus actuum exhibere speculum, et ex suarum abundantia facultatum relevare penuriam indigentium Christi famulorum. Non confundentur, ut ait psalmista, in tempore malo metuentes dominum, et in diebus famis saturabuntur. in tribulatione praesenti, quae per dies famis exprimitur, boni qui esuriunt et sitiunt iustitiam utriusque vitae cibo reficientur. ex sanctorum patrum exemplis per sacras scripturas diversas et deliciosas sumimus epulas et nulla nos in aeternum temporalis affliget egestas. in eis inveniemus promissiones domini, et per eas gaudii retributiones speramus aeterni. in illis manna reperitur absconditum, quod nemo scit nisi qui accipit, quia dulcedo caelestis divina inspiratione infunditur, quod parvulis et humilibus non mundi sapientibus revelatur. hic est panis quem deus nobis de labore non dat humano, sed hunc manducat homo sibi transmissum divinitus ab occulto. ad quem panem angelorum licet assidue suspiremus, sine corporalibus tamen alimentis subsistere diutius in carne non possumus. unde et nobis in medio pravae nationis et perversae constitutis expedit ut divina propitiatione Ioseph alicubi in hac Egypto reperire valeamus idoneum qui fratribus suis ministret in tanta necessitate frumentum. cumque fame torqueamur in medio draconum et struthionum[a] tanquam Daniel in lacu leonum nobis aliquis magnae sanctitatis Abacuc a deo transmissus adveniat, qui indigenti familiae Christi beneficia suae largitatis impendat. utinam Booz

S. Matth. xi. 12; cf. xxi. 31.

Almsgiving a duty of great priests.

Ps. xxxvi. 19.

Apoc. ii. 17.

Dan. xiv. 30, 32.

Ruth ii.

[a] edicatur. [b] structionum.

nobis etiam occurrat accinctus dei fortitudine, qui nostram dignetur esuriem spicarum suarum plenitudine mitigare. 3 Re. xvii. 12. assit et propheta dei qui farinam nostram crescere faciat in hydria, et ex abundanti copiam olei, anxietate paupertatis exclusa. quia vero tuum, magnifice pastor, per ecclesias laudatur beneficium, per familias patrocinium, per provincias circumquaque praeconium, nos inopes in anxia necessitate nostra expertum quam pluribus tuae clementiae sentiamus praesidium. ('If you have any superfluity in our neighbourhood, my brethren urge me to ask for it.') si superest tibi, sanctissime vir dei, in confinio provinciae nostrae aliquid huiuscemodi unde panis per aliquot dies nobis conficiatur, qui casu pendemus ancipiti, postulamus celsitudinem maiestatis paternae ut hoc valeamus efficaciter experiri. tu namque praemines velut excelsa cedrus in Libano, sub cuius pauperibus Christi requiescere datur umbraculo. ad hoc fratres nostri me saepius hortantur instanter confugere, mihique sermones huiusmodi non sine taedio consueverunt proferre: Adi cum fiducia ad thronum maiestatis paternae, eoque laborum reperies solatium et auxilium cum gratia consequeris opportunum. salvet igitur rex regum et dominus dominantium venerabilem patrem nostrum summum pontificem Anglorum, vigeatque per multorum recursus annorum super catholicos pastores ecclesiae eius imperium, ut sub tanto patriarcha regnum promereri valeamus aeternum. amen.

## 37. *To a royal person.*[1]

f. 130. Anstr. xxxi.

'Your royal promise gives good hope of relief to your loyal servants.'

Pretiosis regiae nativitatis tuae, vir illustris, resplendentibus radiis, spem nobis infundit tua promissio certae consolationis. et quia regalis excellentia auctoritate debet praeminere discreta, magnifici generis tui sic te decet ingenuitatem imitari ut eos qui tibi sollicite parent nullis permittas adversitatibus concuti. in persona tua utinam semper obtineat regia dignitas, quod degenerare nesciat in te generosa nobilitas. dilige diligentes te, et honestis eorum moribus benignos mores tuos satage conformare. non te revocet ab eorum obsequio cuiuslibet infesta detractio nec a vera eliminet amicitia alicuius murmuris ingesta susurratio. aurem praviloquio non adhibeas facilem, nec mendacem efficias familiarem. qui pacem sectantur et sanctimoniam, caritatem eis exhibere gratiosam, hoc est praeclarum illud et insigne quod suis Christus et heredibus reliquit testamentum, hoc ante passionem et post resurrectionem suam suis exhibuit discipulis institutum. Beati, inquit, pacifici, quoniam filii dei vocabuntur. quos concordiae videmus et ⟨paci⟩ [a] militare, in eorum mentibus suum novit spiritus sanctus sacrarium condere, qui etiam ab illis suae dulcedinem gratiae solet retrahere qui rixis et discordiae consuescunt inservire. scriptum namque est: In malivolam animam non introibit sapientia, nec habitabit in corpore subdito peccatis. dolis namque et iniquitatibus repleta est illa infelix anima quae monachicum [b] quod professa est transgrediens propositum multitudini non trepidat subiacere vitiorum. gulae inservire et ebrietati assidue, nummorum collectioni et usuris operam dare, non est monachicae sed daemoniacae pestis mercedem adquirere. unde poeticum est illud proverbium: Vas nisi sincerum est quodcunque infundis acescit. quod est dicere, Nisi mundum fuerit et purgatum vas quod esse debet honoris et gloriae, quodcunque ei infusum fuerit amaricabitur aceto malitiae, et erit [c] in domo qua conversatur totius vas dedecoris et contumeliae. scriptum namque est in libro Sapientiae: Spiritus sanctus disciplinae effugiet fictum et auferet se a cogitationibus quae sunt ⟨sine⟩ intellectu, et corripietur a superveniente iniquitate; nec habitabit in corpore subdito peccatis. cur haec tantopere replicata sint a me sollicite non distuli tuis mitibus auribus intimare. postulo itaque dignationem celsitudinis tuae benigna et humili supplicatione ut me ab inquieta et turbulenta digneris peste defendere et vas [d] inglorium et indisciplinatum a meo citius contubernio sequestrare. et quamdiu me tali cura dignum censueris, et tua protectione firmiter robores, et certa munitione alacriter circumvalles, et cum me splendidae ac nobiles multorum personae regnorum

Cf. Heb. xii. 14.

S. Matth. v. 9.

Sap. i. 4.

Cf. Hor. Ep. i. 2, 54.

Sap. i. 5.

ib. 4.

'I ask protection against a troublesome plague, a vessel of dishonour and disorder; banish him from my company.'

[a] *om.* paci. [b] monachium. [c] sit. [d] vos.

'I blush to think how many great men honour my unsuspected virtue; but I have an enemy, jealous of my worldly respect. 'Help me, as my honourable service has deserved.'

soleant honorare et in me plusquam ego sentiam de me bonorum operum copiam suspicentur affluere, rubor confusionis et verecundia meam operit faciem quod saepius audio ex quibusdam aliquem rabidis mihi latratibus minas intentantem. furere solent et dolere quod me vident in saeculo maioris pretii quam sibi possit ex merito fidenter ascribi. custodi igitur et protege me eo honore pariter et amore quo id promereri desidero et quo legitima olim servitute promeruisse non diffido. si me venerationi habueris honor tuus erit et gloria, et te magis propter me tota venerabitur Anglorum ecclesia.

f. 144.
Anstr. p. 205.

## 38. *To Prince Henry.*[1]

His good peace.

Dux illustris Normannorum et comes Andegavorum,
Pictavorum dominator, Turonorum propugnator,
Cuius nutu vibrant enses populi Cenomannenses,[2]
Anglorumque plebs turbata gratulatur pace data,[3]
Tibi coetus caeli plaudit, te victorem deus audit.
Cum sis nepos magni regis per quem stetit summa legis,
Illius iam praefers nomen cuius tibi ridet omen.
Velint nolint inimici, heres eius potes dici
Magnitudine virtutis per quem crevit lux salutis
Et redemptio multorum hoc in regno captivorum.
Erant ante venatores quorum tales scimus mores:
Pecudes haud ambiebant, homines at capiebant,[4]
Redimentes eos dure, sine lege sine iure,
Donec deus te reduxit per quem nova lux illuxit,
Dum libertas celebratur servitusque profligatur.
Annus redit iubeleus quo respexit regnum deus
Innocens ut glorietur et reus exterminetur.
Mitibus es mitis agnus et tyrannis leo magnus,
Et qui corde sunt opaco eos terres quasi draco.[5]
A supremis Orchadarum finibus es insularum
Alpes usque divulgatus dux a deo nobis datus.
Roma tibi gratulatur et Apulia laetatur,
Siculaeque gentes ovant Italique plausum novant:
De te gaudet omnis mundus et fit pro te laetabundus.

Corruerunt ut castella, saevit fervens haud procella:
Grates tibi, fures multi delitescunt iam sepulti,
Et praedones exterrentur ut insontes glorientur:
Qui superbi fremuerunt pauperesque depresserunt
Ingemiscunt nunc afflicti et terrore tuo victi.
Sermo tuus pravos scindit et ut ensis illos findit:
Qui iustitiam non colunt et qui sponte flecti nolunt
Ab elatione sua, curvat hos formido tua,
Et mitescunt sic potentes ut disperdant haud egentes:
Dives quondam gazis plenus nunc plus gemit quam egenus,
Et qui solet imperare cogitur nunc supplicare:
Angelusque cum sis dei per te splendet lux diei,
Et quae regnum nox depressit in adventu tuo cessit;
Sol aeternus radix David tuos actus illustravit
Et ubique manet tecum quia colis ius et aequum.
Muri Ierico ruerunt, bucinae dum sonuerunt,
Quam Levitae circuibant sacerdotesque praeibant:
Sic pontifices egerunt qui de pace tractaverunt:
Hoc consilio pollentes crudeles stravere gentes
Quorum corruerunt muri in aeternum perituri.
Vincit, regnat in te deus, imperatque plastes meus:
Vivas ergo sine fine quia non nos terrent minae,
Nec ingluvies raptorum vorat escas orphanorum.
Sceptrum regni consequeris beatusque princeps eris
Cum in vertice suprema cinget caput diadema;
Tunc applaudent caeli cives, plaudet pauper, plaudet dives,
Teque sanctum dicent regem qui sectantur dei legem.
Reges Ierosolimorum te condecorant decorum
Tui patruus et avus quibus cedit quisque pravus.[6]
Fama sonat laude bona capta quod sit Ascalona,
Babylonque confundetur et Damascus capietur,
Hique proximi sunt tibi qui sic nunc triumphant ibi.[7]
Tribulantur Sarraceni immenso dolore pleni
Et exultant Christiani cultus casu iam profani.
Rex Christus per genus tuum sic conservat locum suum,
Sepulcrique sancti decus haud delebit error caecus.
Hoc edoctus es exemplo ut ubique dei templo
Per te iam sit restauratum quod lugebat plebs ablatum.

Ierusalem novam fundas hocque regnum totum mundas
A spurcitiis eorum servi qui sunt idolorum,
Et argentum ambientes multas occiderunt gentes.
Vir Oratio Mecenas amoris laxans habenas
Suo tempore dilexit et in multis hunc provexit:
Et Virgilius venusto carmine carus Augusto
Auctus est mercede bona ampla satis sumens dona:
Iosephus spe non inani filium Vespasiani
Titum colens liberatur servitute qua gravatur.[8]

A plea for Osbert's church.

Ergo manum dans Osberto hunc gaudere fine certo
In afflictione sua fac protectione tua
Ne ecclesia gravetur cui praeesse se fatetur,
Quam deprimere conantur qui perverse malignantur.
Pax sit tecum victor clare qui scis ita trimphare
Ut sit regnum regnum pacis ensis tui vi minacis:
Christus auctor verae pacis per quem nobis pacem facis
Tibi regnum dans supernum te conservet in aeternum.
Nutrix mundi larga Ceres gaudet tibi quod sit heres [9]
Potens, post te qui regnabit et ex hoste triumphabit,
Lineaque stirpis clarae nesciet degenerare
Sed sicut processit a te, sic sequetur probitate,
Cuius honor genitricis est memoriae felicis,
Quia nulla laude pari illi potest coaequari;
Tam prudens et generosa, tam est decens et formosa,
Vincat omnes ut splendore quae in mundo sunt decorae.
Salvet Christus auctor rerum speculum hanc mulierum
Sobolemque divae prolis lustret splendor veri solis.
Septem quondam sapientes si nunc essent inter gentes
Magna de te et de tuis intimarent scriptis suis:
Apollo si te videret novem musas adhiberet,
Decachordum temperaret, tuas laudes personaret;
Orpheusque tangens lyram amoveret fel et iram,
Faceretque quercus sequi te ducem iuris et aequi:
In te cuncta quae completa speculamur fronte laeta,
Qui brutorum das naturam ut hoc fiat per figuram.

## 39. *To William.*

f. 84 b. Anstr. xv.

Hortatory.

Carissimo amico suo, tanquam animae suae singulari et dimidio domino et amico, Willelmo, frater Osbertus de Clara, sic terram spinas et tribulos germinantem odiendo despicere ut in terra viventium felicitatem mereatur aeternam iure hereditario possidere.

Apoc. xix. 9.

Ps. cix. 7.

Ad cenam nuptiarum agni caelesti gratia invitato, viam, dilectissime, per quam ad eandem pertingas tibi proponit idem unigenitus filius dei, ut sequaris eius vestigia quibus ad passionem venit quando pro redemptione populi sui de torrente in via bibit. aqua enim torrentis crux est et afflictio passionis. qui a Bethania resuscitato Lazaro profectus est in Ierusalem, innuens per hoc ad visionem summae pacis neminem posse conscendere, nisi de sepulcro peccati eductus a domo iter suum incipiat obedientiae.

Cf. Job xviii. 8.

Eph. v. 14.

Sequere ergo, dilectissime, sequere obedientiam, ut mercedem promereri festines aeternam. satis enim et ultra quam expediat propriam secutus es voluntatem quae ex radice procreatur superbiae: et iccirco tibi studendum est ut veram apprehendas humilitatem quae non nisi de exercitio procedit iustitiae. superbia est muscipula peccati, quae quasi rete pedibus nostris expanditur ut infelix anima propria voluntate obligata in iniquis operibus ad aeternam damnationem perducatur. unde scriptum est: Qui pedes in rete [a] mittit non cum voluerit exit, sic qui in peccata se deicit non mox cum voluerit surgit. et qui in maculis [b] retis [c] ambulat, gressus suos ambulando implicat, et cum expedire ambulando nititur, ne ambulet obligatur. usitata [d] culpa obligat mentem, ut nequaquam surgere possit ad rectitudinem: conatur et labitur, et ubi sponte diu perstitit ibi et cum noluerit cadit. exsurge proinde, exsurge de sepulcro qui dormis, et exsurge a mortuis et illuminabit te Christus. ista illuminatio vera est tui ipsius cognitio; nec aliquis seipsum cognoscere poterit nisi humiliter vixerit. superbia, inquam, in supernis edita

[a] senete: rete *Gale*. [b] immaculis: in vinculis *cor. rec.*
[c] reus *Gale*. [d] Visitata.

in inferioribus cecidit totumque genus humanum veneno suae malitiae infecit. et iccirco semper nititur sursum ascendere unde primam contraxit nativitatis originem; sed quia in nocte et tenebris obfuscata corruit caelestis semitae nescit investigare claritatem. humilitas autem in terra dominicae humanitatis exorta, cum inter tenebras huius saeculi nasceretur, lucem magnam a supernis accepit, quae splendoris eiusdem apprehendens vestigia thronum suae maiestatis in sublimibus collocavit. vive itaque ut vilescas mundo et ut mundus vile⟨scat⟩[a] tibi. in eandem autem humilitatem inductus viae lab⟨orem⟩[a] et laboris reperies mercedem, scilicet veritatem.[b] (S. Joh. xiv. 6.) Ego sum, inquit dominus, via, veritas et vita. (S. Matth. xi. 29.) Discite a me quia mitis sum et humilis corde. disce ab eo, carissime, non caelos extendere, non super undas maris siccis pedibus ambulare, non mortuos suscitare sed humilitatem tenere. ipse est via quae ad veritatem ducit, ipse est veritas quae vitam promittit, ipse est vita quam in terra viventium tribuit, ipse fidelis et verus qui neminem fallit. qua de causa nox nativitatis Christi, in qua humilitas exorta est, versa est in diem, ut inter pressuras mundi humiles spiritu aeternae semper claritatis praelibarent quietem.

Veni igitur, dilectissime mi, veni, et curramus per viam mandatorum dei. curramus invicem et curramus pro invicem. cursus iste est in caritate dei cordis dila⟨ta⟩tio[c] et scripturae meditatio et Christianae professionis fidelis observatio. curre, festina dum dies est, priusquam veniat nox. ne te seducat misera caro, ne te decipiat corvina vox. audi gentilem, ausculta poetam. Quid, inquis, ait?

(Ov. *Rem. Am.* 94.) Qui non est hodie, cras minus aptus erit.

Cras, cras, corvina vox est. ad haec quomodo sit concinna salvatoris sententia[d] attende: (Cf. S. Luc. xii. 20.) Stulte, hac nocte anima tua auferetur a te; quae autem parasti cuius erunt? (Sen. Ep. iv. 3.) huic bonus ille instructor morum Seneca dominicae sententiae tanquam concordans: Nulli, inquit, potest secura vita

[a] *Gale, Vit. being mutilated.* [b] vitam *cor. rec. Gale.*
[c] dilatio. [d] *mutilated*; sen *supplied from Gale.*

contingere qui de producenda nimis cogitat, qui inter magna bona multos consules numerat. hoc cotidie meditare ut possis aequo animo vitam relinquere. cuius casus et infortunii Publius ille Ovidius Naso, vates gentilis, homo fidei alienus, terribilem in haec verba protulit sententiam :

> Omnia sunt hominis [a] tenui pendentia filo,
> Et subito casu quae valuere ruunt.

Ov. *Pont.* IV. iii. 35.

multotiens enim loquitur spiritus sanctus per ora inimicorum suorum, ut animas et corpora praemuniat auditorum. his igitur et huiusmodi tam testimoniis quam exemplis scripturarum instructus, exi cum Abraham de terra carnis et de terra mortis, et veni ad terram sine morte viventium, sine fine regnantium, ubi Christus animam tuam sui gloriosi vultus exsatiet dulcedine, ubi omnes sancti in perpetua cum eo epulantur caritate, qui est rex regum et dominus dominantium, vivens et imperans in saecula saeculorum.

## 40. *To Ida, a nun.*[1]

f. 139 b. Anstr. xxxv.

Osbertus, dei misericordia in Westmonasteriensi dictus ⟨prior⟩ [b] ecclesia, Idae dilectissimae sibi in Christo filiae, ad amplexus sponsi caelestis attingere et regina inter filias Syon a dexteris eius coronata regnare.

Cogit me sanctum desiderium tuum, generosa progenies, ut tibi vel breviter aliquid scribam unde religiosi pectoris studium ad amorem supernae glorificationis accendam. dignius enim est ut quae duplici splendore refulges religionis et generis duplicata litterae testificantis excellentia supra multas sanctimoniae feminas commenderis. de ducibus namque et consulibus carnis trahens originem terrenis praetulisti deliciis regis aeterni nobilitatem ; cuius coniugio quaecumque sibi copulata est proficit, nec dispendium suae castitatis sed emolumentum incurrit. de partu namque caelesti nascuntur filii nequaquam ultra morituri, quia sponsa Christi cotidie concipit et cotidie generat, quae verbum bonum, verbum dei, de corde dulcedinis et

Her high birth.

The praise of virginity.

[a] hominum *Ov.* [b] *interlined by cor. rec.*

dilectionis eructat. in illo puerperio nulla parit, in illo dum germinat nulla degenerat, quam sponsi venustas defendit a venere et honesta voluntas ab illicita voluptate. talem te fieri cupio, splendida et clara virgo, immo de viro Christo virilis et incorrupta virago, ut ei clara lampade illustrata appareas cuius stabili conubio copulata concordas.

Magna differentia est inter caelestes nuptias et terrenas. carnales enim nuptiae a gaudio incipiunt sed in maerore terminantur, a risu inchoant sed in luctu consummantur: a iuventute sumunt initium sed in senectute vel senio tempus concludunt diuturnum: a vitalibus auris trahunt maritale spiraculum sed mortis legibus vectigal exsolvunt et tributum: organicis melodiis concentus admixti et diversi tonorum modi fidibus dediti ingentem concinnant in nuptiarum solennitate laetitiam sed inevitabile pariunt circa finem dispendium et iacturam. omnia enim plena sunt illecebris quaecunque carnalibus exercentur in nuptiis, et cuncta deformia fiunt in coitu quae licentia maritalis consentit in actu. cum terrestrem parens concipit sobolem totius naturae suae mutat consuetudinem et in alteram transmigrat quam prius extiterat qualitatem. pallida facies eius efficitur et oculorum claritas densa caligine concavatur: apparent venae circa tempora lividae et pallescit vultus deformitate obnoxius et aufugit color[a] decidua mutabilitate fuscatus: pellicula rugas in facie contrahit et rotunditas digitorum in manibus tabescit: uterus intumescens impregnantis distenditur, et viscera intrinsecus gravidata dissipantur. haec sunt taedia quae terrestres nuptiae generant; haec sunt onera quae filias Evae parturientes conturbant. praeterea si regina quaelibet vel imperatrix aut comitissa in saeculari maiestate nominis sui fastigium obtinuerit, non minus quam mulier paupercula in generatione sua fastidium anxietatis incurrit, nec alio modo onusta gemmis et auro concipit aut parit in palatio quam inops et pannosa mulier in tugurio. omnes in peccato concipiunt, omnes in dolore parturiunt, omnes Evae molestia deprimit, omnes tristitia primae matris

[a] calor.

involvit. de custodibus quid dicam qui super uxores nobilium virorum tyrannidem exhibent effrenatam? si oculum fortuitu ad aliquem levaverit, si vel semel risum fecerit, statim iudicatur ut fatua, condemnatur ut adultera, nec tam verbis quam verberibus affligitur, et ad odium coniugis pravis accusatoribus incitatur. ita fit ut caritas coniugalis quae in sponsalibus ad invicem servanda promittitur pessimis instigatoribus violetur, dumque vir uxorem habet suspectam et uxor contra maritum gestat discordiam, procedente tempore divortium nascitur et moechus aut moecha in alterutro reputatur.

Sed gratias deo et gratias tuae bonae voluntati quod aerumnas tantae calamitatis evasisti: nihil ex omnibus quae superius diximus in te potest muliebris infirmitas, nihil mortalis in carne voluptas, quippe quae virginis matris et pedissequa diceris et famula videris et vagienti puero Iesu spiritualibus organis applaudis in cunis. haec est virgo domina quae cunctis sacris virginibus castimoniae subministrat refrigerium, haec quae prima virginitatis tribuit documentum. filius eius innocens agnus est quem Apoc. xiv. 4.
quocumque ierit sequuntur virgines singulare canticum quod non datur ceteris concinentes. hunc elegisti sponsum, hunc amicum et dominum, qui sanctos angelos suos paranymphos ad tui deputavit custodiam, si tamen in domo dei firmiter conservaveris sancti propositi disciplinam. considera quid egerit virgo puerpera, mater immaculata. sequestravit pudicitiam suam et caelibem vitam a conversatione hominum, et consortium promeruit angelorum. illic in divinis scripturis et propheticis mysteriis sese iuvencula sobrietatis exercuit, et quod virgo deum conciperet et Is. vii. 14.
virgo pareret invenit. et quia prima omnium feminarum votum virginitatis deo noverat, et sponsa et parens dei efficitur et gemina dignitate gratulatur. sic et tu, o filia, quamvis non eodem modo nec eodem munere, eodem tamen ordine effici poteris sponsa dei et mater dei; sponsa quidem si castis eius nuptiis officio sedulitatis adhaeseris, verbum dei concipiendo et pariendo mater eris, concipiendo ut retineas, pariendo ut proferas. adhibita est propter hoc

in claustris diligentia, in moribus disciplina, custodia in muris, ferrea instrumenta et firma in seris. multae sunt ex filiabus Evae quas si huiusmodi observatio non constringeret sexus sui reverentia nullo modo cohiberet. esto igitur religata deo non ferreo[2] sed flameo, vigilantia non Cf. Is. xxxiii. 17. Hier. *de Nom.* (Matth.). violentia, servitute voluntaria, amore non poena. suspira videre regem Salomonem, regem pacificum, perpetuae immortalitatis gloria in patris regno coronatum, incorruptionis sindone incorruptas virgines vestientem et auro textae cycladis tibi praeparatum vestem dare solennem. in caelestibus enim sponsalibus coronam tibi promisit immarcescibilem et gloriam cum angelis et sacris virginibus indeficientem. nuptiae namque Christi ab amaritudine sumunt exordium sed in fine consequuntur dulcedinis aeternae inenarribile condimentum. a lacrimis et fletibus fontes aquarum hauriunt in principio, sed in termino glorificationis futurae vitae fonte inebriabuntur in caelo. hic suspirant et plorant, ibi triumphant et perenniter exultant: hic caelestes nuptiae gemitibus utuntur non fistulis nec tibiis, illinc angelicae suavitatis mulcebuntur organis et caelestibus hymnis: hic de mortificata carne sua faciunt Christo tympanum, et illic pro mercede recipient concentuum modulos supernorum: hic luctum, ibi risum: hic aliquando taedium, illic aeternale gaudium: hic poenam vel mortem momentaneam, illic vitam sine fine mansuram. Is. xxxiii. 17. ibi videbis sponsum tuum in decore suo, et excipient te Ps. xliv. 10. filiae regum in honore tuo. ibi varietate beatitudinis aeternae circumdaberis, ibi stola perpetuae iocunditatis vestieris. in illo die perpetuo orietur tibi sol iustitiae qui Mal. iv. 2. nescit occasum, cuius claritas noctis et tenebrarum ignorat Apoc. xxi. 23. abyssum. civitas illa, ut scriptum est, non egebit lumine solis, quoniam dominus deus illuminabit eam et lucerna eius est agnus. ipse est agnus dei quem sequuntur virgines, quem sequuntur caelibes, quem sequuntur conti-Apoc. xiv. 3, 4. nentes. omnes cantant cantica, sed nemo nisi virgo canticum illum cantare aggreditur quod per excellentiam solis virginibus datur. in illa die bona recipies corpus tuum a sponso tuo glorificatum, florens ut lilium in resurrectione iustorum, vitro purius, nive candidius, sole splendidius. festinandum itaque est tibi virgo sacra, virago devota, ut ad illas nuptias occurras cum corusca lampade ubi perennis diei perfruaris claritate. gaude ergo, filia Syon, si te Christo sponso conservasti virginem et innuptam, nec tamen desperare deberes si te nescires incorruptam. tantum deinceps satage ut in floribus vivas castitatis, hoc est in pudicitia mentis et corporis.

Haec tibi, dilectissima, rogatus a te tantisper curavi scribere et religiosis precibus tuis quemadmodum potui fideliter obedire. ora ergo pro me et in anteriora teipsam semper extende, ad palmam videlicet remunerationis aeternae. cum uxore Loth noli retro respicere nec ad nobilitatem generis tui vel ad mollitiem natalium tuorum flexibiles animos inclinare. non te purpura vel byssus reflectat ad saeculum, non te lasciva iocunditas reducat ad sexum. vince mulierem, vince carnem, vince libidinem. pasce deliciis animam esurientem et triticeae medullae eam dulcedine refice et torrente voluptatis dei spiritualiter inebriare. de iis autem qui carnem nutriunt infructuosam scriptum legitur: Pavit sterilem quae non parit et viduae bene non fecit. sterilis enim caro est quae non nisi cum peccato aut peccatum parit, et adversa spiritualibus exercitiis semper existit: vidua vero anima est Christiana precioso sponsi sui sanguine et morte redempta, cui bene facere est eam supernis desideriis et caelestibus deliciis impinguare. ipsa vero iccirco vidua dicitur quia ab incolatu caelestis patriae quo Christus eam praecessit peregrinatur. hunc toto corde dilige, hunc totis animae medullis concupisce, in quem, ut beatus Petrus ait, semper desiderant angeli prospicere. ora, inquam, ut ante vultum eius te videam in gloria, cum ab eo fueris aeterno splendore glorificata. ibi enim non vocaberis Ida, sed viventis dei filia gloriosa; ibi non diceris neptis reginae Adelidis,[2a] quae cunctis terrarum reginis longe pretiosior et nobilior apparebis. illic occurret tibi Agnes in aetate tenera cum veste quam sibi Christus misit angelica manu praeparata;[3] aderit utique et sacra virgo Cecilia laboris sui primitias Tiburtium et Valerianum ostendens et coronas

Job xxiv. 21.

Cf. 1 Pet. i. 12.

'Hereafter no longer called Q. Adeliza's niece

immarcescibiles ex liliis et rosis capitibus eorum innectens.[4] assistent Agatha et Lucia cum Siculis quos Christo lucratae sunt victricibus palmis.[5] Fides martyr egregia Primum et Felicianum victoremque Caprasium, immo Agennensis urbis fructum proferet cumulatum.[6] Katerina vero reginam cum Porphirio adducet, populumque philosophorum per victoriam sui certaminis, populum ostendens suae adquisitionis.[7] et ut ad nostrae inhabitationis nativum solum recurramus, eo beata Aeđelburga te suam Christo reconsignabit oviculam cuius sub praetextu religionis te profiteris alumnam. ibi regina celebris Aeđeldriđa virgo perpetua tibi applaudet cum multitudine virginum quia in te recognoscit electum genus et regale signum suum. non possum omnes enumerare quae verbo dei subpeditant, quae virginalis propositi tibi formam subministrant. has tamen quas praediximus circumfer in pectore, has iugiter versa in sancta meditatione, prae caeteris specialius omnium dominam genitricem dei, caeli et terrae reginam, quae te in sancta castitate corpore et mente custodiat et ad filii sui, caelestis sponsi, cubiculum introducat, qui te coronet in gloria sanctus sanctorum, regnans et imperans in saecula saeculorum.

you will be placed among saintly virgins by your patroness St. Ethelburga'.

## 41. *To Matilda of Darenth.*

f. 153 b.
Anstr. xxxix.

Diu est, virgo sacra, summo regi gloriae caelibe matrimonio copulata, quod tibi me scripturum aliquod spopondi commonitorium, unde tuus accenderetur animus ad appetenda caelestium solennia nuptiarum. inter illustres enim feminas natalium splendoribus radias, sed fulgoribus virtutum multo serenius iam coruscas. ex utroque latere multae castis moribus tuis suppeditant gratiae, quibus et agno virginum sponso dilecta cognosceris, et cara haud mediocriter supernis civibus approbaris. homines praeterea sancti optant in mundo tuae sanctitatis familiaritate perfrui, et orationibus sacris ad amorem superni principis ferventius accendi. profiteor etiam me prae caeteris, ut aestimo, tuae specialius virginitatis innodatum obsequiis, tuaeque singularius vinculis astrictum solidae in Christo dilectionis.

Her birth and virtues.

Insignis domina et specialis in Christo gloria mea, Matildis de Darenta,[1] illum sibi locum in anima mea excellentius vindicat, quem pulcrior et celebrior radius supernae claritatis nitidius illustrat. Scio enim quod usu cotidiano eius apud superos versatur intentio, et licet in corpore cum sanctis apud Mellingas[2] conversetur virginibus, est spiritualis eius conversatio cum illa sanctissima virgine de qua natus prodiit homo deus. haec est illa virgo quae reperta est sola ab angelo, quae tumultus tubarum vitabat forensium ut internorum contemplatione perfrueretur gaudiorum. In Nazareth enim eius conversatio, hoc est in floribus, pudicitiae antiquorum figuras et oracula patrum semper habens in recordatione, quibus factas de Christo promissiones casto volvebat in pectore, fructum desiderans superni floris videre quandoque pariter et tenere. Nazareth namque flos interpretatur. flores namque caelestis virgulti[3] suo fuerunt in tempore patriarchae eximii, de quorum semine caro virginea, terra videlicet nostra, fructum vitae protulit, qui homines et angelos alimento novae refectionis mirabiliter pascit. hi sunt montes supernam stillantes in universa terra dulcedinem: hi profecto colles lactis profundentes mellisque pinguedinem, plenam sanctitatis et gratiae carnem scilicet virginalem, cuius ardor ferventis animi adeo succensus est in amorem dei ut omnium prima feminarum deo virginitatis offerret sacrificium et ipsa ei cunctis odoratius fieret holocaustum. ista sola super omnes filias Evae tantae praerogativa resplenduit gratiae, ut, dum universae ante illam et affectu et effectu raperentur ad coniugium, in integritate corporis cum virginali proposito deo deliberaret offerre caelibatum, quoniam[a] evangelica teste sententia illi qui digni habentur saeculo illo et resurrectione ex mortuis neque nubent neque ducunt[b] uxores, neque ultra mori poterunt, aequales enim sunt angelis dei quia filii sunt dei, cum sint filii resurrectionis. licet beatissima virgo Maria scriptum nondum legerit hoc evangelicum, quia necdum fuerat evangelium, revelatum tamen, ut opinor, illud per sanctum didicerat spiritum. domini itaque

The blessed Virgin.

Hier. *de N. H.* (Matth.).

Joel iii. 18.

S. Luc. xx. 35.

[a] quam. [b] ducent *vulg.*

Nazarea perstitit iugiter ab infantia, quoniam aureis pudicitiae titulis florida, et virginitatis lilio ultra niveam erat albedinem candidata. hinc est quod post triumphum resurrectionis et gloriam ascensionis Christi eius discipuli in (Ac. xxiv. 5.) Iudea appellati sunt Nazareni. adhuc hodie eorum sequaces huius vocabuli dignitate non iudicantur esse degeneres, quamvis a Christo per nomen Christianum Christi praefulgeant coheredes. castitatis itaque signa semper debent prae manibus habere victricia, ut acies virginea in castris splendeat dominicis armis triumphalibus ordinata. (Jephthah's daughter. Jud. xi. 37.) Sed non sic filia Ieptae, quae super montes Iudeae suam virginitatem planxit in iuventute; cum patris didicisset ex voto quod absque dilatione deberet occumbere, duorum obtinuit mensium ex tanto discrimine spatium ut sese lugeret cum coaevis virginibus iunctam non fuisse matrimonio nec carnis implesse copulam quae instituta erat ex legis mandato. duorum mensium nomine amborum significa[n]tur concupiscentia sexuum,[4] cui dare operam consueverant veteres liberisque propagandis suae sollicitudinis sedulitatem impendentes. et quia sine coinquinatione carnis nequit expleri (Gen. vii. 2.) voluptas libidinis, recte in arca de immundis animalibus bina et bina, de mundis vero septena et septena, dicuntur (Virg. *Ecl.* viii. 75.) introducta. quoniam autem scriptum est: Numero deus impare gaudet, disce castitatis excellentiam septiformi spiritus sancti gratia ad alterni splendoris sublimari fastigia. nesciebant adhuc antiqui illum mensem tertium in quo feriantur a carnis opere animae electorum. et qui caelibes titulo cupiunt pudicitiae fieri semper satagunt puritatis suae munditiam multorum testimoniis roborari: citius namque nititur in vetitum cui quod libuerit extiterit licitum quam ille quem auctoritas plurimorum cohibuerit ne proruat facilis et declivis ad lapsum. iccirco non noverat prisca consuetudo internae quietis ex casta conscientia sabbatum, quia in procreanda liberorum propagine semper insudabant laboribus sex dierum: nec intellexerant ex scripta lege quod Pitagoras protulerat naturalis legis scientia dictante: Non vestes esse sed pudicitiam ornamenta matronarum. unde datur intelligi integritatem proprie ad beatitudinem sanctarum respicere virginum. de mulieribus vero quae viris subdi debent legimus quod eis cara et nitida interdixerit ornamenta beatus apostolus Petrus. sericis 1 Pe. iii. 3. namque vestibus et purpureis indutae Christum nequaquam possunt induere : auro et margaritis ac monilibus adornatae cordis noscuntur et pectoris ornamenta non habere. quod si pastor ecclesiae mulieres ad religiosam coercet disciplinam ecclesiastica moderatione quae suos consueverunt cultus maritorum excusatione protegere, mirum non est si saecularis gloriae decorem et ornatum sacram a se virginem deceat removere cui nulla competit venia culpae suae malitiam quolibet mendacio colorare. discat itaque sancta virgo in filia Iepte magis flere et timere ne amittat carnem integram quam optare ut habeat in matrimonio coniugali corruptam : assuescat magis in montibus bonorum operum per sanctum suspirare desiderium ut mentem teneat in virginea professione caelibem quam ut Dinae mandetur Gen. xxxiv. ludibrio per immundae conscientiae tartareum scortatorem. cum coaevis virginibus amplius lugebat quod tam sero incepit virginalis gymnasii stadium currere quam quod debeat carnalis geniturae copulam a se exclusam praecordialiter legere. coaevae dicuntur virgines cognatae sibi in sancta religione virtutes quarum sustentari in perfectionem suam condecet praesidio ut auxilio non frustretur in necessitate divino. ignorabat siquidem illius temporis tota successio regnum sanctarum virginum non esse de hoc mundo, nec alicui omnium feminarum illud datum est scire mysterium quam magnifica apud deum gloria appreciabatur in caelestibus virginale sacramentum. reservatum est uni et soli ex Abrahae familia et domo David, genus ducenti tam gloriosum et tam insigne, mundo absconditum declarare privilegium ut ante tempora deus benedictus in saecula absque virili contactu humanam ex eius carne carnem indueret et mysticas sanctae virginitatis nuptias in thalamo virginalis uteri consecraret. in illa coniunctione gloriosae virginitatis et caelestis in terra, ipsius auctoris non defuerunt angeli cives dei, ne⟨c⟩ desunt in sanctarum virginum consecratione solenni. quod primo peccanti dictum est

Gen. iii. 17. homini: Maledicta terra in opere tuo, in nativitate solvitur hominis secundi. et quod primae matri promissum est pro culpa in doloribus parere, secundae matri gratia plenae actum est pro poena sine dolore parturire. in illa supernae benedictionis terra non germinaverunt spinae nec tribuli, quam nequaquam onerare potuit aliqua corruptio vel noxa peccati. virginitatis gratiam cunctis opibus anteposuit, omnibus deliciis divitiisque praefecit. impretiabile adepta est et incomparabile pretium cum panem in terra carnis suae germinavit angelorum. supra carnem fuit quod eius caro sapuit cum anxietatem fecundata non sensit. fecunda inquam diva parens deo, sed intacta erat virgo et incognita viro. ante creatoris thronum praeparatum est illud ante saecula cuncta consilium ut disponeret in mente sua super omnes virgines sabbatorum continuare sabbatum quo perfecta pace carnis virgineae conversationem redoleret angelorum.

Mercy and truth. Ps. lxxxiv. 11. In cuius casto cordis cubili misericordia et veritas obviaverunt sibi quia in illo homine quem suscepit deus ex virgine desperatum filiis Adae ortum est remedium, cuius operatione et misericordia mediante crevit in saeculo nova curatio miserorum. cum veritate consensit misericordia quia gratiae dei praeparatio oriebatur in Christo ad futuram salutem gentium, quae in administratione legis propalata sunt per Moysen populis Hebreorum. istis divina credita sunt eloquia, gentibus autem disciplinae salutaris eruditio denegata. in illa aula virginalis uteri orta est salus generis

S. Matth. i. 5. humani, quia et ipsa virgo per Ruth gentilem feminam nata est et data gentibus domina, et ex Abrahae semine ac regia stirpe David virgo descendens et ex Iudeis propagata. per exempla carnalia factae sunt ab ipso qui est veritas lege mediante promissiones, quas spiritualiter nullis praecedentibus meritis ope mediatricis nostrae sibi promissa non desperant gentes. sic generatio Ruth salvatur in gentibus sola misericordia, cum legem observantes salvari possent Hebrei veritatis disciplina. nusquam a primo exortu mundi istae duae virtutes obviaverunt sibi donec sacra virginitas in Mariae thalamo concilium statuit, hasque in suscepta carne Christi puritatis affectu copulavit. in eadem officina carnis virgineae iustitia et pax mutuo dicuntur osculatae quoniam Christus, qui seductum et fugitivum quaerere servum suum per iustitiam venit, communem angelis et hominibus, qui discordes fuerant longe, et prope in sui sanguine Eph. ii. 13. testamenti, pacem reformavit. in homine itaque Christo pax et iustitia convenerunt ex diverso, quia in nativitate sua factus homo deo patri hominis pro homine solvit debitum et hominis moriendo expiavit reatum. ex hac persolutione debiti nascendo homo deus homini contulit iustitiam et in expiatione delicti pacem in morte sua reformavit aeternam. misericordia itaque obviavit veritati cum detraxit ius proprium legis severitati. osculum paci iustitia tribuit cum redemptus homo per Christum ad caelestem gloriam et solennitatem angelorum feliciter remeavit. in nativitate itaque Christi gloriam in terris sancti angeli merito concinunt, quia misericordiam quam sanctis patribus veritas promisit adimpletam per Christum ubique gentium iam cognoscunt. unde et pacem hominibus bonae S. Luc. ii. 14. voluntatis annuntiant, qui iustitiam sub carnis humanae velamine visibiliter apparuisse ut hominem liberaret patentibus indiciis manifestant. sic itaque iustitia cum pace concordiam iniit, quia cum Christus pro homine mortem quam non debebat sustinuit, iuste homo pro ipso mortem quam debebat evasit. Misericordia consulit ne peccatores dignae remissionis venia careant, veritas indicit ut recte gradientes caelestis disciplinae tramitem non relinquant. misericordia protegit ne paenitentes tradantur ad poenam, veritas disponit ut bene promerentes praeparentur ad gloriam. per Deut. xxii. 21. misericordiam agitur ne deprehensus in adulterio et sabbato S. Joh. viii. 5, 7. ligna colligens secundum legem lapidibus obruatur, per Num. xv. 32, 35. veritatem innuitur ut mandata servans evangelica vitae perennis hereditate perfruatur. misericordiae opus est eleemosynis peccata redimere, veritatis praeceptum est amicos de mammona iniquitatis et aeterna tabernacula Cf. S. Luc xvi. 9. comparare. sic, sic misericordia evangelicae veritati, sic obviavit veritas legis severitati. nusquam ante adventum Christi istae duae virtutes obviaverunt sibi, donec ipso nascente simul convenerunt in palatio virginali. Christus autem, quia pro iniustis mortem suscepit indebitam, homini iustus iniusto ex sua contulit iustificatione iustitiam. in passione igitur sua homo deus homini dedit quod ex iniusto Adae seminario obtinere non potuit. in resurrectione proinde sua paci iustitia osculum tribuit, sicque Christo mediante inter homines et angelos discordia in concordiam versa

S. Joh. xx.

fuit. hanc secundo, hanc etiam tertio tenendam suis mandavit discipulis, cum stans in medio eorum clausisque ianuis iam resurrexisset a mortuis. tunc consummata est perfectio salutis humanae, cum quattuor istae virtutes simul in homine Christo convenere; et cum patri Christus iustum pro homine iniusto obtulit sacrificium, illud sibi pro sua redemptione datum obtulisse non diffidit omne genus humanum.

Rending and sewing.

Intuere itaque, filia regis mei, contemplare sponsa domini mei, qualis est parens illa quae cum integritate carnis deum virgo concepit et hominem, et novam sine exemplo femina peperit intacta progeniem. considera etiam quod ab illa sacrae virgines acceperunt in munere ut decore floreant pudicitiae et lampade resplendeant praeclarae conscientiae, Christoque eius filio in castis possint nuptiis complacere. donec Eva erat in paradiso innuba semper permansit et virgo, at postquam serpentis obedivit monitis, mandata transgrediens creatoris, candidam a se vestem scidit innocentiae et confudit opus legemque naturae. ideo

Gen. iii. 17, 19.

et ipsa in dolore corrupta cum dolore peperit, et vir in sudore panem suum manducavit. gravis scissura et cunctis generationibus lamentanda quae eos sequestravit a beatorum consortio spirituum, lumenque illis et gaudium interdixit angelorum. scissuram ultra illam per se non potuerunt

Gen. iii. 7.

resarcire, quamvis folia ficus, ut pudenda velarent, didicerint consuere. unde et uterque sese contuens erubuit et omnis mulier inter viriles amplexus erubescit, et, licet eam voluptas dissolvat ad mollitiem, in fronte ei generat verecundia ruborem. pudore successio tota confunditur, et omnis corrupta et violata animo consternatur. iccirco in valle lacrimarum patimur omnes exilium, sed in sacris tamen semper virginibus corona virginitatis accipit incrementum. haec igitur processit ex Eva illa ab exordio scissura de qua dicitur per Salomonem : Tempus scindendi ; Eccl. iii. 7. sed per Mariam cum plenitudine temporis in quo misit deus filium suum in terris iam advenit tempus consuendi, cuius scissurae damnum resarcivit incarnata dei sapientia publicum, sed dispensatricis gratiae suae occultum principibus mundi non revelavit arcanum. in illo itaque sacro virgineae carnis aerario gazarum copias caelestium posuit, quas in communem humani generis salutem largitor profluus erogavit. quod ante peccatum primo parenti nostro dominus promisit, post culpam in paradiso perpetratam veraciter adimplevit. In quacunque, inquit, die comederis, Gen. ii. 17. morte morieris. tres itaque mortes est expertus Adam : primam in peccati magnitudine, secundam in exitu animae a corpore, tertiam in habitatione Gehennae. duae ex his quandoque redimuntur, tertia non redimitur. sed antequam Christus formam assumpsisset humanam, nullam earum quisquam evadere poterat : tenebantur omnes astricti compedibus originalis peccati, nec aliquod noverant remedium unde eis posset paradisus aperiri. cherubin Gen. iii. 24. namque igneum incessanter versabat in ipso aditu gladium, nec quisquam ex tota massa praevaricationis Adae promereri valebat introitum : angustiam autem mortis in divisione corporis et animae nullus a se poterat removere : nulla temporalium expiatio victimarum ab aeternis inferorum tenebris solutum aliquem reddebat aut liberum. grave iugum temporis illius super omnes filios Adae infelix scissura, quae facta est manibus et operationibus Evae. venit itaque illa de qua dicitur : Misericordia domini Ps. xxxii. 5. plena est terra : venit verbum dei incarnatum per quod reparata sunt civium damna caelestium : venit in Christo per virginem omnium redemptio captivorum : et quod per prophetas sanctos de filio suo deus pater apostolo teste Rom. i. 2, 3. promiserat, ex semine David veritate carnis apparente, deus et homo Christus salutem humano generi in mysterio suae incarnationis et passionis administrat. Pretiosos aeterni lapides sanctuarii, quos Adae sparserat insolentia, ad supernae urbis reaedificationem Christi Iesu mediatoris nostri colligit innocentia. sicut de prima matre nostra dictum est tempus scindendi, sic de primo parente nostro

Eccl. iii. 5.

dicitur tempus lapides spargendi. et quemadmodum de secunda matre nostra, virgine videlicet gloriosa, prolatum est tempus consuendi, ita de eius filio, secundo scilicet

A time to gather stones together.

Adam, scriptum est tempus lapides colligendi. comitabatur scissuram Evae generalis Adae dispersio, quibus ex tota traduce praevaricationis suae nulla poterat subvenire redemptio. haec scissura in exactis retro saeculis omnibus generationibus pestifera fuit, haec dispersio venenosa et letifera cunctis in mundo mortalibus extitit. sed virgo mater, quae aestimatur et a pluribus salva fide dicitur

S. Joh. xix. 23.

inconsutilem filio suo texuisse tunicam, ipsa consuere plena gratia meruit virgo et mater hanc scissuram. unicus vero suae virginitatis de platea Babilonis lapides pretiosi col-

Apoc. xxi. 19. Cf. Bedae *Explan.* ad loc.

legit operis et radiis insignivit sempiterni fulgoris. Hinc[5] est quod iaspis, qui primus in fundamento supernae civi-

Jasper.

tatis ponitur, colorem habere viridem perhibetur, quem quicunque penes se gestaverit[a] lapidem, phantasmatum non pertimescet perturbationem. significat enim eos qui fidem dei quam profitentur in nomine retinere semper bona student operatione: hi quoniam ab ea non arescunt sed indesinenter virent, fallacias astuti serpentis non timent.

Sapphire.

Sapphirus huic secundus subnectitur, qui indici coloris specie insignitur; et, cum caelum videatur imitari serenum, eos significat qui in terra positi terrena despiciunt et per sanctam conversationem, quasi de terra non sint, mentis contemplatione caelestia ascendunt. possunt huiusmodi

Phil. iii. 20.

cum Paulo: Nostra in caelis est conversatio. Locum vero

Chalcedony.

calcedonius obtinet tertium, qui in domo suorum non vibrat[b] claritatem radiorum. foris autem ad caelum lucere dicitur et per hunc occulta sanctorum operatio in publicis conventibus intimatur. dum enim eos claustra detinent, operationes virtutum non exercent: sed cum a praelatis extra limen ecclesiae vel monasterii ad praedicationis diriguntur officia, resplendent cum virtutibus regulari disciplina. lapis iste prae difficultate non sculpitur, quia ab

[a] gustaverit. [b] vibrant.

huiusmodi Christi militibus laus et vana gloria superantur. solis calefactus radiis vel fricatus digitis ad se trahit paleas, ut per hunc detur intelligi quod veri solis igne calentes ditatique spiritus sancti donis peccatores ad se trahant verbo praedicationis. Smaragdus quartum et celebrem in urbis aedificatione supernae subit ordinem, universam lapidum et arborum et herbarum superans viriditatem. inhabitabiles autem sunt loci in quibus gryphes huiusmodi custodiunt lapidem, qui alis aquilarum[a] proferunt similitudinem et corpore ac pedibus instaurant leonem. veniunt in pugnam contra eos monoculi quidam, Arimaspi[b] nomine, qui oculum quem habent gestant in fronte: smaragdum gryphibus auferunt per violentiam, bonam existimantes huiuscemodi rapinam. viror huius lapidis, viridior caeteris, in sanctis designat animabus perfectiorem viriditatem fidei quam reliqui fideles possint contrahere de communi conversatione mundi. contra tali sanctitate fulgentes inflammantur iugiter invidia daemones, eis anulum fidei perfectae nitentes surripere, eorumque de libro vitae nomina delere. sed monoculi sunt recto corde videlicet operantes opera domini, per quos in stadio crucis Christi spiritus ubique superantur immundi, quorum perfectio duabus viis non incedit, sed ad deum una voluntate intendens contra antiquum hostem gemmam fidei suae defendit, et incorruptam eius perpetuo claritatem custodit. in eorum namque cordibus non habitat deus quibus malitiae frigus dominatur, quorumque mentibus frigidior glacie torpor infunditur. vide itaque, dilecta mihi virgo, ut huius viroris niteas privilegio, quem si in prima fidei cognitione accepisti sub obtuso virore quasi iaspidem, in ferventiore sanctae religionis observantia smaragdum retineas iaspide viridiorem. sicut enim primo iaspis in supernae civitatis aedificio ponitur, sic fides in fundamento Christianae religionis virtutum omnium prima dominatur. et bene fidei nostrae rudimenta designantur per iaspidem, quia in novellae Christianitatis initio minus ab imperfectis exhibetur in opere quam apud perfectiores exhibeatur in innocentis vitae praecipua

Emerald.

[a] aliquarum. [b] arismapi.

puritate. unde et spes fidem sequitur, quia saphyrus post iaspidem secundus indicatur, spesque recte figuratur saphyri nomine quia colorem contrahit ex caeli sereni- [Rom. viii. 24.] tate. Spes autem, teste apostolo, quae videtur, non est spes. et quia bona dei in caelo sunt invisibilia, merito spes nostra ad superos elevatur de terra. Calcedonius vero lapis caritatem exprimit, qui tertius in structura supremae urbis[a] assurgit. hic intra domesticos parietes non vibrat radios, quia caritatis opera magis in hospitibus et peregrinis foris radiant, quam in locis radiare privatis praevaleant. hinc est quod fideles dei, qui tribus his virtutibus agnoscuntur perfecti, aeternae virorem vitae semper desiderant et smaragdum in mente perpetualiter servant. [Sardonyx.] quintus in caelesti sardonix est opere, quinque sensus humanos ab amore saeculi docens sequestrare. qui tribus distantibus specie coloribus distinguitur, ut in fide sanctae trinitatis vita nostra roboretur ; subterius nigrum, in medio candidum colorem, superius exprimit rubicundum. despecti sibi foris servant nigredinem, intusque sanctae vitae in animo candorem, et per stigmata crucis Christi quae [Sardius.] perferunt martyrii praetendunt figurate ruborem. Sexta deinde dignitate sardius emicat, qui colorem sanguinis specie manifestat. docet nos unicolor gemma sanctos habere martyres semper in memoria, quia teste psalmista, [Cf. Ps. cxv. 15.] Mors sanctorum domini est pretiosa.[6] [Chrysolith.] In loco crysolitus radiat septimo et scintillas ardenter emittit aureas, quia claritatis aeternae splendore animas suorum fidelium spiritus sanctus pulcras efficit et decoras. qui divina praediti sapientia sciunt spiritualiter alios instruere et semetipsos virtutibus sacrisque lectionibus informare. divinam itaque, virgo sacra, auri splendorem imitando tuis moribus insere sapientiam, argentoque nitidiorem tuis infundat labiis [Beryl.] philosophia caelestis eloquentiam. in octavo berillus ordine ponitur, quem[b] velut aquam sole percussam homo lucere contemplatur. Manus tenentis eo solet calefieri ; per quem homines ingeniosi sunt in saeculo designati, qui splendore solis sunt transverberati, quoniam a Christo, sole iustitiae,

[a] urbis ñ (= non), *the* ñ *scored through later.* [b] quem quem.

fulgent illuminati. hi sapientes in his quae sunt ad deum, et prudentes et cauti quae pertingunt ad saeculum. Sic et sacrae Christi virgines tanquam pretiosi lapides in sanctitate vitae resplendentes caelestem debent calorem bonae actionis exemplo aliis infundere, et columbina simplicitate mixta serpentis prudentia multiformes laqueos zabuli praecavere. (Cf. S. Matth. x. 16.) Bonus autem lapis sequitur, qui topazius dicitur, qui tanto carior et pretiosior quanto rarior invenitur. (Topaz.) hic cum gemino colore diversos proferat radios, auro primum exhibet purissimo similem, alterum sereno prorsus caelo demonstrat aequalem, gemmarumque claritates exsuperans omnium specialius prae caeteris egregiae virginitatis pulcra quadam significatione construit fundamentum. nam aurum omnibus metallis excellentius praeminet et quolibet solidius aere in cunctis operationibus apparet: fulgore suo oculos reverberat intuentium et ambitiosas allicit ad se voluntates plurimorum. eadem verbi gratia sacra virginitas claritate praerutilat, cunctisque virtutibus praeclarior in Christo firma petra stabili soliditate triumphat. cuius insigne privilegium in utroque sexu multos suspirare docet ad similitudinem angelorum, dum in praesenti carne refugiunt nubere et corruptioni mortalis vitae operam dare. caeli rursus namque serenitati color eius est similis, quia secreta dulcedo dei eis celatur qui nequaquam sunt caelibes, quam degustant omni die in hoc exilio continentes. et sicut reges terrae praescriptum super alios diligunt lapidem, sic rex caelestis gloriae carius amplexatur virginei pudoris miram et ineffabilem claritatem. quod itaque tibi, sponsa Christi, specialitates pretiosorum designo lapidum noveris proprietates praeconari virtutum: quarum imperatrix omnium et regina est gloriosa virginitas, quia ultra praecipuos archangelorum choros eius in carne nostra super caelos caelorum triumphat exaltata maiestas. Quem sequitur decimo crysopressus in ordine, purpureo nec sine causa resplendens colore, qui guttulis quibusdam respergitur aureis, quia et iusta quaeque ac fidelis anima diversis prius tribulationibus affligitur, et post vitae mortalis exequias aurea in caelo mercede remuneratur. (Chrysoprasus.) ibi namque in sanctis martyribus est vitae perfectio, ubi in spirituali decachordo reperta fuerit legis divinae plenitudo. vos etenim, sacrae virgines carnem vestram sponso caelesti sacrificantes, tametsi truncatae lictoris gladio non compleatis martyrium, martyrii tamen in pudicitiae caelibatu gloriam obtinetis et triumphum. Undecimus est in caelestis aedificii structura iacinctus, qui cum claritate caeli se lucentem exhibet, et cum eius obscuritate se contuentibus obscurum praebet. talem decet ad vitam promerendam in sacris virginibus fieri sanctimoniam, ut ad caelestia iugiter erigant animum superna claritate divinitus irradiatum, et tunc obscura fiat earum conniventia, cum concul⟨c⟩ari videtur regularis disciplina. et quamvis cum apostolo earum in caelis sit conversatio, sole tamen splendidiorem illis caeli in quo deus habitat contemplantur faciem, condescendendo proximis per subministram necessariis usibus dumtaxat caritatem. sapientibus lucent loquendo sapientiam, et in perfectis exhibent humilitatem veram. ita carnalibus lactis propinant dulcedinem, ut perfectis et spiritualibus solidum in praedicatione distribuant panem. Extremus in aedificio caelesti ametistus ponitur, qui rubens ut rosa flammas quodammodo videtur effundere, eos significans qui ardore caritatis consueverunt aestuare. orant namque superni cives pro ipsis quos sustinent sese persequentes, Moysen et Samuelem imitantes ex lege, Christumque ac Stephanum ex plenitudine gratiae. et bene lapis iste in aedificatione civitatis dei omnem consummat divini operis seriem, quia nulla maior est in virtutum universitate perfectio quam cum aliquis divino instinctu orare novit pro inimico. cumque decem pretiosi lapides ad decachordum divinae legis respiciant, iacinctus in supremo et ametistus in dilectione dei et caritate proximi totum opus consummant: quia sicut iacinctus mutat colorem secundum caeli faciem, sic homo imitare debet affectum iuxta dei voluntatem; cum caeli serenitate lucere debet iuxta dispositionem dei, et cum illius obscuritate turbari. quia qui deum, ut beatus ait papa Gregorius, perfecte diligit, ei in sua voluntate nequaquam contradicit. hi sunt ergo lapides vivi in thesauro

Jacinth.

1 Cor. ii. 6. Cf. Bed. ut in notis.

Amethyst.

reponendi caelestis sanctuarii, quibus aeterna Ierusalem in caelo construitur et aedificium perenne divino munere fabricatur: hos vero pretioso fulgore splendentes, quos Adam disperserat lapides, Christus collegit ad structuram urbis aeternae superno nutu pertinentes. claritas itaque diversa pretiosorum lapidum varia est in sacris virginibus pulcritudo virtutum. haec tibi, sponsa dei, ex deliciis allata sunt regis aeterni, cuius indeficientibus thesauris abundat aerarium, de quo caelestium copiae patent tibi gazarum. enitere ergo, sacra virgo, ut pretiosorum in te lapidum signes imaginem, et typicam retineas in sancta conversatione claritatem. splendor ille caelestis mentem tuam illuminet qui interioris hominis oculo lumen quod non caligat divinitus praebet. his duodecim lapidibus status civitatis dei in supernis mysterialiter est fabricatus, dignitasque murorum et fundamenta tanta claritate radiant quanta sanctorum merita ex eorum actionibus decorata coruscant. hi sunt lapides vivi, quibus muri Ierusalem aedificantur, et de quibus scriptum est: Quoniam placuerunt [Ps. ci. 15.] servis tuis lapides eius. quoniam omnibus deum timentibus mystica[s] pretiosorum adeo delectabilis est claritas lapidum, quod in illorum contemplatione speculativa semper praesens imminet aeterna glorificatio sanctorum. plateae huius civitatis aurum sunt mundum, [Apoc. xxi. 21.] quia caritate plenae sunt et sapientia, neque eas macula criminis inficit ulla.

## 42. *To Adelidis, abbess of Barking.*[1]

*Incipit epistola Osberti de Clara ad dominam Adelidem,* [f. 61 b. Anstr. xl] *Berchingensis coenobii abbatissam venerabilem, de armatura castitatis. Primum capitulum. Actio gratiarum pro perceptorum gratia beneficiorum.*

Inter illustres et caelibes virginalis gloriae dotes, serenissimae dominae suae Adelidi, sincero ut creditur spiritus sancti consilio sacris virginibus praesidenti, egregiae dei gratia virgini matri in Berchingensis congregatione coenobii, Osbertus de Clara, amator virgineae in Christo pudicitiae aemulatorque eius sanctimoniae; in choro virginum caelesti a Christo coronari laurea et candidae virginitatis incorruptibili ditescere palma.

Thanks for kindness and entertainment at Barking.

Apponantur cum gratia et salute recentes hodie tibi deliciae; ad quas, femina virtutis, ne formides manus extendere, quia nos hesterna solidasti refectione, refecisti mentem[a] non ventrem, nec eduliis sed obsequiis oneratum remisisti. et iccirco, domina mea, comparasti tibi militem non inutilem, et amicum infatigabilem non aere sed amore redemisti; quanquam et dextera mea tuis sit cumulata muneribus, et pretio largitatis tuae et donativo resplendeat: quod pretium omni pretio pretiosius aestimatur, quia in illo appreciatur affectus non census, nec largitas pensatur sed voluntas. unde me tantopere tibi devinctum ad tua in aeternum possidebis obsequia, neque tui amoris sequestratum amplexibus alicuius sibi communicabit invidia. Cant. iv. 9. hinc est quod vulnerasti cor meum, soror mea sponsa, vulnerasti cor meum caritate et amore. soror inquam, quia unum patrem habemus deum et eadem gratia regenerati sumus per baptismum: sponsa etiam es domini mei et amica regis mei, ex cuius verbi semine filios ei caelibe parturis conubio et innuba perseveras mater et virgo. o quam pulcra, quam casta, quam iocunda, quam munda est illa Cf. Gen. iii. 16. generatio, ubi puerpera cum filiabus Evae non parturit in dolore, et quae procreatur soboles inter filios Adae pane suo non vescitur in sudore, nec arat nec seminat mater illa ib. 18. in terra maledictionis spinas et tribulas germinantis, sed cum matre Iesu agrum virginitatis excolit centuplo fructificantis!

Virginitas enim, apud superos caelestem contrahens ortum, inter primos et praecipuos supernae urbis cives principatum obtinuit, et in adventu ad homines dei et hominis in virgine matre, regina integritatis, formosa descendit. haec est illa virtutum domina, omniumque bonorum operum gemma, quam sibi in nativitate sua specialiter deus homo copulavit, et sine qua mater eius digna et immaculata nec concepit nec peperit. sine illa ceterae pariunt mulieres,

[a] mente.

quae de corruptibili carne carnem pariunt morituram; pariunt, inquam, quod concipiunt, peccatum de peccato, successumque sibi vitae nonnunquam mercantur impendio. verum tali nequaquam periclitantur puerperio quae spirituales deo parturiunt fructus, ubi auctor virginitatis et virgo maritus est ille qui generat, et virginis mentem gestat et carnem parens illa quam gratia et semine sacro fecundat. hae sunt imitatrices eius quae cum carnis integritate dei filium pertulit, qui te sibi sponsam et virginem consecravit. sic ergo de illo concipis progeniem ut parias nec sentias carnis corruptionem. in lege enim maledicta erat quae non faciebat fructum in Israel; sub gratia benedicitur, materque filias Iudae domino et regi parturit Emmanuel. accendere itaque, domina, accendere, serenissima, in amorem eius, et praedica cum illo quod praedicavit, et concupisce munera sempiterna quae promisit, ut amica regis efficiaris per dilectionis desiderium et mater existas in sancta praedicatione per verbum. speciosus est enim forma prae filiis hominum Ps. xliv. 3. per quem in labiis tuis eius gratia est diffusa, myrraque et gutta et casia interioris hominis respersit vestimenta. ib. 9. varietate proinde virtutum tota sic ornata resplendeas, ut non tam verbo subiectis tibi proficias quam exemplo.

### *Speculum virginitatis in beata Cecilia.*[2]

Clarissima virgo, immo generosa virago, beata Cecilia, quot fructus domino legitur peperisse, candida cuius virginitatis rosea decoratur passione! byssus et purpura indumentum Prov. xxxi. 22. eius, quia carnem suam virgo sine macula integra conservavit, eandemque sanguine suo purpuream angelorum regi et domino dedicavit. quia igitur pontificale non femineum in sancta praedicatione gessit officium, inter summos ecclesiae Romanae pontifices donante domino sortita est sepulcrum.[3] nulla ante illam femina huius praerogativae dignitatem obtinuit, neque post illam obtinebit ulterius. legisti de illa quomodo sub deauratis carnem suam cilicio trivit induviis, quomodo in corde cantabat domino cantantibus organis, quam familiarem angelum sanctum habuerit, quomodo pauperes Christi benedictionibus suis in via

Appia sustentaverit, quomodo sponsum suum Valerianum cum Tyburcio fratre suo convertit ad fidem, quam virilis animi constantia evangelicam intonabat veritatem. legisti etiam quanto superni amoris ardore beatum pontificem diligebat Urbanum, cuius vultum fratribus ostendit angelicum, et quos Christo lucrari poterat per eum baptizatos transmittebat ad caelum. haec sunt praedicanda insigniter illius admirabilis feminae opera, quae femineam mentem non [a]spirant, sed virilem constantiam in illius redolent libertate. iccirco utique et tota supra feminam est et per eam edoctus ruinam sexus potest vitare femineus. hoc te instruere sacra scriptura, femina virtutis, exemplo non desinit, ut cum sanctis viris familiarem et religiosam parias amicitiam, sicut cum beato papa Urbano virginem peperisse legimus gloriosam.

*De incorruptae virginitatis gloria per beatam Eđeldređam sacris virginibus exemplificata.*

Plurima large satis ad manum habemus exempla, quae si repeterentur per singula non epistola sed prolixa volumina cuderentur. tamen silere tibi nec audeo nec debeo quomodo beatissima Ađeldređa[4] incomparabilis virgo in fornace Babylonis rore sancti spiritus irrigata torrentis ignis non sensit incendium, quia flammantem carnis horrebat incestum. nunquam auditum est de femina quod haec femina experta est in seipsa. primo enim desponsata viro innuba permansit et virgo; data in coniugium terreno principi nupsit intemerata Anglorum regi. inopinata enim morte vir ille praeventus intactam et immaculatam dereliquit quam sibi castus amor Christi impolluto matrimonio copulavit. regi deinde praepotenti sacramento coniungitur, sed nuptiarum usus carnaliter non expletur. per annos duodecim ei ministravit, sed virginitatis fructum non perdidit: exterior species circumferebat reginam, sed interna devotio humilem deo exhibebat ancillam. intuere igitur, filia dei, quot cruces tam diuturno tempore pertulit, quot sibi taedia sponsus ille suus ingessit, cum ille appeteret coniugem et illa abdicaret voluptatem, quos conflictus, quanta sustinuit gloriosa virgo certamina. quod maius in carne potest esse martyrium quam abstinentia inter spinas deliciarum? evasit tamen, evasit illibata de saeculo, et sacrificium suae virginitatis flammeo velata insignivit deo. ubi magna praecessit pugna, maior successit victoria pugnanti. quod utique decus hodieque in carne sua Christus ostendit, quae dormienti similis in sepulcro marmoreo tota integra requiescit.

*Recordatio beneficiorum sanctae virginis Aðeldredae, et quod ad regem profecturus Henricum*[a] *debebat transfretare.*

Osbert lately at Ely has claimed S. Audrey's protection for his new journey abroad to see K. Henry.

Gen. xxxii. 10.

Haec est domina mea, haec est regina mea, quae me advenam et peregrinum excepit hospitio ac utriusque vitae pane refecit et circumdedit vestimento. in baculo meo iterum transibo Iordanem; sed, tanta interventrice apud deum pro nobis suffragante, spero me cum turmis ad patriam meae redire nativitatis. ad sepulcrum eius devotus accessi, solennes excubias humiliter celebravi, genua ante eam saepius flexi, pavimentum quo decumbebam lacrimis irrigavi, abeundi licentiam flens et eiulans postulavi. credo quod eius meritis per aequorea salvabor discrimina, et gratia principis mihi in terra favebit aliena.[5] quemadmodum est in illa posita spes mea et ex ea pendet expectatio mea, ita est et erit fiducia mea ut ipsa sit dux et consolatio mea. nusquam enim in tribulatione positos consuevit relinquere qui eius solent auxilium fideliter invocare.

*De visione quam, secundum figmenta poetarum, vidit Silvia, virgo deae Vestae, et quomodo corrupta est a Marte.*[6]

Cf. Osb. *Vita S. Edburgae*; Bodl. Laud. Misc. 114, f. 86 b.

Nec tibi tantummodo, filia Syon, ex filiabus Ierusalem sancti huius propositi procreatur exemplum, verum etiam de filiabus Chaldeorum. nec se solummodo praevias exhibent filiae supernae civitatis, sed apud gentiles utique filiae Babylonis. ex luto nonnunquam aurum colligimus et pretiosam in sterquilinio margaritam invenimus. legimus in annalibus Romanorum Silviam, quam et alio nomine Iliam dicimus, virginem in templo Vestae sacer-

[a] Henricus.

dotem extitisse. haec, Numitore patre progenita, generositate praeclari sanguinis praepollebat; quae cum deae et dominae suae tanquam ministra fidelis obsecutura ad ripam fluminis aquas peteret, ut sacra diluere ex consuetudine praevaleret, sicut scripserunt poetae, secus murmur leniter sonantis aquae substitit et praegravante somno languida tota et fessa resedit. cuius species a Marte[a] visa, diuque ante concupita, tunc demum intercepta est, et fallente somno virgo corrupta; concepitque gemellos ex divo semine filios, evigilansque somnium intellexit quod faustum et utile futurum non dubitavit. viderat enim se in templo Vestae ante sacros ignes excubare qui mechanica ex iunipero arte conficti Albanis videbantur esse perpetui. in eodem loco ex capite suo visa est ei vitta sua defluere, duasque repentino ortu cernit palmas exsurgere, quarum altera maior erat totamque faciem orbis terrae frondibus et ramis circumdando praetexerat, cuius comae adeo elatae erant quod magnitudine sui ad caelos usque penetrabant; contemplansque patruum suum Amulium securim[b] adhibere ut eandem arborem deberet succidere, tantae visionis imaginem miratur exterrita quod per picum et lupam ab illa succisione[c] stabat defensa. aquas itaque virgo, sed non iam virgo, ad sacras aedes retulit, et quod in somniis viderat referre non formidavit. crescente itaque tempore crevere ventris onera. cum dies accessit partu Silviae insignita, geminos enixa parvulos peperit, hacque parturiente ara deae tremuit eiusque simulacrum virgineis oculis manus suas opponit. exhorruit enim[d] ad flagitium et devirginatae[e] virginis dedignatur ad partum. ad tantum quoque incestum ignis ille continuus[f] suos subiit cineres nec flammas ulterius emisit scintillantes. Amulius itaque, qui Numitori fratri suo regnum abstulerat, cum editos ex nepte sua Remum et Romulum comperisset, mandat fluminibus infantes demergere; quod utique scelus undas legimus refugisse. destituuntur nudi in humo sicca pueri ibidemque eos lupa lacte sua aluit et picus, avis Martia, cibos ministravit.

Ov. *Fasti* iii. 11 sqq.

[a] Martae. [b] securius. [c] successione.
[d] etiam. [e] de virginitatae. [f] continuos.

*Expositio visionis iuxta considerationem veritatis.*

Sed ad historiam iterum redeamus, et ad rei veritatem iam vertamus animum, ut colorata evacuentur mendacia poetarum. in templo Vestae erant virgines eius obsequiis adhaerentes, ut tali discamus exemplo colligere quod gentiles etiam delectabantur vitae munditia et castitate. quia ergo philosophi nihil aliud Vestam intelligebant quam flammam, eo quod ignis virgo est et ex illo nulla substantia nascitur, idcirco nulla in eius obsequio nisi virginitate insignita locabatur. corrupta est itaque virgo a Marte, non imagine somnii sed veritate: deinde impregnata vidit somnium, quod maximum in prole praefigurabat augmentum. quod flammeum eius de capite decidit, virginitatem in illa deperisse nuntiavit. arbores palmarum quas viderat Remus et Romulus erant, vel illi duo praeclari Cesares ex genere Romuli descendentes, Iulius et Augustus. Quod palma maior altera videbatur, altera minor, non sine certi factum est causa mysterii: mysterium autem suum in suis etiam inimicis nonnunquam spiritus sanctus ostendit. palma itaque, quae sui magnitudine caelos tangebat, Romulus innuitur, ex cuius nomine Romanae urbi nomen inditum fuisse memoratur; Roma autem totius orbis est domina, universarum ⟨urbium⟩[a] imperatrix augusta, quae frondibus et ramis, sanctis videlicet apostolis et martyribus, totum mundum complectitur et signorum magnitudine ad caelos usque sublimatur. palmae vero minoris nomine Remus significatur, qui leges a Romulo institutas transgrediens morti adiudicatus in Aventino monte fratris imperio condemnatur. minorem iterum palmam Iulium Cesarem dicimus, qui, quanquam gloria militiae famaque et probitate magnus extiterit, in comparatione Augusti quemadmodum parvus fuit. Augustus autem in arborem immensam crevit, quae totam faciem terrae frondibus suis circumdedit, quia tanta pace totius mundi perfudit latitudinem quod in diebus suis de gladio et lancea quisque sibi vomerem conflaverit[b] et ligonem. eo imperante, mundus est descriptus,

Cf. Ov. *Fasti* vi. 292.

Cf. Mic. iv. 3.

[a] *om.*, urbium *supplied by cor. rec.*

[b] conflaverat.

S. Luc. ii. 1. orbisque sibi censum profitetur universus, cuius quadragesimo secundo imperii anno in Bethleem civitate David de matre virgine natus est Christus, qui et verus cum patre et sancto spiritu ante saecula deus extitit, et homo in fine saeculorum nostra mortalitate indutus apparuit. qui non sine certa veritate dictus est Augustus, quoniam pax illius tantum et tam inaestimabile de caelesti pace suscepit augmentum quod sacrae virginitatis semina, quae in terris nequaquam antea convaluerant, in carne dei et hominis incorruptibile acceperint incrementum. aliud itaque Cesaris Augusti vocabulum ab Octava Octavianus dicitur; neque a mysterio vacare eius significatio aestimatur. ubi- Pss. vi, xi (xii). cumque enim titulus psalmi scribitur pro octava, ibi resurrectionis nostrae certa requies designatur et gloria. sub imperio ergo Octaviani Cesaris, qui et Augustus dicitur, bene nascitur Christus, cuius nativitate renati sumus ad vitam, et cum illo in octava resurgemus ad novorum corporum immortalitatem et gloriam. in sexta enim laboramus, in septima requiescimus, in octava autem glorificatae carnis novo splendore reflorebimus. secundum quod de visione Silviae sentire potui, utriusque palmae significationes expressi. sic frondibus et ramis visa est silvescere, et altera in sui parvitate diminuenda constare. quia propter exaestuantem deformis lucri cupiditatem et propter intemperantiam in venereos usus exardescentem meretrices merito lupae nominantur, Acca, quae et Laurentia, cum meretrix antea impudica extiterit, in silva repertos lacte suo fideliter infantulos enutrivit. avis autem Martia, coniunx Laurentiae, Faustulus erat, qui de matre progenitis vitae subsidia ministrabat. haec igitur sunt picus avis et lupa, quibus tutoribus a succisione stabat arbor illaesa; quia Faustulus et Acca fuere praesidio ne Romulus per Amulium mortis subiaceret detrimento.

*Comprobatio per gentilium exempla quod carnis integritas sit diligenda.*

Ecce vides, o praecellentissima superni principis sponsa, quomodo ex grandine pretiosi lapides procreentur, et qualiter ex limo flores aurei et argentei producantur. in diis itaque gentium, ut fabulae perhibent poetarum, eis etiam qui domini et creatoris sui non habuere notitiam, legimus virginitatem extitisse pretiosam. cum enim in incestu ministrae suae dea Vesta mota est ad iracundiam, manifestum est ante eius oculos pudicitiam fuisse praeclaram; neque enim pariente Silvia simulacrum deae oculis suis manus opponeret, nisi ei illiciti amoris copula displiceret. et quanquam de deo Marte dicta sit concepisse, et conditorem Romanae urbis Romulum peperisse, in illam tamen exhorruit facem suam vibrasse Cupidinem corporisque virginei corrupisse castitatem. Cupido itaque daemon est fornicationis, et ex utroque latere alatus depingitur, quia nihil amantibus levius, nihil mobilius invenitur; puer et nudus effingitur quia amor irrationabilis et stultus indicatur; sagittam tenet quia vulnerat, et facem accendit quia inflammat. qui itaque illius iaculo percutitur eiusque ignibus concrematur, pingat sibi in corde formosam faciem filii virginis, pro restauratione hominum mortem in cruce perferentis, et matrem virginem virgini discipulo commendantis. pingat quomodo speciosus forma idem dominus castitatem docuit, quam omnibus proposuit et nemini violenter imperavit. pingat etiam quomodo humanam naturam, quae per peccatum in primo parente senuerat, ad iuventutis robur in sua passione reformat. secundum leges etiam pro patre decrepito per aetatis defectum validior filius cum tyranno victoriosum pugnae inivit congressum; sic vetustus pater Adam per suae carnis in Christo progeniem, nosque cum illo, reducti sumus ad naturae libertatem. qui huic meditationi applicuerit animum cor sanare poterit perverso amore vulneratum, et dum tantae suavitatis degustabit dulcedinem amoris incesti evacuabit saporem.

*Qualiter forma Iudith spiritualiter sit intuenda, et contra hostem antiquum obtinenda victoria.*

Ingredere proinde secreto in cubiculum animae tuae tecum, et assume formam Iudith, ut arripias gladium et

Oloferne prostrato liberes a periculo municipia Hebreorum. in diebus enim viduitatis suae in cubiculo orare ad domi- [Judith viii. 5, 6.] num consuevit; et in cubiculo Valerianus Ceciliam cum [Cf. Hier. *de N. H.* (Hebr.).] angelo orantem invenit. Hebrei itaque 'transeuntes' sunt, qui manentem in hoc mundo civitatem non requirunt. [Cf. Hebr. xiii. 14.] transeunt siquidem cotidie sanctae illae animae quibus praees ad aeterni regis convivium, ut caelestium refectione satientur epularum; Assyriorum refugiunt cibariis delectari eorumque obsoniis et voluptatibus inquinari. et quid [Judith x. 19. (Lat. vet.)] ait scriptura? Erat, inquit, Olofernes requiescens in lecto suo, in conopeo quod erat ex auro et purpura et smaragdo et lapidibus pretiosis iuxta eum,[7] cum nuntiaverunt ei de Iudith. qui cum audisset exiit ante tabernaculum, et lampades argenteae praecedebant eum multae valde. conopeum autem quoddam dicitur instrumentum in modum retis ordine artificiali compositum, in quo solent divites vitare muscarum infestationes.[a] in eo quietem sibi collocasse aestimaverat Olofernes, quem enervatum libidine vitiorum stimuli violenter agitabant. parum enim prodest faciem ab aculeis integram conservare et conscientiam habere corruptam. ex auro et purpura et smaragdo et lapidibus pretiosis erat conopeum Olofernis. Olofernes autem figuram illius perversi gerit angeli, qui munditiae semper insidiatur atque castitati. pretiosa vero supellex et ornatus splendidior causa fiunt casus et ruinae, quibus oculòrum con- [2 Cor. xi. 14.] cupiscentia enutritur. et apostolo teste intelligis quod ipse Sathanas transfigurat se in angelum lucis. hoc erat transfiguratio Olofernis, qua virtutis feminam a proposito et habitu sanctae viduitatis dimovere[b] decreverat et ad incestum eius animos mollire complexum. per illa concupiscibilia illecebrae saecularis ornamenta variarum accipimus blandimenta voluptatum. lampades ardentes quae tyrannum praecedebant cupiditates perversae sunt, ad amorem mundi sanctam animam cotidie concertantes attrahere. avarus ardet ut habeat, laborans affligitur ut acervus crescat, extendit usuras cum expendit impensas, auri et argenti copias exquirit et copiosam non potest

[a] infestinationes. [b] divomere.

exsaturare inopiam; sitit et bibit, et alget, et eget, nec sitis sedatur, nec algor repellitur, nec mentis egestas rerum abundantia temperatur. sic quoque luxuria, quae mater est libidinis, quo magis in venereos usos exercetur eo validius ad Veneris incentiva promovetur et actus: post copiam, quae ei cum fastidio nonnunquam etiam ministratur, inops iterum voluntatis suae desideriis pravis incenditur.

*De duabus sanguisugae filiabus quae animas fidelium lacerant.*

Ecce hae sunt duae filiae sanguisugae dicentes: Affer, Prov. xxx. 15.
affer, avaritia videlicet et luxuria, quae affectum in omnibus sequentes illicitum nequaquam cohibere praevalent appetitum. hae sunt quae invaserunt omnia regna mundi et suo ea subiugaverunt dominio. sub his paene universus elaborat orbis et cruentis reptilium dentibus vulneratur[a]; vix etiam in quolibet angulo terrae aliqua invenitur congregatio fidelium cuius principes altero morbo non liveant aut utroque. hae in deliciis Olofernis eius sugentes sanguinem inexplebilem suae penuriae replere non poterant egestatem. effuge ergo cum Iudith letiferum virus huius venenosae prolis et confringe cum illa superbum et indomabile guttur Olofernis: sic hydrae huius geminae capita conterantur, ne nova tibi detrimenta utriusque aculeis infligantur. sed prius aggredienda tibi est via quae femina memorata praecessit, et constanter agendum quod illa constantius egit.

*De triduana mansione Iudith.*

Mansit, inquit scriptura, Iudith in castris triduo, et Judith xii. 6 sq.
exibat per noctem in vallem Bethuliae, et baptizabat se in fontem[8] aquae. triduum hoc mortem et sepulturam et resurrectionem domini intelligimus, quibus subnixi in castris peregrinationis nostrae congressum cum hoste certamenque subimus. tridui huius etiam nomine fidem, spem et caritatem novimus figurari, quibus victrix femina virtutis

[a] vulnerantur.

praeconio meruit insigniri: fide etenim vicit, quia dei potentiam dextrae femineae vires praestituram indubitanter credidit; spe etiam ad Olofernis iugulum victorem erexit animum, quia propugnatorem in mundo non quaerebat visibilem, sed invisibilem e caelo sperabat adiutorem; caritatis quoque tota visceribus affluxit, quando animam suam in manu sua posuit, seque pro salute populi sui morti opponere non formidavit. ita triduo sicut Iudith debes manere in castris, ut in spirituali certamine victrici palma decorata praevaleas existere mulier fortis. mulier etenim pretiosa pretiosi viri est ornamentum et gloria.

Invigila proinde et toto affectu cordis enitere ut in tempore viduitatis tuae cotidie fideliter reducas ad memoriam quanto vel quali viro te exhibueris sponsam. Magno, inquies, viro, sanguine generoso, divitiis praepollenti, deliciis affluenti. quis est ille? Christus scilicet. quis est Christus? deus et homo, deus de deo,[a] filius de patre ante tempora, virgo de virgine matre natus in tempore. sponsus iste tuus, cuius ineffabilis est pulcritudo, cuius generatio inenarrabilis, cum deformis esses et nimis inculta,
Cf. Eph. v. 27. ut te sine macula et ruga formosam efficeret et decoram, lavit te in sanguine suo et delectatus est in decore tuo. irruit tyrannus ut te sibi raperet et pelicem in adulterio mortis aspergine infectam violaret. in tantum itaque speciem tuam speciosus vir tuus ille dilexit, quod cum eodem tyranno duelli certamine ad mortem usque conflixit, teque perpetuae libertati victricem restituit. certum est autem quod sponsus tuus mortuus est pro te. vidua ergo es et in diebus viduitatis tuae tanti viri beneficia sollicita debes sedulitate recolere, ne facias ei repudium ut virum alterum diligas et te ab eius amore crudeliter avertas. sed dicis, Defunctus est vir meus, ablatus est sponsus meus;
Cf. Rom. vii. 2. non igitur repudium fit defuncto si alteri nupsero: vivente enim vero alligata sum legi, quo defuncto soluta sum iam vinculo; nubere possum cui voluero tantum in domino. bene inquis,[b] Tantum in domino. quid est in domino? id est ut domino placeat et ne in nuptiarum copula aliqua

[a] *cor. rec.*; dies de die. [b] inquio.

ei iniuria fiat. sic intelligimus in domino. intellige igitur et tu quia mortuus est pro te vir tuus, sed revixit, sed resurrexit, sed abiit in regionem longinquam accipere sibi [S. Luc. xix. 12.] regnum, rediturus quandoque cum gloria ut capiti tuo imponat diadema perpetuum. tunc placebit tibi expectatio tua cum te coronabit in gloria sua. serva igitur ei fidem integram, et mercedem sperare poteris incorruptam.

Exemplum proinde Iudith fideliter imitare et formam illius tuis oculis spiritualiter imprime, ut nocte exeas in vallem Bethuliae et baptizes te in fontem aquae. quamdiu [2 Cor. v. 6.] enim sumus in corpore et peregrinamur a domino, in noctis caligine et errore versamur. in nocte autem, id est in occulta sanctae actionis exhibitione, quaerendus est fons iste, fons Bethuliae, fons vitae, et baptizanda conscientia in lacrimis et confessione. venit et nocte Nichodemus ad [S. Joh. iii. 1.] dominum ut salutaris lavacri disceret sacramentum. non utique in publica conversatione hominum potest adquiri conversatio angelorum. hac de causa occultandae sunt sanctae lacrimae et solius dei oculis et aspectibus offerendae. Bethulia Hebraice virgo interpretatum dicimus Latine. inde in valle Bethuliae descendendum, hoc est in virginea humilitate transmigrandum. in puro et lucido illius vallis fonte se cotidie baptizabat quae dicebat: Quia respexit humili- [S. Luc. i. 48.] tatem ancillae suae: ecce enim ex hoc beatam me dicent omnes generationes. o quanta humilitas, quam immensa dignatio, quod humilis a se ipsa praedicatur ancilla, quae caelorum erat domina et angelorum regina! baptizare et tu in hoc fonte, et qui respexit illam respiciet te. poteris quoque effici mater Christi, si in corde tuo conceperis semen verbi dei, et ad maturitatem usque perduxeris. si virgo es, de virginitate ne insolescas. ancillam enim requirit humilem, qui humilem elegit genitricem. si humilis fueris beata eris. quid ait illa virgo in cantico virginali, quae mater effecta est cum integritate virginalis uteri? Ex hoc beatam me dicent omnes generationes. ex quo? ex hoc, inquit, quod me humilem reperit, meam sibi virginitatem consignavit, ex hoc quod in me munditiam cordis dilexit, materna viscera in carne mea rore sancti spiritus irrigavit.

attende, prudens virgo: si superbam invenisset, parum ei prodesset in carne virginitas; quod mater effecta est dei laudanda in virgine donavit humilitas. age ergo, dilectissima mihi ut virginitatem teneas et ab humilitate non recedas, tuamque conscientiam dilue lacrimis et confessione, et descendisti in vallem Bethuliae et baptizata[a] es in fonte.

Judith xii. 8,9. Deinde in eadem subinfertur historia: Et ut ascendebat Iudith orabat ad dominum [9] deum Israel ut dirigeret viam eius in liberationem populi sui Israel, et introiens munda manebat in tabernaculo usque dum afferretur ei esca ad vesperum. ordo conveniens et pulcra descriptio, ut quae per humilitatem descendisti per bonorum operum gradus ascendas. nominis autem eius etymologia certam tibi Hier. *de N. H.* (Gen.). exhibet disciplinam: Iudith namque laudans vel confitens est. sit igitur tam fidelis et pura in ore tuo confessio, ut tota vita tua virginum sponso fiat laudatio. tunc fiducialiter orare poteris dominum, et pro commissis tibi supplicare utiliter. exaudiet enim vocem tuam et votis tuis ministrabit effectum. vita tua si sanctis actibus fuerit adornata, via erit per illam recte gradientibus: si vero, quod absit, pravis desideriis dedita, laqueus mortis et ruina cernentibus. iccirco in Iudith, virtutis femina, forma tibi est salubris impressa, ut prius descendas in valle et baptizeris in fonte: ex quo purificata ascendas et sic orationem ad dominum facias. diriget in beneplacito suo vitam tuam, si secuta fueris viam suam; liberabitque per te populum suum, si munda introieris tabernaculum tuum. munda introeas et munda permaneas. tabernaculum autem vas fictile corporis tui est, in quo thesaurum deus pretiosum collocavit, animam videlicet sanctam, quam veste innocentiae et lactea decoravit puritate. vide ne polluatur, ne contaminata oculis conditoris appareat: integra, immaculata, in tabernaculo isto permaneat: munda in tabernaculo suo fuit Iudith, ut et ipsa in praesenti carnis tabernaculo munda sit. sed quamdiu in munditia sua perstitit? quamdiu in castitate permansit? usque ad vesperum. vespere autem hora diei ultima terminatur. per hanc vitae con-

[a] baptiza.

summatio notatur et operum, cum in morte ministratur vitalis refectio animarum. usque ad vesperum, usque ad diem ultimum, usque ad finem vitae, usque ad divisionem corporis et animae, te semper cum humilitate comitetur munditia castitatis, et tunc satiaberis in caelesti convivio ferculo caritatis. ad hoc suspirabat convivium caelestium ille degustator epularum. Satiabor, inquit, cum manifesta- (Cf. Ps. xvi. 15.) bitur gloria tua. haec est illa satietas non generans fastidium, cuius copia in supernis non minuitur per defectum, quae ita a singulis possidetur ut singulis sufficiat et secundum diversitatem meritorum diversa quisque stipendia apprehendat. ab omnibus videtur, ab omnibus concupiscitur, ab omnibus diligitur speciosus ille in gloria Iesus. sed qui in hac vita desideravit amplius in illa caelesti satiabitur uberius. Inebriabuntur, inquit propheta, ab (Ps. xxxv. 9.) ubertate domus tuae, et torrente voluptatis tuae potabis eos. ebrietas ista immensitas est desiderii, cuius magnitudinem nulla terminat affluentia, cuius abundantiam nulla praepedit indigentia. voluptatem hanc puritas cordis et carnis obtinet pudicitia, ubi sancta humilitas elatum conterit superbiae[a] gladium, et virtus discreta impudicum libidinis resecat appetitum.

*Quibus vestibus sit ornanda in victorioso certamine virginitas gloriosa.*

Si ergo ad hanc civitatem dei viventis cum triumphalibus signis conaris[b] ascendere, ornata quemadmodum Iudith pretiosis vestibus procede, ut cum irruerit Olofernes super stragulam[10] te reperiat, quam acceptam a spadone tua tibi (Judith xii. 15.) ancilla substernat. Olofernes autem typice figuram exprimit diaboli: Bagao vero eunuchus formam gestat ecclesiastici viri. stragula itaque, quia diversis coloribus in textura respergitur, virtutum sanctarum diversitas figuratur. ancilla quae tibi huius exhibeat ministerium caro tua est, quae se spiritui subiciat ut iumentum. in cotidianum proinde usum huius tibi stragulae assume induvias, ut super illam

[a] superiae. [b] conares.

manduces et discumbas. de hac veste in Apochalipsi scrip-
Apoc. xvi. 15. tum est: Beatus qui custodit vestimenta sua ne nudus ambulet et videant turpitudinem eius. fides et vitae innocentia et praecipua caritatis opera pretiosa sunt animae vestimenta, quibus apparere debet adornata. quaecunque autem his induta non fuerit, peccatorum eius turpitudo
Cf. S. Matth. xix. 12. apparebit. ceterum ecclesiastici viri seipsos castrant propter regnum dei, et castitatem quam consueverunt aliis praedicare in carne sua satagunt viriliter circumferre. manus eorum plenae sunt munditia, ut curare vulnera praevaleant aliena. mentes autem imbribus madent caelestibus, ariditatem cordis humani contendentes infundere, ut uberes sanctarum virtutum fructus queant utiliter expedire. per illorum manus ancillae tuae sumitur stragula, cum eis praedicantibus castitas carni suggeritur amplectenda. verumtamen uno et simplici colore contexta non appareat, quia sola pudicitia absque ceteris virtutibus formosa non coruscat. unde si regina in aeternum regnatura esse non negligis, et in vestitu deaurato ad dexteram principis astare decernis, coloribus quos virtutum prodit varietas contextam stragulam ab ancilla carne reposcas. si te super hanc humani generis
Judith xii. 16. hostis aspexerit, sicut Olofernes aspexit Iudith, expavescet et commovebitur anima eius, cupiens valde tecum concumbere, et quaeret tempus ut tibi occurrat ex die qua te primo contemplatus est in splendore. sed tunc vere opus est ut retro non redeas, ut post te non respicias, nec honestum ab animo propositum excludas. solet cum
Gen. xxxiv. 3. corruperit blandiens delinire, et in profundum deinceps malorum impellere. hoc in Dina filia Iacob factum legimus, hoc in multis animabus cotidie fieri graviter dolemus.

Cave igitur versutias eius et astutias declina. faciet convivium amicis suis ut te decipiat, vitiorum scilicet multitudini quae te ad culpam irretire contendet, et neminem vocabit de necessariis qui castra praemuniant castitatis.
Judith xii. 10. si enim scriptum est quod Olofernes fecit cenam famulis suis solis et neminem vocavit [11] de necessariis, necessarii nostri sunt spiritus angelici ad virtutum custodiam nobis a domino deputati. hos non vocat diabolus cum temptare

nititur, cum sanctas animas inficere[a] toxicatis desideriis non moratur. cenam vero solis famulis suis apparat cum perversis spiritibus affectum pravae voluntatis instigat ut eis tanquam refectio fiat ultima animae cui intenditur damnatio detestanda. si tibi fornicationis daemon imperare non poterit, spiritus avaritiae, quod absit, forsitan imperabit. de quo vitio apostolus : Et avaritia quae est idolorum servitus.[12] contemplare ergo, dilectissima mihi, quam noxia res est et quam polluta cupiditas, quae teste apostolo ab idolorum servitute non discrepat ; et qualiter hanc sibi luxuria concorporet et connectat. multae etenim, corpora sua prostituentes ludibrio, non amore sed aere corruptae sunt alieno. ubi[b] autem libido mentem non polluit, obstinata saepe cupiditas ad coitum succendit. haec sunt in uno corpore duo individua quae sanctam Iudith temptaverunt allicere, sed nihil in illa proprium potuerunt possidere. de huiusmodi epulantibus Iudas apostolus in epistola sua : Hi sunt, inquit, in epulis suis maculae convivantes[c] sine timore, semetipsos pascentes. ubi deberent honestati simul et utilitati suae consulere, student in carnis illecebris gulae supra modum profusius indulgere. semetipsos, non pauperes Christi, pascunt ; nec ab illo pabula vitae quaerunt, qui pascit[d] oves suas et pro ovibus suis ponit animam suam. de illis autem quibus huiusmodi vitia dominantur idem apostolus ait : Hi sunt murmuratores, querelosi, secundum desideria sua ambulantes, et os illorum loquitur superbiam, mirantes personas quaestus causa. quicunque in se prava negligit desideria carnis extinguere, murmurat et queritur quod sanctae debet ecclesiae labores in certamine sustinere. hoc sanctus Danihel non fecit ceterique sanctorum desideriorum viri, qui quanto magis ad superna suspirabant angelorum gaudia tanto amplius cuncta despiciebant transitoria, et parvipendebant quae eis ingerebantur adversa. qui vero secundum desideria sua ambulant de vitio in vitium miserabiliter corruunt, et os illorum loquitur superbiam, iactans se nullius timoris reverentia dimittere iniquitates quibus assuescunt. hi sunt qui quaestus causa

Cf. Col. iii. 5. — Ep. Jud. 12. — S. Joh. x. 15. — Cf. Ep. Jud. 16. — Cf. Dan. x. 11.

[a] infixere. [b] ub. [c] male conviventes. [d] pascunt.

personas mirantur, non dilectionis: pauperes contemnentes, divites autem in omnibus honorantes. de his in Zacharia (Zach. xi. 1.) propheta scriptum est: Aperi, Libane, portas tuas et comedat ignis cedros tuas.[a] quia vero Libanus candidatio interpretatur, Libanus recte Christiana anima dicitur; quae male portas suas aperit, ignisque cedros eius comedit et incendit, quando quinque sensus corporis ita pravis voluptatibus subiugat ut ignis luxuriae atque avaritiae spiritualia eius bona consumat.

Virilis itaque sit spiritus tuus, cum sit muliebris sexus (Eccl. vii. 29.) tuus. Virum, inquit Ecclesiastes, de mille unum repperi, mulierem ex omnibus non inveni. pura hominis meditatio sub viri nomine mystice describitur; infirma vero cogitatio mulieris titulo praenotatur. bona vero opera ad masculum referimus; actus autem noxios sexus inferioris charactere figuramus: unde poeta, Varium, inquit, et mutabile semper (Virg. *Aen.* iv. 569.) femina. cum omne cor hominis ab adolescentia malitiae et iniquitati sit fere obnoxium, in hac ruina generis humani facilior semper mulier declinat ad casum. iccirco in mille intellectibus, qui ad infirmitatem mulieris non appropinquant, vir ille quaerendus, vir ille tibi reperiendus est, cuius carnem in mundo nulla humana macula polluit, cuius animam in corpore nulla peccati labes infecit. ardentissimo igitur fac desiderio quod sponsa illa egit in Cantico, quae (Cant. ii. 5.) viri huius amore dum languit semitas illius constanter investigavit.

*De hospitalitatis gratia exempla sanctorum patrum imitanda.*

(Cf. Cant. iii. 1.) In lectulo meo, inquit, per noctem quaesivi quem diligit anima mea. lectulus iste, filia Syon, in quo quaerere debes virum quem anima tua diligit, quietem contemplantium sollerter intellige, quae quanquam per speculum et in (Cf. 1 Cor. xiii. 12.) aenigmate videatur, tamen a perfecta visione dei in nocte huius saeculi oculus caligat. ipse namque est de quo pro- (Cf. Zach. vi. 12.) pheta: Ecce, inquit, vir cuius est Oriens nomen eius.[13]

[a] tuos.

orietur tibi vir iste, si hunc quaesieris, purus et mundus, ut te purificet et emundet et in te quietem sibi stabilem aeternaliter collocet. colloca fratres eius in diversorio, et pauperes eius in hospitio. audivimus frequenter ab his qui hospitalitati studuerunt aut ipsum dominum aut sanctos eius angelos caritatis officio fuisse susceptos. unde apostolus Petrus in epistola sua: Hospitales invicem, ait, sine murmuratione. et Paulus, vas electionis et gentium doctor, in epistola ad Hebreos scribens ait: Caritas fraternitatis maneat in vobis, et hospitalitatem nolite oblivisci; per hanc enim placuerunt[14] quidam angelis hospitio receptis. Abraham, pater fidei, humanitatis praebens officia, deum quibusdam indiciis loqui in tribus angelis intellexit, quos post refectionem ad caelos ire oculis etiam corporalibus vidit. Loth autem, quos homines putans ad hospitium invitavit, angelos in Sodomis esse cognovit, quorum ductu ruinam et incendium pravae civitatis evitavit. duo vero discipuli, cum peregrinum in via aestimarent vespere ad mansionem cogere, ipsum dominum in fractione panis meruerunt[a] invenire, et quem secum gradientem per totum diem cognoscere non possunt in hospitalitatis officio et refectione cognoscunt. hoc est quod saepius audisti, quod de muliere forti scriptum legimus: Manum suam aperuit inopi et palmas suas extendit ad pauperem. et quamvis hoc de sancta dictum intelligamus ecclesia, quae mysteria fidei per veritatis operarios nescientibus aperuit, et praedicatores suos ad instruendas insipientes gentium nationes longe lateque dispersit, tamen secundum litteram omnibus eleemosynas facientibus patenter intendit. unde et Ecclesiastes, filius David regis Ierusalem, ad pietatis opera animam tuam provocat, et quid sit agendum utiliter informat. Mitte, inquit, panem tuum super transeuntes aquas, quia post multa tempora invenies illum. Ecclesiastes contionator dicitur, cuius sermo omnes instruit et hortatur: filius est David, filius patris desiderabilis, filius manufortis, filius regis Ierusalem, qui omnibus hanc sententiam intonat generalem. filius David ait: Mitte

1 Pet. iv. 9.
Cf. Heb. xiii. 1.
Gen. xviii.
xix.
S. Luc. xxiv.
Prov. xxxi. 20.
Eccl. xi. 1.
Cf. Hier. Comm. ad init.

[a] coeruerunt.

panem tuum super transeuntes aquas: filius dei contionator noster dicit:

*(Quomodo carnis munditia eleemosynarum operibus sit comitanda.)*

S. Luc. xi. 41. Date eleemosynam, et ecce omnia munda sunt vobis. quisquis igitur necessaria indigentibus erogat in seipso prius opus misericordiae faciat, ut coram deo eius opera appareant gratiosa. quem vero luxuria premit aut debilitat avaritia, cui immunda caro est et polluta conscientia,[a] non sibi omnia munda esse autumet, licet panem terrenum pauperibus dispendat; nisi eius vita prius munda fuerit, fructus eleemosynae in illo non placebit. hoc est quod Salomon ait: Mitte panem tuum super transeuntes aquas. sicut enim aquas impetuoso cursu defluere cernimus, ita cuncta temporalia labi et decidere non dubitamus. oriuntur et crescunt, transeunt et deficiunt. panem ergo super transeuntes aquas mittere est in eis pro Christo necessaria collocare beneficia quorum conversatio in caelestibus splendet, quamvis sint in
Apoc. xvii. 15. corpore collocata. et, quia teste Iohanne aquae multae populi sunt, qui popularem supergred⟨iuntur vit⟩am[b] virtutibus et peritura mundi gaudia non desiderant, hi sunt qui ut pennata animalia seipsos super aquas, hoc est super transitoria, contemplando levant. ascende itaque super te, et ab infimis ad superos avolare contende, et pretiosis operibus animam tuam redime. mitte panem tuum super transeuntes aquas, id est satage ut corporalia subsidia fratribus Christi dividas, quia post multa tempora invenies illum; post excursum videlicet saeculi pro terreno panem recipies angelorum. Date, inquit dominus, eleemosynam.

*De operibus misericordiae.*

Prius ergo in te actus exerce misericordiae et postmodum ceteris misericordiam impende. qui fornicatur, qui facit adulterium, qui sacrilegia committit, qui perpetrat homicidium, qui operatur incestum, qui mendaciis et periuriis

[a] conscientia *cor. rec.*; conti entia *Vit.*, *an erasure between* i *and* e.
[b] *supplied from Gale*; *Vit. is mutilated.*

vacat, qui ad illicita perversitatis opera prius cor et postea corpus inclinat, quamvis eleemosynam det iuxta praeceptum domini, non tamen omnia munda sunt ei. sed innocens Ps. xxiii. 4. manibus et mundo corde, qui non accepit in vano animam suam, nec iuravit in dolo proximo suo, hic accipiet benedictionem a domino et misericordiam.

### *De spiritualibus animae vestibus.*

Audi quid Iohannes apostolus dicat: Suadeo tibi e⟨mere Apoc. iii. 18. a me aur⟩u⟨m⟩ [a] ignitum et probatum, ut locuples fias, et vestimentis albis induaris, et non appareat confusio nuditatis tuae; et collyrio inunge oculos tuos ut videas. si locupletari desideras et perpetuas tibi congregare divitias, eme tibi aurum ignitum, aurum probatum. a quo? a Christo. quid est aurum ignitum, aurum probatum? perfectae caritatis donum. qui ergo ab ista decoquitur ut aurum fiat promeretur; et sordes cunctas fervor ille comedit ubi virtutis huius gratia splendescit. alba autem sunt vestimenta innocentia et iustitia, hoc est ut innocenter vivas et ab operibus iustitiae non recedas; qui ubi radix [b] fuerit, frondibus et fructu arbor non carebit. in quo enim radicitus ignea caritas infigitur, in eo virtutibus aliis bona actio multiplicatur; qui autem huiusmodi sunt tanquam fructuosa arbor opera pretiosa spargunt pro pomis, nec ut sterilis et infructuosa reddunt verba pro foliis: qui tali dum manet in corpore utitur indumento, confusio nuditatis suae non patebit in futuro. qui enim secundum Adam deformis apparuit, secundum Christum in iudicio speciosus apparebit. collyrio itaque oculos tuos inunge, id est in meditatione sanctae scripturae iugiter versare, qua mentem tuam satagas imbuere plenius, ut se tibi videndum infundat deus. Beati S. Matth. v. 8. enim mundo corde quoniam ipsi deum videbunt.

### *De spiritualibus epulis et de spirituali gladio quo conterendus est inimicus.*

His ita decursis redeamus ad materiam et pede libero inceptam prosequamur viam. cave ergo, dilectissima mihi,

[a] *mutilated.* [b] radit *altered by cor. rec.*

ne te spiritualis Olofernis inflectat ad luxum, qui ministrare consuevit copias voluptatum. si tibi de calice Babilonis aliquid propinaverit, custodi labia interioris hominis ne sepeliaris vino pravae delectationis: si tibi peccati cibos ut comedas apposuerit, infatuatum ne contingas saporem, Judith xii. 19. sed fac quod honesta mulier fecit et fortis. epulas quas ei ancilla sua praeparaverat ipsas sancta femina in convivio degustabat. hoc et tu facere non negligas, sed in spiritualibus virtutibus, in quibus ab infantia versata est caro tua, frequenter assuescat anima tua. quod si contigat te aliquando in victu et vestitu pro loco et tempore corporalibus uti deliciis, utere eis non pro se, sed pro te: utere, dico, non pro voluptate sed pro necessitate, non ad tumorem sed ad humilitatem, non ad gulam sed ad carnem in dei obsequio sustinendam, non ad appetitum illicitum sed ad iumentum Ps. lxxii. 23. domini sustentandum. Ut iumentum, inquit ille, factus sum apud te. iumentum ne insolescat, humili annona reficitur et portandis oneribus subiugatur: sic et caro nostra, quibuscumque fuerit sustentata cibariis, semper subiciatur operibus rationis. si hoc contemplatus fuerit Olofernes, falletur in experta simulationis sanctae fallacia et totus dissolvetur ebrietate copiosa; intendetque ad hoc ut tuam violet pudicitiam: sed tu eum in cogitatione nefaria illaqueabis ad ruinam; et cum putaverint cetera vitia quod te illecebra carnalis evicerit et viriles animos ad mollitiem mulieris inflexerit, spiritus sancti ne tardes apprehendere gladium ut caput Olo- S. Mar. ix. 28. fernis reseces virulentum. Hoc genus, inquit dominus, non[15] potest exire nisi in oratione et ieiunio. quod est illud genus? daemonii scilicet, quod quemadmodum multorum corpora miserabiliter affligit, ita multo miserabilius animas quas occupat torquere consuevit. ideo decet abstinere, decet et orare. quomodo oravit sancta femina Iudit? Domine, inquit, deus omnium virtutum, respice in hanc horam[16] ad opera manuum tuarum[17] ut exaltetur Ierusalem, quia nunc est tempus suscipiendi hereditatem tuam: et fac cogitationem meam in quassationem gentium quae insurrexerunt super nos. ora igitur et tu, ut ipse qui est deus omnium virtutum sanctas virtutes in interiore homine tuo coadunari faciat, quarum semper incedas glorioso vallata praesidio; et in illa hora cum temptatio aliqua molesta ingruerit, cum titillatio carnalis occurrerit, roga sponsum tuum, obsecra dominum tuum, ut exaltetur civitas sua, civitas Ierusalem, anima tua. haec est quae pacis intimae consistere debet in specula, et vitiorum omnium vitare litigium, contemplari regem Salomonem in dia⟨de⟩mate suo et admirari civium omnium frequentiam, rosas in martyribus, in confessoribus violas, lilia in virginibus rutilare candentia. tunc itaque tempus adveniet suscipiendi hereditatem suam, hereditatem gratam, hereditatem deliciosam, carnem et animam tuam. quamdiu inter haec duo in principalibus vitiis aliquod oritur semen diaboli, non est illa hereditas Christi. multae enim sunt gentes et densa atque infinita vitiorum agmina quae hanc hereditatem quaerunt subvertere sibique infeliciter subiugare. Sine me, inquit dominus, nihil potestis facere. cum Iudith virtus domini indubitanter fuit, quia sine adminiculo fortitudinis eius victoriam de tyranno obtinere non potuit. arripuit ergo gladium et appropiavit ad lectum. comam capitis apprehendit,[18] et bis in cervicem percussit et caput Olofernis amputavit. quomodo percussit sancta femina bis in virtute sua, ita et tu percutere bis ne cuncteris in virtute tua. virtute itaque dei virtus tua fulciatur, ut bina percussione principalis suggestio antiqui hostis abscidatur. quid enim est aliud bina percussio quam dei et proximi dilectio? his abundanter inimicus conteritur, cum verbi dei gladio cor diligentis ad compunctionem perforatur. taliter castitatis armata praesidiis domino gloriae placere poteris et portas ingredi supernae civitatis.

S. Joh. xv. 5.

Cf. Judith xiii. 9.

*De quadriga qua beata Athelburga elevata est ad supera.*

Satis et satis habes monasterio tuo cotidie prae oculis, cuius sanctitatis opera praecordialiter imiteris; gloriosa et insignis et pretiosa sponsa summi regis Athelburga tibi sanctae virginitatis effecta est speculum, tibi cudere non desinit sanctae castitatis ornamentum: ipsa tibi formam imprimit sollicitudinis, quanta sedulitate invigilare debeas circa salutem a deo tibi commissi gregis. sic animas con-

serva ut corpora in defectu non deseras; sic corporibus provide[a] ut animabus pabulum vitae non subtrahas. hoc egit felix illa mater tua beata et illustris Athelburga, illustrata caelesti sapientia et extenuata divinitus spiritus sancti disciplina. hanc comitabatur in verbo et opere temperantia quae est modus vitae. ultra se elata virgo sacra non tumuit, quam magistra humilitas ubique custodivit; individua comes illi adiuncta est sancta verecundia, per quam tranquillitas animi perseverabat immota; in virginali continentia coronata est castitas, de qua quasi geminae soboles egrediuntur decus et honestas. haec repressit iram, nec cuiquam rependit contumeliam. hinc est quod prudens virgo verae fidei agnitione instruitur et scientia scripturarum non mediocriter adornatur. sic testamenti veteris legebat historias[b] ut bonorum spiritualium amplecteretur figuras; sic in eius auribus cantica resonabant dulcia canticorum ut typicum spiritualiter in cordibus eius gremio procrearent intellectum; sic in illis sacramenta considerabat caelestia ut voluptatis corporeae nulla titillarent incentiva.
Cf. Cant. vi. 11. unde et hoc curru Aminadab rotam sibi tertiam adhibuit
Cf. Ep. 4, p. 59. iustitiam, in qua primum est cum timore deum diligere et veram cum veneratione religionem exercere. aurei autem sunt eius radii, cunctis prodesse, nulli invidia stimulante nocere, domesticis maxime cum pietate succurrere. omnia haec completa legimus in beata Athelburga, quae, fraternitatis amplectens vincula, pericula in se suscepit aliena. sacras virgines ordine dignitatis ecclesiasticae reverenter excoluit, opem ferre miseris mater inclita non tardavit: accepti vicissitudinem beneficii reddidit, aequitatem in iudicio conservavit. inde est quod rota in curru quarta fortitudo adiungitur, quae magnitudo animi recte memoratur. haec divitias superat et contemnit, et ambitiosas supellectiles et honores respuit; haec adversis resistit fortiter et cedit contrariis patienter; nec emollitur illecebris, nec elevatur prosperis, nec rebus frangitur aut fatigatur adversis; fortis est ad pericula, et ad labores reperitur invicta; fugit avaritiam, spernit pecuniam; constanter ad

[a] previde. [b] hystoriis.

pericula contra improbos praeparat animum; nullis cedens molestiis gloriae vitat appetitum. Seneca namque de hac ita scribit virtute: Fortior est qui cupiditatem vincit quam [Ps.-Sen. *De Moribus*, 81.] qui hostem subicit. in hoc curru ad supera virgo sacra vehitur, cui multiplex a domino immortalis vitae gloria [Cf. Ps. lxvii. 18.] praeparatur. quae sancti pontificis Erkenwaldi germana, dum fraternum in vivis operibus aemularetur studium, caelestis obtinuit militiae triumphum. nam superna ei [Bed. *H. E.* iv. 7.] claritate innuitur quis locus sanctorum corporum sepulturae debeatur. eiusdem etenim gloria in humani corporis praesignata est forma, quam ipsius discipula de domicilio dormi- [ib. iv. 9.] torii caelitus aspexit assumi et virtutum funibus ad superna gaudia sublevari. huius itaque, dilecta mater Ađelidis, actus celebres imitare et filiabus tuis quas per evangelium in Christo genuisti imitandos propone.

Qui vitam eius plenius cupit addi⟨s⟩cere, legat quod Beda in historia gentis Anglorum luculento de ista stilo contexuit, et quanti sit apud deum meriti, scire sine dubio praevalebit. secundum etymologiam nominis eius resplendent in mundo opera eius. Anglice namque Athelburga civitas dicitur nobilis vel regia, quia et nobilitate mentis et regiis splendoribus insignita. ipsa tibi cum reliquis virginibus sacris ampliorem impetret a domino gratiam, quae in monasterio cui praesides secum una celebrem sortitae sunt sepulturam.

*Epilogus totius operis et commendatio auctoris.*

Quia tibi lucidum, illustris femina, in epistolari serie cudere studui monile virtutum et novum in splendoribus aureis et pretiosis lapidibus fabricare speculum, supernae in illis sapientiae attende diligenter ornatum. in his quomodo et qualiter caelesti placeas sponso spiritualiter a⟨d⟩verte et ad desiderabilem beatae visionis eius gloriam accelera properare. illic sabbatum celeberrimum omnium reperies sabbatorum, quia felicitatis aeternae cum angelicis spiritibus desideratum pertinges[a] ad triumphum. canticum novum [Apoc. xiv. 3, 4.] a sanctis virginibus ibi cantabitur, et unaquaeque sequens

[a] pertingens.

agnum incorruptibili cyclade vestietur. pretiosum in illa luce tecum utinam videam vitae meae pretium, quod impretiabile mihi semper erit in aeternum!

His nieces at Barking.

Carnis et sanguinis mei participes, Ceciliam et Margaritam, virginalis sanctimoniae dico consortes quae, natae sororis meae, puritate innocentis vitae vestram sic in omni loco exornant progeniem ut superno sanctarum virginum sponso laudem semper referant et honorem. claritatem ipsarum in aeterni regis diademate cernere gestio, et tractus odore virgineo ad beatae visionis dei † currendo post illas inhianter anhelo. nunquam mihi sine illis longa fuit in corpore gloria, nunquam mihi sine earum glorificatione erit in spiritu glorificatio profutura. has ergo veraciter prae cunctis parentibus et notis specialiter diligo, has omnibus consanguineis meis ex affectu caritatis instanter antepono[a]; et quia eas ubique dignas invenio, dignitati maiestatis tuae diligendas, mater sancta, commendo; quas precor ut merito venerandas vice mea suscipias et fortunas tuas cum illis habeas magnifica benignitate communicatas.

Siquid in hoc opere praelibatum est quod te ad amorem sponsi caelestis possit accendere, non mihi attribuatur, sed sancto spiritui, cui non displicet per ora etiam inimicorum suorum multotiens loqui. si vero de sanctae castitatis armatura minus impolita oratione aliquid protuli, deputari debet non inmerito tenuitati paupertatis sensus mei. quicquid tamen illud est quod ex fonte tibi cordis mei gratia dei derivavit[b], ex ubertate caritatis copiosa plenitudine fluxit. talem itaque te desidero qualem tibi formam describo, et ut tales valeas omnes efficere quas sub regula castimoniae tibi dignatus est Christus subiugare. commenda igitur me religiosae congregationi tuae, ut coram David in vigiliis et ieiuniis et orationibus sanctis mei dignentur existere memores, quas non diffido me habiturum in sanctorum hereditate consortes, in qua me tuam contemplari faciem contingat in nova resurrectionis gloria, quando sanctorum corpora devicta morte resurgent immutata et coronabuntur ab auctore vitae incorruptibili laurea.

[a] anteponi. [b] dirivavit.

ad illud nos immortalitatis perducat regnum qui supernum moderatur imperium, et cui laus assidua indefesse concinitur sanctorum vocibus angelorum, cui maiestas nec incipit nec desinit in saecula saeculorum. amen.

## 43.

*Incipit epistola in vita et translatione et miraculis beatae virginis Ædburgae praemissa.*

Epistle prefixed to the Life of St. Edburga. Bodl. Laud. Misc. 114, f. 85.

Fidelibus sanctae matris ecclesiae filiis in Anglorum regno per loca dispersis, concivis et cooperator eorum per eam quae in spiritu sancto est adoptionem et fidem, Osbertus municipii Clarensis appellatus indigena, utriusque vitae felicitatem et pacem.

Dedi novis studiis operam novam deo inspirante complexus philosophiam, ut de beatae virginis Eadburgae angelica conversatione purpuram conficerem, unde in passionibus Christi efficaciter appetendis integritatem castarum mentium toga sanctae mortificationis ornarem. imitabile autem praebetur in eius vita cunctis audientibus documentum quanto amoris desiderio flagrare debeat anima fidelis ad caelum. regia namque virgo decorata egregiae puritatis titulo sic per diversas partes orbis diversis coruscat in Christo miraculis ut admiretur mundus ipsius radios claritatis. quia vero illius gesta confuso videbantur sermone contexta, nec in eis ordo venustus radiabat insertus, precibus devinctus seniorum Persorensis ecclesiae inculta studui diligentius elimare. ut enim Seneca Cordubensis ait: Saepe bona materia cessat sine artifice. oratoris igitur color rhetoricus hac maiestate debet excellere ut in elegantia verborum puritas sit aperta, et in compositione constructio respondeat aequaliter perpolita, et in dignitate refloreat sententia pulcra varietate distincta. et cum tria sint orationis genera, gravis figura scilicet, mediocris et attenuata, sic medium terere penes me decretum est tramitem ut ad locutionis infimum non decurram sermonem. artifex siquidem novus in hac suscepi constitutione cum benevolentia persuadere ut opus recens legentes non fastidient nec facta

Osbert has been asked by the Pershore monks to write a new life of S. Edburga in a more elegant manner than former lives.

Ep. xlvii. 16.

His notion of a good style.

divisione erga insolita animosius insolescant. quod namque prius veteres protulerunt sub uno, modernis a me temporibus sectum est in duo, ut vitae virginalis opera quae gessit in corpore luculenter resplendeant insigni novitate, sicque sequatur secundo iocunda translatio, ut ad scribendi concitum recurrant articulum quae per illam miracula deus operatus est post triumphum. licet enim per partes in suis sit divisa reliquiis, virtus tamen eius tota abundat in singulis: Wintoniensibus praebet in maiore sui corporis portione praesidium, Persorenses exornat gloria caelestium frequentata signorum. nec succensere decet sacras virgines, praerogativa castitatis insignes, quae in dotali virginis arce versantur Wintoniae, quod alibi praefulget densa miraculorum claritate. ibi namque illarum magnificatur excellentia ubi praecellentis Eadburgae laus est magnificata, eoque honoris et gloriae eis cumulatur deo operante solatium quo incorruptibilis virgo et celebris in suis virtutibus accepit incrementum.[a] ea de causa dignum non aestimo quiddam praetermittere quod disposita ratione sacratis deo virginibus debet complacere. sicut caritas ignita Persorensis ecclesiae coegit ut scriberem, sic familiaris dulcedo et singularis dilectio sanctarum Wintoniensium feminarum compulit ut dictarem.

Winchester, her other home, joins Pershore in demanding the work.

Nec in hoc animae sepulcro me lethei fluminis inebriavit oblivio quin vobis revelem quae ante annos quindecim felix et egregia virgo mihi contulit, dum adhuc incognita festiva me apparitione insignivit. videbatur mihi, eo quidem temporis spatio extra fines virtutis in saecularibus negotiis constituto, quod in oratorio Persorensis cenobii, quod nunquam introieram, ante maius altare in devotis precibus pervigil excubabam, cum erectus in pedibus lacrimisque madens uberibus corusco splendore vernantem Eadburgam aspexi, dei sponsam virginem, in illo quo sua imago constituta est loco, meque familiari invisere dignatam oraculo. ornata stabat undique in fimbriis aureis diversa gemmarum varietate respersis, togaque qua vestiebatur erat purpurea, et sandalia praeferebat diversitate artificiosa ultra quod

Osbert's vision in the church of Pershore.

[a] *in marg.; a rubbed space in text.*

usus habet intexta, tantaque laetitiae convenientia radiabat in vultu, tamque honesta maturitas disponebatur in gestu, ut scribenti mihi sit inexplicabilis pars maior et celebrior illius beatae visionis. meminisse tamen iuvat quod dextro pede coturnum eruit deauratum, quem inviolata virgo alacriter protulit et ad me usque in pavimento proiecit. Accipe, inquit, hoc donativum quod hodie cedit in praemium: aliud iterum tribuam quod potiorem tibi cedet ad profectum.[1] his dictis a somno expergefactus evigilo, miroque et ineffabili modo sacram mihi apparuisse obstupesco virginem, cuius vitam prius nusquam habueram familiarem. interpretentur igitur alii quod aestimant. ego vero de somnio dicam quod sentio. praescierat fortasse me in laboribus vitae suae debere manus extendere, et, cum qua communicare deberem[a] sudores in scribendo, miserationibus domini per eam communicandum esse[b] in praemio. dirigere proinde oportet cotidiana operationis meae vestigia et ex praecedentium patrum exemplis tanquam ex mortuorum animalium coriis actus meos circumdare ut inter pulcros pedes evangelizantium pacem pedum meorum gressus valeam praemunire. confido autem in domino quod agenti in extremis gloriosa virgo et felix stratam mihi Eadburga praeparabit auream, ubi sanctorum agmina plateas Ierusalem possident pretiosis lapidibus auroque constratas. in illa namque plenitudine gaudiorum serenam eius faciem concupisco cernere, quae tam praeclara visione mihi solemniter dignata est apparere. hoc itaque oro, ut inviolatae virginis iocunda promissio sic spiritualis gloriae mihi tribuat excellentiam ut pro temporalis commodi felicitate transitoria gloriam supernae[c] beatitudinis non amittam.

His interpretation.

Sed quid dico? Vulturis enim aspera et infesta crudelitas iecur in me miserae rodit conscientiae, et interiora mentis admissi sceleris recordatio laniat, quem per saeculares curas peccatrix conscientia terribiliter accusat. ipsa contra huiusmodi insidiantes adhibeat praesidium, quae se castitatis iuge praebet exemplum. nec opponat mihi quisquam me

Though no success has come to Osbert

[a] debere. [b] esset. [c] superni.

Sen. Ep. xliv. 3.

he is proud of his ancestry and relatives.

tantae non existere auctoritatis hominem ut vitam describere debeam virginalem, cum in ecclesia nec extulerit cathedra, nec fasces in re publica consulares dignitas patricia per me sit assecuta. respondeo insolentiae huiusmodi voce philosophi, quod patricius Socrates non fuit, et Cleantes undas extrahens rigandis oleribus manus praebuit, quodque Platonem non accepit nobilem philosophia sed fecit. quamvis et inter ingenuos avi mei numerati sunt et proavi, et adhuc qui videntur in carne superstites generosi resplendeant inter viros illustres.[2] suscipite itaque epistolam et in capite libri praefigite illam, cuius cum superficies grata Minervae pinguedine non eluceat, accepta dulcedine caelestis sponsae sapidius innotescat. orationum ergo vestrarum suffragia praetendite, meque merita beatae et gloriosae virginis Eadburgae una cum redemptis participem facia⟨n⟩t felicitatis aeternae. opus itaque praesens distinctum est capitulis, quemadmodum vita eius virtutibus distincta est pretiosis.

# NOTES

## 1. *To Hugh, prior of Lewes*

p. 39, n. 1. There is an article on Hugh in *D. N. B.* ; and a full account of him will be found in *Gallia Christiana,* tom. xi, 43–8. This is also accessible in Migne, *P. L.* cxcii, 1111 sqq., where it is prefixed, together with other historical matter, to Hugh's works. It is here only necessary to glance at Hugh's earliest history, and to add one or two facts which have come to light.

Lewes priory, the first Cluniac house in England, had been founded by William de Warrenne, who gave to it the ancient church of St. Pancras under the walls of his castle of Lewes.[1] Lanzo, the first prior, who was a friend of St. Anselm,[2] and of whose sanctity William of Malmesbury gives a glowing account,[3] came to England according to the Bermondsey Annals[4] in 1077 ; but he seems to have been recalled to Cluny for a whole year,[5] and this perhaps explains the entry in the annals in Vit. A xvii, apparently connected with Chichester, at f. 15 : 'mlxxviii. Adventus Lanzonis apud Lewias praesidente papa Gregorio'. Lanzo died in 1107[6] on 1 April, the Monday in Passion week.[7] The next prior was Eustace, whose existence has been generally overlooked, and of whom we know nothing beyond the fact that he died in 1120.[8] Hugh, who succeeded Eustace, must have been a young man, for he lived on until 11 Nov. 1164.[9] He had received his education at Laon and made his profession at Cluny.[10] William de Warrenne had contracted with the abbot of Cluny that the prior of Lewes should be the best monk whom the order could send after the first prior of Cluny and the prior of La Charité-sur-Loire, and that he should not be moved

[1] *Monast.* v. 12.

[2] Anselm, *Epp.* i. 2, 29 ; iii. 103 : Eadmer, *Life of S. Anselm,* R. S., p. 335.

[3] *G. R.*, R. S., ii, pp. 513-16 ; *G. P.*, R. S., p. 207.

[4] *Ann. Mon.* ed. Luard, R. S., iii, p. 425.

[5] *Monast.* v. 13 a.

[6] Vit. A xvii, f. 15.

[7] *G. R., ut sup.*

[8] Vit. A xvii, f. 15 b.

[9] *Gallia Christiana*, xi. 48 ; cf. 47 bottom. *Chron. Normanniae,* Duchesne 999 c, dates the death 12 Oct. 1163, but this is ill-attested and conflicts with its own statement, which is incorrect, that Hugh was abp. 'nearly 30 years'.

[10] Letter from Hugh to Matthew, bp. of Albano, Migne, *P. L.* cxcii, 1142.

unnecessarily.[1] The first of these requirements was well fulfilled by Hugh: he had already been prior of Limoges for some five years; his administrative ability was rapidly obtaining notice; and his piety and speculative power, which show a gravity very unlike what we find in Osbert, may be gathered from his writings published in Migne: the longest of these, the *Dialogues*, appeared within ten years of his arrival, for he was still abbot cf Reading at the time of the first edition.[2] But Hugh did not stay long at Lewes. King Henry had refounded the abbey of Reading, 18 June 1121[3]; the church was built and monks introduced in the same year,[4] though King Henry's great foundation charter was not issued till 1125.[5] This house had a close connexion with Cluny during its first century of existence.[6] Hugh was made abbot of Reading on 15 April 1123.[7] Osbert's letter must have been written before this date. For Hugh's election to the archbishopric of Rouen probably in 1129,[8] his consecration 14 Sept. 1130, and later acts, see *Gallia Christiana* and *D. N. B. ut sup.* He was succeeded at Reading by Ansger, who had also been prior of Lewes.

Osbert calls Hugh 'Hugo de Sancta Margarita'. Ordericus Vitalis[9] calls him Hugo Ambianensis. Possibly, as is suggested in *Gallia Christiana*, this second title alludes to some connexion with the counts of Amiens. Perhaps Hugh was born at Ste Marguerite in the commune of Bucy-le-Long, about twelve miles south-west of Laon, where he was educated. There is also an Ambleny in this neighbourhood.

p. 39, n. 2. *Reverentis*, sc. Osberti, gen. governed by patri, seems not impossible in Osbert's style; and it is difficult to see how such an easy reading as that of *cor. rec.'s* emendation should have been changed.

[1] *Monast.* v. 13 a.

[2] Migne, *P. L.* cxcii. 1141, notes 2 and 3.

[3] *Waverley Annals*, *Ann. Mon.*, R. S., ii. 218; under Peter a prior, who afterwards returned to Cluny (Reading Annals, Liebermann, *Ungedruckte*, &c., p. 10).

[4] Mat. Par. *Chr. Mai.*, R. S., ii. 149; Hoveden (R. S., i. 181), who dates 1125, is plainly confused.

[5] *Monast.* iv. 40.

[6] *Monast.* iv. 40, note d; *Vic. Co. Hist. Berks.*, ii. 62 b.

[7] *Flores Hist.*, R. S., ii. 49.

[8] Cf. Dr. Farrer, *E. H. R.*, vol. xxxiv, 1919, p. 551.

[9] Duchesne, p. 889 c.

p. 40, n. 3. A Westminster monk named Godfrey is recorded in Pearce, *The Monks of Westminster*, p. 42, to have gone to Rome, *c.* 1130–1134, to inform pope Innocent II concerning the intrusion of Bp. Gilbert the Universal at Westminster.

p. 40, n. 4. The allusions in these sentences only partially agree with Jerome's *De Nominibus Hebraeorum* which Osbert seems commonly to have used, where we have (in Matth.) 'Jacob, supplantator, sive supplantans', and 'Joannan, cui est gratia, vel domini gratia.' The Pseudo-Bede (*Bedae Opera*, Cologne, 1688, vol. iii), which he may have used, does not help us. There is a slight affinity with the ancient Greek *Onomasticum Coislinianum* (Lagarde, *Onomastica Sacra*, 1887, pp. 194 sqq.), which has ''Ιακοὺβ κατόρθωσις' and ''Ιωάννης ἀοράτου χάρις': but direct connexion seems impossible. It will be seen that Osbert drew his allusions far and wide from commentaries.

p. 42, n. 5. The exegesis here is almost entirely drawn from Jerome's commentary *ad loc.* To show Osbert's method of using his commentaries, part of Jerome's note may be printed in full, words directly borrowed being in italics.

'Nostri autem ita disserunt, sacerdotem esse magnum, ad quem dicitur: Tu es sacerdos in aeternum secundum ordinem Melchisedech. Qui quoniam per se *videri non pot*est a domino prophetae ostenditur *stans coram angelo* domini, quem volunt *magni consilii* esse *angel*um, *non quod* alter et alter sit aut *duas personas* recip*iamus in filio; sed quod idem* atque *unus, et quasi homo sordidatus* ostenditur *et quasi angelus mediator hominum et dei apparere* dicatur. non autem esse Iesum filium Iosedec, ex hoc conantur ostendere, quod non sit appositum in praesenti loco, filius Iosedec, qui in aliis locis, et ubi vere de Iesu dicitur filio Iosedec, semper patris cognomine censeatur. stans igitur cernitur Iesus, et *stabili consis*tens *gradu*: et Satan stabat a dextris eius, ut adversaretur ei. *tentatus* enim *est* per omnem modum *absque peccato.* et in evangelio ad eum tentator accedit, quaerens semper dextris eius et *virtutibus contraire.* quodque sequitur: Increpet dominus in te, Satan, et increpet in te qui eligit Ierusalem, sic edisserunt quia pater et filius dominus est et in centesimo nono *psalmo* legimus: *Dixit dominus domino meo,* sede a dextris meis: dominus de altero domino loquitur, *non quod ipse* dominus qui loquitur, *increpare non possit; sed* quod *ex unitate naturae cum alter increpa*verit, *incre*pet ipse *qui loquitur. Qui* enim *videt* Filium *videt et Patrem*: et *iste* est qui *elegit Ierusalem, Ecclesiam* quae pacem domini contemplatur, *Torris* autem *de igne erutus* rectissime intelligi potest, qui cum in Babylone fuerit non est Babylonio igne consumptus *nec* flamma saeculi huius *attactus*. Unde et Moyses in solitudine cernit visionem magnam, in qua *arde*bat *rubus, et non combur*ebatur. Hic *Iesus* erat *indu*tus *vestibus sordidis*; qui cum non fecisset peccatum *pro nobis peccatum factus est*. . . . Quae universa appellantur sordida vestimenta, et auferentur ab eo cum *peccata* nostra *delev*erit ut quia ille sordidis indutus est vestibus *nos resurgentes in eo* audiamus post baptisma . . .'

p. 43, n. 6. 'Omnia autem quae ipse egit in carne preces supplicationesque fuerunt pro peccatis generis humani: sacra vero sanguinis effusio clamor ualidus, in quo Exauditus est etc.' Primasius, *Comm. in Hebr.* v. 7 (Migne, col. 717).

p. 43, n. 7. 'Et Iesus erat indutus vestibus sordidis: et stabat ante faciem angeli. Qui respondit, et ait ad eos qui stabant coram se dicens: Auferte vestimenta sordida ab eo. et dixit ad eum: Ecce abstuli a te iniquitatem tuam et indui te mutatoriis' Zech. iii. 3, 4. S. Jerome *ad loc.* interprets *mutatoria* as ποδήρης or *tunica talaris*, and explains that it refers to the Incarnation; on Is. iii. 22 he says: 'mutatoria autem et pallia, quae significantius Symmachus transtulit ἀναβόλαια, ornamenta sunt vestium muliebrium, quibus humeri et pectora proteguntur. Mutatoria iuxta anagogen illa sunt de quibus dicitur: Ibunt de virtute in virtutem.' Neither of these passages accounts for Osbert's application of *mutatoria* to our Lord's glorified body. Cf. Ep. 9, note 3, p. 206.

p. 44, n. 8. The etymologies of Jesus, Judaea, and Babylon agree with St. Jerome *de Nom. Hebr.* (see Matt., Gen., and Joshua respectively). The solution of Josedec, Josias, and Sophonias will be found in Jerome's Commentary on Zech. vi. 10. Osbert's next words are unintelligible unless we have Jerome's comment before our eyes: 'Captivitas Judaeorum, id est populi dominum confitentis, vitia sunt atque peccata, quae qui coeperit agere paenitentiam et desiderare pristinam Ierusalem . . . deserit . . . ac dimittit . . . Offertur autem aurum et argentum ab his qui et sensu et sermone dominum confitentur; et fiunt ex eo, id est auro et argento, coronae in domo Iosiae, qui interpretatur salvatus et est filius visitationis domini . . . et recte dicitur Iosias, salvatus, quia et ipse reversus est de Babylone. imponuntur autem coronae, vel corona, Jesu filio Iosedec, sacerdoti magno, quia nobis proficientibus et reversis ad meliora, per singulas virtutes nostras dominus coronatur.' It is plain from this that 'sensus' and 'sermo' correspond to 'aurum' and 'argentum', and that we must emend 'orationis' of Osbert's MS. into 'coronis'. 'In his' (l. 9) would appear to refer back to 'illos enim quos . . . quorum' (l. 7). The phrase 'insigne victoriae' below, and the return from the waters of Babylon to the joys of Jerusalem, are also taken from the context in Jerome.

p. 44, n. 9. *tertium sabbatum* = the jubilee year, interpreted as the love of God, the other two sabbaths being the sabbath of days, or self-love, and the sabbatical year, or love of neighbours. See Aelred of Rievaulx, *Speculum Caritatis*, III. i–vi (Migne, *P. L.* cxcv. 575–85), and *Compendium Speculi*, cc. ix–xiv (*ib.*, coll. 628–33).

p. 45, n. 10. *magni consilii angelum.* Is. ix. 6. The LXX has 'καλεῖται τὸ ὄνομα αὐτοῦ Μεγάλης βουλῆς ἄγγελος.' The Vulgate, like Symmachus' Greek, has the familiar 'wonderful, Counsellor', 'admirabilis, consiliarius', but Jerome in a note on Is. ix. 6 gives 'et vocatur nomen eius magni consilii nuntius', and on Zach. iii. 1, as above, he has 'magni consilii angelum'. This is reckoned by Sabatier as the O. L. text, which in the prophets has to be derived entirely from patristic citations. 'Magni consilii' (or 'magnae cogitationis') 'nuntius' or 'angelus' is widespread in the fathers (cf. Sabatier, *ad loc.*, and Robinson's *Irenaeus on the Apostolic Preaching*, c. 56) and in medieval authors; and it must have been familiar to Osbert from the Missal, where 'magni consilii angelus' stands in the Introit of the third Mass for Christmas day. (Cf. *Westminster Missal*, H. B. S., i. col. 41.)

p. 47, n. 11. For this and two other quotations from Hier. *in Mic.* vii 5, see note 2 on Ep. 3.

p. 48, n. 12. A Westminster monk named Roger witnesses a charter mentioned in Pearce, *Monks*, p. 43. But it is perhaps a Lewes monk who is here referred to.

## 2. *To Herbert, abbot of Westminster*

p. 49, n. 1. For Herbert see Robinson, *Flete*, pp. 142, 87 sq.; Pearce, *Monks*, p. 41. He became abbot probably in Jan. 1121.[1] Flete tells us that he was a Norman. Symeon of Durham[2] (who is our authority for saying that he had been almoner of Westminster),

[1] Eadmer, *Hist. Novor.*, R. S., p. 291.

[2] R. S., ii. 259.

followed by Hoveden, says he was elected abbot: doubtless the king had a hand in the matter, for Eadmer's phrase is 'abbas constitutus est', and the Winchester Annals (*Ang. Sac.* i. 298) say 'Dedit rex...abbatiam Westmonasterii Hereberto monacho eiusdem loci'.

If Herbert became abbot in Jan. 1121 Osbert's trouble probably began at Passion-tide 1121,[1] and this letter would be a year later, Passion-tide 1122.

Herbert's prior, Edwius, attests a charter in the Westminster *Domesday*, f. 124. He occurs also in CCCC MS. 367, f. 51, sending a letter with abbot Hubert (*sic*) to Warin prior and Uhtred cantor of Worcester, relating to a monk of Malvern.

The date of Herbert's death is not certain. His successor was put in as abbot, Sunday 17 Dec. 1138, by Alberic the legate.[2] Flete dates Herbert's death 3 Sept. 1140. The day may be right: the year cannot be later than 1138.[3]

This letter is dealt with in the Introduction, pp. 4–7. In this dignified remonstrance with his abbot Osbert's fondness for rhymed prose, and in a less degree for alliteration, may be noted.

p. 51, n. 2. *murorum, utinam et morum.* Cf. *Liber Eliensis,* ii, p. 261: 'Praesidente siquidem nobis sanctae recordationis abbate Symeone, coetus noster et locus moribus et muris non parum profecerunt.' Osbert's *Life of St. Edburga,* Bodl. Laud. Misc. 114, f. 102: 'quam precipue devotionis iubilo beate et gloriose virginis Edeldrede preclaros radios extulit qui Eliensem insulam integritate morum et murorum reparatione circumcinxit.'

### 3. *To Henry, presbyter of Westminster*

This letter, in which Osbert complains to Henry his kinsman and fellow-monk of his harsh treatment and speaks of his lectures while in office at Westminster, belongs apparently to the early period of happy exile at Ely.

p. 54, n. 1. Seneca (Ep. xxxv. 1) has 'Qui amicus est, amat; qui amat non utique amicus est'.

p. 54, n. 2. Osbert is closely following Jerome's commentary on Micah vii. 5, from which he derives ideas, vocabulary, and literary

[1] See Ep. 3, p. 54.
[2] Joh. Wig., ed. Weaver, *Anecd. Ox.*, p. 53; not noted in *Flete* or *Monks.*
[3] Cf. *Flete*, p. 142.

ornaments. In quoting 2 Tim. iii, Osbert partly follows the commentary and partly introduces Vulgate readings. The passage is sufficiently interesting to be printed in full, with Osbert's borrowings italicized. It runs thus:—

'*Nolite* ergo *credere amicis, quia omnis amicus supplantatione supplantat,* et qui propter aliquid amicus est *non tam amicus eius* est *quem amare se simulat* (*ab amore* quippe *amicus* dicitur) *quam eius rei quam diligit. Interrogatus quidam quid esset amicus respondit*: *Alter ego.* Quod si Pythagoraeum nobis opponitur exemplum, qui se vades invicem tyranno dederunt, dicimus non generaliter adversum omnes amicos et caritatis affectus sententiam a deo esse prolatam, nec contra omne tempus, sed de eo super quo *Apostolus ait*: *In novissimis diebus advenient*[1] *tempora periculosa*: *erunt* enim[2] *homines seipsos amantes, cupidi,* fastidiosi,[3] *superbi, blasphemi, parentibus non obedientes, ingrati, scelesti, sine affectione,* [4]*pactum non custodientes, delatores,*[4] *incontinentes, immites, sine benignitate, proditores, protervi, inflati,*[5] *voluptatum amatores magis quam dei,* et caetera.[6] *Tunc enim tradet frater fratrem, et pater filium,* et mater filiam, *et inimici hominis domestici eius. Sed* et *nunc rara fides* est: cum *aliud in* labiis, *aliud in corde versatur*: *venenum* animi *linguae mella tegunt. Amici divitum multi, a pauperibus etiam qui videntur* esse *discedunt.*[7] Unde dicitur: *Si habes amicum in tentatione posside illum.* Legi in cuiusdam Controversia: *Amicus diu quaeritur, vix invenitur, difficile servatur.* Scripsit Theophrastus tria de amicitia volumina, omni eam praeferens charitati, et tamen raram in rebus humanis esse contestatus est. Est et Ciceronis de amicitia liber, quem Laelium inscripsit: in quo illud quod apud nostros praecipitur: Ut sit nobis amicus quasi vinum vetus et in sanitate bibamus illud, pene eisdem verbis positum est. Amicitia pares aut accipit aut facit: ubi inaequalitas est, et alterius eminentia, alterius subiectio, ibi non tam amicitia quam adulatio est. Unde et alibi legimus: Sit amicus eadem anima. Et *lyricus pro amico precans*: *Serves, inquit, animae dimidium meae* . . . (Hier. *in Mic.* vii. 5, Migne, *P. L.* xxv. 1218).

Jerome then quotes St. John xv. 15, as Osbert has done in Ep. 1; states that though bishops and clergy are to be respected they are not to be trusted, and concludes with a long warning against princes,

[1] instabunt, *vulg.* [2] *vulg. and Osb. omit.*
[3] elati, *vulg. Osb.* [4]—[4] sine pace, criminatores, *vulg.*
[5] tumidi, *vulg.* [6] habentes—devita, *Osb. from vulg.*
[7] This and the two following quotations are used in Letter 1, to Hugh, pp. 47, 48.

wives, and stepmothers, in which Osbert nowhere appears to follow him. Note that whereas Jerome above correctly represents Micah on the betrayal of daughters by mothers, Osbert confines himself to St. Matt. x. 21, 36, and thus avoids reference to the perfidy of women.

p. 55, n. 3. Cf. 'Qui in prosperis amicus non apparet in adversis non latet inimicus,' given as a quotation in Joh. Sarisb., Ep. clv.

p. 55, n. 4. Cf. Osb. *Life of St. Edburga*, Bodl. Laud. Misc. 114, f. 91 : 'Quinetiam consul ille anichius in libro de consolatione phylosophye scribit boetius'. Boethius's words are : 'Quae vero pestis efficacior ad nocendum quam familiaris inimicus?' Gervase of Canterbury, R. S. i, p. 404, has 'scientes quod nulla pestis efficacior est ad nocendum quam familiaris inimicus'. St. Jerome in writing to Demetrias of her family speaks of 'illustre Anicii sanguinis genus in quo aut nullus, aut rarus est, qui non meruerit consulatum' (St. Jer. Ep. cxxx.).

p. 55, n. 5. The passage in St. Jerome moulds Osbert's language for some lines. From the minute variations recorded in Hilberg's text it appears as if Osbert used a copy allied to the Zurich MS. Σ or the Vatican MS. D. Jerome's letter runs as follows, Osbert's borrowings being italicized. (Ep. xlv. *ad Asellam*, ed. Vallarsi, 1766, i. 195 ; *P. L.* xxii. 481 ; Hilberg, *C. S. E. L.* liv. 324).

*Osculabantur quidam mihi manus*[1] *et ore vipereo detrahebant : dolebant labiis, corde gaudebant. Videbat Dominus et subsannabat eos*[2] *et miserum me servum* suum[3] *futuro cum eis iudicio reservabat. Alius incessum calumniabatur et risum*; *ille vultui detrahebat, hic in simplicitate aliud suspicabatur.* Pene certe tri*ennium cum eis* vixi. *Multa me virginum crebro turba circumdedit.* Divinos libros *ut potui* nonnullis *saepe disserui.* Lectio *assiduitatem, assiduitas familiaritatem, familiaritas fiduciam fecerat. Dicant quid unquam in me aliter*[4] *senserint quam Christianum decebat.* Pecuniam cuiusquam accepi? etc.

## 4. *To David*

p. 58, n. 1. Apparently a letter of the Ely exile. One friend has begun to turn to Osbert, but it is not safe to speak publicly of this. Hence there are no names in the salutation.

[1] *Order of Osbert and MSS. Σ D.* [2] eos *G K. Osbert*, illos *cett.*
[3] me *om. G K.* servum suum *om.* N.
[4] *no MSS. seem to have Osbert's order here.*

p. 59, n. 2. Cf. p. 176. The quadriga is a vehicle of four horses, not four wheels. St. Ambrose *in Cant.* (Migne, xv. 1945) mentions four good horses, the virtues named by Osbert, and also four bad horses. Many of the Fathers do not commit themselves as to horses or wheels, but the four wheels appear in Walafrid Strabo and Anselm of Laon. The cardinal virtues seem to be mentioned in this connexion only by St. Ambrose and Rabanus Maurus (*De Universo*, Migne, *P. L.* cxi. 215 c). William Fitzstephen (*c.* 1180) after mentioning the four virtues says: 'Haec est quadriga Aminadab, haec est Diatessaron prima, haec est in terris summa harmonia, etc.'[1] With this cf. Osbert's *Life of St. Edburga*, Bodl. Laud. Misc. 114, f. 91 b: 'Dyatthessaron vero celeste morum nobilitate concinum reddebat in illa decus nature. in qua prudentia iustiticiae sic sortita est copulam ·/ ut fortitudini temperantia superne dulcedinis misceret armoniam.' Probably Osbert and William Fitzstephen had a common source which we have not found.

'Bigae' occurs in *Vulg.* only Isa. xxi. 9. Jerome *ad. loc.* mentions two horses, as does Haymo of Halberstadt.

p. 59, n. 3. *Labor . . . opus.* No Virgil MS. seems to have this order. If our MS. reading 'animi' means that Osbert read 'Averni' he is with the Palatine and Roman MSS.: but perhaps he picked his quotation from a Father or a *Florilegium.*

p. 62, n. 4. Hier. *de N. H.* (1 Regg.): 'David fortis manu sive desiderabilis'. Ps.-Bede (*Bedae Opera*, Cologne, 1688, iii. 408) has: 'David fortis manu sive vultu desiderabilis'. Cf. Ep. 10, p. 75; Ep. 42, p. 171; Osbert, Prol. to *Life of St. Edward*, B. M. Addit. MS. 36737, f. 140: 'Hec est speciosa abigail in cuius sinu noster iste david requievit ·/ noster desiderabilis ·/ noster manu fortis.'

For *ironia* and *antiphrasis* see Leipsic *Thesaurus Ling. Lat.* s. v. *antiphrasis*, where is quoted Donatus, *Gramm.* iv. 402, 3: 'Antiphrasis est unius verbi ironia.' Cf. W. Malm. *G. P.*, R. S., p. 296: Malvern 'bene et pulcherrime vernat', Goscelin *de Transl. S. Aug.*, Vesp. B xx, f. 102 b: 'carbunculus quod malum franci per antifrasin bonum malannum vocant'.

## 5. *To Anselm, abbot of Bury*

p. 62, n. 1. As there is no account in *D. N. B.* of this abbot, who was one of Osbert's closest friends, it will be well to go into his history in some detail.[2]

[1] *Materials for Life of St. Thomas*, R. S., iii, p. 40.

[2] The fullest account seems to be in Battely's *Antiquitates Rutupinae*

Anselm was born in Lombardy,[1] we may suppose about 1080. His parents were Richezia or Richeria, St. Anselm's only sister, and Burgundius, one of those men of note whom St. Anselm advised.[2] Their other children all died young, but they dedicated Anselm to the monastic life.[3] He seems to have been placed in the monastery of St. Michael at Monte Chiusa:[4] and perhaps St. Anselm first met his nephew when he spent Easter, 1098, at Monte Chiusa with Eadmer.[5] The archbishop took him for a time to live with him at Lyons,[6] where he had a very severe illness.[7] Burgundius was then on a journey to the Holy Land, from which perhaps he never returned. When young Anselm was recovered the archbishop sent him to Canterbury, and committed him to prior Ernulph's care.[8] He was set to study with a boy called Theodore under a master named Walter[9]; and his uncle twice[10] urges him to give attention to plain prose rather than to verse or elaborate speech—an indication of a poetical turn which one might suspect from letters written to the younger Anselm in his later life. St. Anselm seems to have been still abroad when Burgundius died; and he writes to his nephew concerning the steps he has taken to provide for Richezia by transferring her to the convent of Marcigny: to this the nuns of Marcigny and the abbot of Cluny agree, but the Cluny monks are opposed.[11] Young Anselm remained at Canterbury till his uncle's death in 1109; and Eadmer, who was much attached to him,[12] says that his gentleness commended him to the English, who regarded him as one of themselves.[13] Queen Maud, too, showed him kindness.[14]

On the archbishop's death he returned to his monastery in Italy; and was soon made abbot of St. Saba's at Rome by pope Paschal, with whom he was on very friendly terms.[15] In 1114 Ralph of Séez became archbishop of Canterbury, and sent John abbot of Peterborough and others, to fetch his pall from Rome.[16] Pope Paschal was

*et S. Edmundi Burgi*, 1745, pp. 63–74. For a list of St. Edmunds MSS. see *Vic. Co. Hist.*, *Suffolk*, ii. 56 n.

[1] Harl. 1005, f. 217 b, note; for this see E. Bishop, *Liturgica Historica*, p. 247, where part is printed; Thurston and Slater, *Tractatus*, pp. 102–4.

[2] S. Ans., *Ep.* iii. 66, Gerberon, p. 391.

[3] S. Ans., *Ep.* iii. 43.

[4] Harl. 1005.

[5] Eadmer, *Vita S. Ans.*, R. S., p. 389.

[6] S. Ans., *Ep.* iii. 66.

[7] S. Ans., *Ep.* iii. 67.

[8] *ib.*, 77.

[9] S. Ans., *Ep.* iv. 52.

[10] *ib.*, 31; Gerberon, Supp. vi = Migne, iv. 14.

[11] *ib.*

[12] *Ep.* iv. 52.

[13] *Hist. Nov.*, R. S., p. 228.

[14] S. Ans. *Ep.* iii. 96, 97.

[15] Harl. 1005 *ut sup.*

[16] Eadmer, *Hist. Nov.*, p. 228.

reluctant to grant it to him,[1] but abbot Anselm, who had perhaps met abp. Ralph, who was a close friend of abp. Anselm,[2] persuaded the pope to grant the pall. The messengers were sent back empty-handed, but Anselm followed with the pall and with a letter to K. Henry protesting against the appointment of ecclesiastics without papal consent, in which Anselm is spoken of as legate and as 'carissimum filium Anselmum, familiarem tuum'. Anselm delivered the pall amid great solemnity in Canterbury cathedral on 27 June.[3] On 16 Sept. he delivered another papal letter at a council held at Westminster; the answer to this was carried by envoys sent from Henry himself, and Anselm returned to Rome.[4] In August 1116 he was back again in Normandy, and came to the king bearing letters designating him as legate for England. A council was held under the queen at London; the archbishop hastened to find the king at Rouen, and with his consent proceeded to Rome to protest: Eadmer went with him, having previously seen Anselm at Rouen, where the king, though refusing to allow Anselm to enter England, treated him with generous hospitality. In spite of further letters from pope Paschal, Anselm failed to enter England, but he did not return to Rome till 1120.[5] A reminiscence of these events may be seen perhaps in the St. Edmunds calendar, which notices that in 1116 the city of Rouen was almost entirely burnt.[6] W. Malmesbury implies that Anselm, like other unsuccessful legates of this time, Guido bp. of Vienne (afterwards pope Calixtus) and Peter, made 'grandis praeda' out of the legature.[7]

According to Harl. 1005 the king now asked that Anselm might be sent to England for promotion to a bishopric. Whether this is true or not it is clear that Henry esteemed Anselm, both from the phrase quoted above and from his generous treatment of him at Rouen, and further from the grant of land at Rouen to be mentioned

[1] Because he had not been consulted, Eadmer, p. 229, Hunt in *D. N. B.*, Art. Ralph d'Escures; 'quia comitasset dampnato imperatori henrico', Harl. 1005.

[2] W. Malm., *G. P.*, R. S., p. 127; cf. Eadmer's 'morem veri amici' on p. 228.

[3] Eadmer. *Ann. Dunstaple* (Luard, *Ann. Mon.*, R. S., iii. 14) says Anselm 'consecrated him', but he was consecrated bp. of Rochester, 9 Aug. 1108, by St. Anselm.

[4] Eadmer, *Hist. Nov.*, R. S., pp. 228–34.

[5] Eadmer, *Hist. Nov.*, R. S., pp. 239–59. Harl. 1005 is silent as to these events.

[6] Harl. 447, f. 121 b.

[7] *G. P.*, R. S., p. 128.

later; and if it be true it would account for, if not excuse, Anselm's later behaviour in regard to the see of London. Perhaps Harl. 1005 is to be trusted when it says that Anselm settled at St. Edmunds somewhat reluctantly. The monks, who now had no abbot (for abbot Albold died on 1 March 1119[1]), pleased with Anselm's wisdom soon elected him to fill the vacancy; whereupon the pope granted to him all the insignia which he could grant to one not actually a bishop[2]—ring, staff, mitre, and sandals. His election, and its confirmation by the archbishop, seem to have taken place in 1121,[3] some time after Albold's death.[4]

It is possible to derive a good deal of information concerning his abbacy from the large store of St. Edmunds MSS. in the British Museum, and from other sources.

Anselm continued to enjoy the favour of Rome. When abp. William of Corbeil went to Rome in 1123 to ask for his pall, it was expected that abp. Thurstan, who also went to Rome, would cause trouble;[5] and Anselm was one of the companions whom abp. William took with him.[6] No doubt his former success in the matter of abp. Ralph's pall commended him for this purpose. Pope Calixtus II granted him a privilege, perhaps as Battely thinks[7] during this visit. This document,[8] in which Anselm is warmly commended, besides rehearsing the liberty and rights of the abbey, its freedom from episcopal control, and its right to invite any catholic bishop to ordain ministers or consecrate sacred objects, contains the sentence: 'Sane si locus vester in episcopatum fuerit commutatus et episcopalis ibi constituatur sedes, nullus ibi ullo tempore nisi monachus[9] in episcopum ordinetur.' Pope Lucius II repeated the privilege, but without the bishopric clause, 1 Apr. 1144.[10] A similar privilege, lacking the bishopric clause but confirming the

[1] Harl. 743, f. 52, printed in *Monast.* iii. 155.

[2] Harl. 1005, 218 a and b, note.

[3] Harl. 743, f. 52.

[4] Ord. Vit. (Duchesne), p. 872 d.

[5] Symeon of Durham, R. S., ii. 272. T. Stubbs, Twysden, *X Scrr.*, col. 1717, makes Thurstan speak on behalf of abp. William.

[6] *Saxon Chron.*, E. 1123; Joh. Wig., ed. Weaver, p. 17.

[7] p. 65. Certainly David, bp. of St. Davids, and Seffrid Pelochin, then abbot of Glastonbury, did business of their own. Jaffé, *R. P.*, i. 813, Adam of Domerham, Hearne, p. 120.

[8] Addl. 14847, f. 8 (*Reg. Alb.*); Battely, *ut sup.*

[9] 'monachus S. Edmundi' in Jaffé; but his authority, Battely, who used *Reg. Sac.* and *Reg. Nig.* agrees with *Reg. Alb.* as above.

[10] Battely, p. 66; Addl. 14847, f. 7 b.

abbey in the many possessions which Anselm had given to it, was granted by Eugenius III, 1 July 1147.[1] Anselm was also in Rome, perhaps as will appear on difficult business, when Alberic the legate came to St. Edmunds in 1138.[2] The late note in Harl. 1005 tells us that Anselm was 'familiarissimus summis pontificibus, maxime pascali . calixto . innocenti . lucio & eugenio ut privilegia ab eis data testantur'. The privilege of Pascal would be connected with his legature[3]; that of Innocent perhaps with his appointment to the see of London.

We may suppose that Anselm remained on friendly terms with King Henry. In Ep. 5 Osbert calls him 'deliciae regum', and in letter 6 speaks of 'Salomon ille tuus'. A letter from K. Henry to the abbot is preserved in the Holford MS., f. 2. In it the king addresses Anselm in the most friendly terms, and refuses to allow him to undertake a journey to which the monks and barons of St. Edmunds are opposed: Anselm has pleaded ill-health, but the king, who would gladly arrange for his conduct to a place where he could receive every necessary from the royal bounty if he were sufficiently ill, advises him that it is really best for him to stay at his post. The letter is witnessed by Maurice de Windleshora at Winchester. It is not unlikely that it alludes to Anselm's project, soon after he became abbot, of going on pilgrimage to Compostella,[4] perhaps in 1122.[5]

Another letter in the Holford MS., ff. 2–3, shows us Anselm in attendance on the king at court. Talbot, prior of St. Edmunds, and the convent implore him to return from Normandy; the monastery is sad and in danger without him; if one of his sheep perishes it will be no excuse to plead 'curia regis'; he promised the brethren not to go beyond Normandy unless the king commanded it, but indeed he must not let the king command it. The letter is friendly, almost effusive, in tone: it seems to have been composed or written by one who calls himself 'vester Johannes' and who adds a special message of his own at the end.[6]

Kindred evidence is supplied by a charter,[7] which, as it is attested

[1] Battely, p. 73; Addl. 14847, f. 8 b.

[2] Harl. 1005, f. 218.

[3] Cf. Jaffé, *R. P.*, i. 763, no. 6525.

[4] Harl. 1005, f. 218.

[5] Cf. Dr. Farrer's Itinerary of Hen. I, *E. H. R.*, vol. xxxiv, pp. 518, 524. Maurice of W. attests no. 461, ?1121–1123; and Nigel de Aubigny, another witness of 461, is at Winchester in no. 425, ?1120–1122.

[6] Cf. Ep. 6 and note 4, p. 200.

[7] Addl. 14847, f. 34 b.

by Adelulf, bp. of Carlisle, with Richard de Belfou, R. de Curci and A. de Ver, must be placed as late as 1134, in which the king grants to St. Edmund and abbot Anselm and his successors one *pectura* (or pleidure) of land on the Seine near Rouen, next to the pleidure granted to Geoffrey fitz-Pain 'ad se hospitandum'. This plot ot ground Anselm granted in King Henry's presence to Rayner his own chamberlain and his descendants. Other charters show the king's favour in protecting the town mint,[1] and the market and toll in the town which the abbey had held since abbot Baldwin's time.[2]

When King Henry, after his interviews with pope Innocent II, was returning from Normandy, probably in August 1131, a violent storm overtook him ; he vowed to go on pilgrimage to St. Edmunds.[3] We have two charters which seem to have been signed at St. Edmunds during this visit.[4]

Some idea of Anselm's importance during Henry's reign may be gathered from an incident recorded by John of Worcester. At the Council, dated by him 29 April 1128, at which fealty was sworn to the Empress Matilda, the nobles swore immediately after the bishops, though it was customary for the abbots to precede the nobles. When the abbots were called upon later to swear, Anselm rose and on behalf of them all protested against the indignity thus offered to their order. The king bade them proceed—John gives his words in hexameters—and they then took the oath.[5]

All this secular importance was not achieved without much absence from the abbey. On the whole, as we have seen, the monks bore this as patiently as they could : but we may at the last detect a touch of malice in the note made when the abbot was away on the occasion of the consecration of St. Peter's chapel, probably in 1148, 'tunc abbas Anselmus nequaquam domi aderat'.[6] Anselm was remembered at Bury as a great builder. This is hardly the place to go into the works of his time, which can be well understood from the notices of them in Dr. M. R. James's tract 'On the Abbey of St. Edmund at Bury'.[7] Many minor works

[1] Addl. 14847, f. 33 b.
[2] *Ib.*, f. 33 b.
[3] Joh. Wig., pp. 33, 34.
[4] Addl. 14847, f. 33 b ; cf. Farrer, *E. H. R.*, 1919, p. 566, no. 668.
[5] Joh. Wig., p. 27 ; but cf. Round, *G. de M.*, p. 31.
[6] Harl. 1005, f. 218.
[7] Camb. Antiq. Soc., 1895. The account of the buildings of his time is in Harl. 1005, f. 218 and Add. 14847, f. 21 ; also apparently in *Reg. Sacr.* and

were completed under him and his energetic sacrists, Ralph and Harvey: but the grand nave of the abbey, almost finished in his day,[1] must have been the crowning achievement of his abbacy. Two buildings, one still standing, were specially connected with his name. He seems to have paid for the altar and painting of the north-eastern apse of the procession path,[2] and the altar was consecrated by John, bp. of Rochester, some time before 1136, in honour of Anselm's old patron St. Saba. Anselm's grander memorial was the parish church of St. James, which was rebuilt in the fifteenth century and is now the cathedral. As the nave of the great church advanced it became necessary to demolish an old 'basilica' of St. Denys, which was a parish church: the dedication to St. Denys was preserved in the north-western apse of the new nave, but the parochial duties were taken over by Anselm's new parish church. Soon after his arrival at Bury, perhaps in 1122, Anselm desired to go on pilgrimage to St. James of Compostella[3]: but the wise men of the abbey persuaded him that it would be more wholesome to stay at Bury and build a church in honour of St. James. The funds for the tower of this church were found by Ralph and Harvey.[4] Anselm seems to have resembled King Henry in his devotion to St. James; for the king presented an arm of the saint to the abbey of Reading, his foundation and last resting-place.[5]

*Reg. Alphabet.*, Camb. Pub. Lib., Ff. 2. 33 and Gg. 4. 4 (see Battely, p. 67). It is printed in part, Battely, p. 65 seqq. and *Monast.* iii. 103 note.

[1] Dr. James, *ut sup.*, p. 128. [2] *Ib.*, p. 137.

[3] Apparently an unusual thing in England at this date; cf. Round, *G. de Mand.*, p. 415.

[4] *Gesta Sacristarum*, Arnold, *Memorials*, ii, p. 289.

[5] *Ann. Mon.* (Worc.) R. S. i. 378. This arm, or its hand, wandered; and returned to Reading in 1154. Matt. Par., *Chr. Mai.*, R. S., ii. 210. The date of the consecration of Anselm's new church raises a knotty problem. Harl. 1005 says it was performed by 'Wills̄ turbius archieps̄ cantuar'. Dr. James believes this to mean William de Turbe, bp. of Norwich 1146–1174, the description being added by mistake to the name. Harl. 1005 could easily be misread 'curbius'; and Addl. 14847, a slightly later MS., reads 'Wills̄ curbius Archieps̄ Cantuarie', and Battely seems to have read 'Curbius' in *Reg. Alphabet.* Dr. James is probably right, as his view keeps the several dedications in order; it gives some twenty-five years for the building of the church, and much other building was going on at the same time. If Anselm's friend the archbishop consecrated it the church must have been finished before 21 Nov. 1136. The problem is not made easier by the fact that W. of Corbeil is sometimes called W. de Turbine (Diceto, *de Arch. Cant.*; Wharton, *A. S.*, ii. 687) or de Turbeoil (*Ann. Mon.* (Marg.) Luard, R. S., i. 11).

Before we leave the abbey itself we must notice first the fact, so pertinent to Osbert's letters, that Anselm was remembered there as the inaugurator of two solemnities, 'scilicet conceptus sancte marie quae iam a multis ecclesiis post ipsum celebriter observatur et commemoracionem eius in adventu quam hildefonsus episcopus instituit. et cotidie unam missam de ea et post canonicas horas alias in honore eius celebrandas decrevit.' [1] We also hear of benefactions made by him to the abbey of land in various places, Norwich, Beccles, and Cambridge among them.[2]

Anselm was also remembered as a benefactor of the town. He obtained from King Henry the concession of an annual fair to be held on St. James's day and on two days before and three days after. The charter was signed at Rouen and witnessed by abp. Thurstan.[3] There also exists a copy of the *Cirographum*,[4] the earliest of three similar documents made under different abbots, in which abbot Anselm confirms the arrangements relating to the town made between abbey and town in King Edward's time. The townsmen found two watchmen for each of the four town gates by night all the year round, and a further pair for each gate during the day at the feast of St. Edmund, and a further four for the twelve days of Christmas: the abbot was responsible for the fifth or east gate. The sacrist was to find the material and the townsmen the labour if new gates were needed. The abbey soldiers were to work side by side with townsmen if a new town rampart were needed. All tenants of 'burgalis terra' were to pay a halfpenny at Whitsun and at Martinmas for each 'maisura' held. Other clauses refer to tenure of land and suretyship. The document was witnessed by many from the abbey and from the town, including Ording, Hervey the sacrist, and Talbot the prior (his brother). Anselm's sacrists built both the wall 'circa atrium ecclesiae' and the town wall.

We must now come to the affair of the see of London. For the details of this story our only authority is Ralph de Diceto [5]; and in reading him we must remember that he would naturally uphold the dignity of his predecessor, the dean of St. Paul's, and that in speaking for their own houses the medieval clerks were commonly

[1] Harl. 1005, f. 218 b note: cf. Bishop, *Liturgica Historica*, pp. 242–9.

[2] Addl. 14847, f. 8 b.

[3] *Ib.*, f. 33: cf. Battely, p. 69.

[4] Harl. 1005, f. 281.

[5] Diceto, *Abbrev. Chron.*, R. S., i, pp. 248–52.

betrayed into errors not only of taste but even of fact. The bishop of London, Gilbert the Universal, died in August 1134.[1] Anselm had now been fifteen years at Bury; his patron, if we may so call King Henry, was dead, and no bishopric had come his way. Tho canons of St. Paul's were unable to agree upon a successor to bishop Gilbert: members of the Belmeis family, to which the dean, William, belonged, were on both sides in the quarrel. At length a number of the canons elected Anselm; and when those who belonged to the dean's household appealed to King Stephen, Anselm's party incurred the royal displeasure, and even loss of their own goods, by proceeding in 1137 to take a load of St. Paul's treasures, and Anselm himself 'multa subfarcinatum pecunia' to Rome, where the wind of their money-bag ('aura marsupii rubiginosi') afforded them amid the storms of the time a prosperous course with Innocent II. Anselm returned, and was received at St. Paul's with a solemn procession, demanded obedience from the clergy, seized the possessions of the church and the castle of Stortford, and received the homage of military persons and the allegiance of civilians. Meantime, in 1138, Ording of Stowe had become abbot of St. Edmunds. In 1138 Ralph de Langfort and Richard (II) de Belmeis, of the dean's party, went to Rome armed with the opinions of all the suffragans of Canterbury, and with a statement by abp. Thurstan of York to the effect that it were sounder to remove Anselm from his abbacy than advance him to the bishopric. The papal court, by the mouth of Alberic, bp. of Ostia, quashed the election, on the ground that the dean ought to have had the first voice in it. Anselm returned to Bury and with difficulty regained his abbacy.[2] He seems to have been soon back in Rome, for, as we saw, he was there when Alberic was at St. Edmunds later in 1138, the year in which Abp. Theobald went to fetch his pall.[3] According to our lights, Anselm does not appear well in this story. Diceto might have added that he would have been wiser to have had nothing to do with the family of Belmeis.

Anselm remained abbot of Bury till his death. He died on 3 Jan. 1148.[4] He was buried 'in the infirmary chapel, on the north side, toward the west, between two columns under a marble

[1] 10 Aug., Stubbs, *Reg. Sac.*, Vit. A xvii, f. 15 b.

[2] So far Diceto. Harl. 447, f. 122 = Arnold, *Mem. S. Ed.*, iii, p. 5.

[3] Diceto, p. 252.

[4] Harl. 743, f. 52 = *Monast.* iii. 155. Diceto, *de Archiepiscopis Cant.* (Wharton, *Ang. Sac.* ii. 687) gives the day as 31 July.

stone with a mitred effigy carved (or incised) thereupon.' [1] His anniversary was kept on one of the days between the Circumcision and the Epiphany with a pittance.[2] Anselm had in his lifetime caused Harvey the sacrist to buy property in the town to increase the pittances; among other days mentioned are St. Saba's (10 shillings) and the anniversaries of Archbishop Anselm, and of King Henry and Abbot Anselm's mother which fell on the same day, 1 Dec. (10 shillings).[3] The last of these does not appear to have been kept in Harl. 3977 (xivth cent.). Ten shillings had been provided for Anselm's own anniversary and ten for Harvey's after their death; the money meantime to be used on any day chosen by the pittancer.[4] There seems to have been a statue of Abbot Anselm in the cloister after its rebuilding late in the fourteenth century.[5]

p. 62, n. 2. It seems impossible to determine which of Anselm's many journeys were the occasions of this and the following letter. On the whole it seems likely that this letter was written at the time of Anselm's sojourn with the king in Normandy, and that letter 6 was sent at the same time as the second Holford letter to urge him to go no farther than Normandy. Osbert's request at the end of letter 5 that Anselm will remember to look after his interests would suit well with a visit to the king. Osbert seems to have been Anselm's guest at Bury in the time of letter 5, and to have been still there to welcome him when letter 6 was written.

p. 62, n. 3. Compare and contrast Hildebert of Le Mans (Lavardin), Ep. II, xxii: Tu autem cor *meum et gloria mea, deliciae regum, principum gratia, decus in clero, amor in populis, exemplar honesti*, *speculum gratiae*, *fidei forma*, et nostrorum *Orpheus* saeculorum, persona *fidibus* . . .

p. 62, n. 4. Cf. the letter of Prior Talbot and the monks (*inter alia multa*): 'Redi, amate, redi ad amantes. Senes cum iunioribus, literati cum illiteratis, pro absentia tua dolentes, multa pignora sui animi luctisonis vocibus demonstrant. Respice, deplorate; respice te plorantes,' etc.[6]

[1] James, p. 147, from the Douai Register.

[2] Harl. 3977, f. 20: the day is decisive for his death as against Diceto.

[3] Holford MS., ff. 3, 4.

[4] *Ibid.* Harvey's anniversary is shown in Harl. 3977 after Nat. B.V.M. and immediately before Michaelmas. It was kept with *flaones* (or flans) and *faverett* (beans or onions, *O.E.D.* s. v.). Anselm's delicacy is not stated.

[5] James, p. 146.

[6] Holford MS., f. 2 b.

### 7. *To the same* (On the Feast of the Conception)

p. 65, n. 1. See the Introduction, pp.11–14.

This letter is fully considered in Edmund Bishop's *Liturgica Historica*, pp. 242–7 (reprinted, with subsequent additions, from the *Downside Review*, April 1886).[1] See also Gasquet and Bishop's *Bosworth Psalter*, 1908, pp. 45 sq.

Mr. Bishop gives evidence for the existence of the festival at Winchester about the middle of the eleventh century. He believes the celebration in this letter to have taken place at Westminster, 8 Dec. 1127, shortly before the consecration of Bp. Gilbert the Universal to London in Jan. 1128 ; the vacancy would explain why Bps. Roger and Bernard were called in. But if Osbert was absent from Westminster, *proscriptus*, all this time we should look for the feast rather elsewhere, perhaps in the West Country. Dec. 1128 is also a possible date, for the Council legitimizing the feast was not until some time between July and Oct. 1129.[2] So far it has proved impossible to discover where Bps. Roger and Bernard were in Dec. 1127 or 1128.[3]

### 8. *To the same.*

p. 68, n. 1. Eastertime ; perhaps 1132–6, after R. de Sommery's death and before Roger became abbot of Tewkesbury.

p. 68, n. 2. Sen. Ep. xvii. 11 has 'Reges Parthorum non potest quisquam salutare sine munere : tibi valedicere non licet gratis.' Cf. Osbert in *de Miraculis Sancti Edmundi*, ii. 10 (Arnold, p. 182) : 'Vetus enim consuetudo est Parthorum,' etc.

p. 69, n. 3. St. Anselm died 21 Apr. 1109 ; the Wed. next before Easter, at dawn.[4]

p. 70, n. 4. This Roger is perhaps the first member whom we know of the famous family of Sommery, which seems to have taken its origin at Sommery, a village in Seine-Inférieure about seven-and-a-half miles ESE. of St.-Saens. Roger de Sumeri attests a charter *c.* 1102 of the gift by Robert de Hai of the church of Bassaleg to

[1] Also reprinted as a separate tract *On the Origins of the F. of the Conception*, Burns and Oates, 1904.

[2] Joh. Wig., ed. Weaver, p. 29 n.

[3] They were together at Eling, Aug. 1127 (Dr. Farrer in *E. H. R.*, vol. xxxiv, p. 543).

[4] Eadmer, R. S., p. 417.

Glastonbury[1]; and another, which has six witnesses in common with the Glastonbury charter, of Ranulph, physician to King Henry I, granting to the cell of Montacute at Malpas land in the marsh of Mendelgif.[2] It is probably the same person who attests at London a St. Paul's charter of 1106.[3] He seems to have been still alive in 1130, in which year one Roger de Sumeri paid 8 marks to the exchequer for his wife's mother's land in Kent:[4] for it is scarcely possible that this Roger can be identified with the undoubtedly later Roger of *c.* 1154–85.[5] Besides property in Somerset,[6] the family held the castle of Dinas Powis, near Cardiff, and it was perhaps here that Roger died. The family held this castle till the male line became extinct in 1321–2[7]; it had also obtained by marriage the castle and lordship of Dudley in King Henry II's reign.[8]

That Roger was buried at Tewkesbury is clear from the fact that Tewkesbury is the only church of St. Mary in Gloucestershire and near the Severn which possessed an abbot, Deerhurst being a priory of Westminster; and this is borne out by the fact that members of the Someri family are recorded as benefactors of Tewkesbury in the time of abbot Alan, 1187–1202.[9]

p. 70, n. 5. There was a Roger who became abbot of Tewkesbury in 1137.

p. 70, n. 6. *Scyphus, patera, vas.* For fine bronze bowls of about this period, perhaps used as *lavabo* or as rose-water bowls, bearing incised representations of classical or sacred scenes, see Mr. O. M. Dalton in *Archaeologia,* vol. lxxii, 1922, pp. 133 sqq. Two such bowls with classical subjects were dug up a century ago in the Severn about four miles below Tewkesbury at Haw Bridge. St. Anselm's bowl, however, does not seem to have been of great value. For a *scyphus* valued by St. Anselm as a gift from Lanfranc see S. Ans., *Ep.* i. 1. Such a bowl might well have passed to the

[1] Adam of Domerham, Hearne, ii. 606; Clark, *Cartae et Munim. de Glamorgancia*, i. 38.

[2] Montacute Chart. no. 164, Somerset Rec. Soc., viii, p. 182.

[3] *Monast.*, ed. 1673, iii. 309 a.

[4] Hunter, *Mag. Rot. Scacc.*, p. 64.

[5] Clark, i, pp. 134, 140.

[6] Som. Rec. Soc., vol. viii.

[7] J. S. Corbett in *Transactions of the Cardiff Naturalists' Soc.*, vol. xlii, p. 74.

[8] *D. N. B.*, art. 'Dudley, John Sutton de'.

[9] Clark, i, p. 200.

wife of Roger I, for we have seen above that she had connexions with Kent.

p. 71, n. 7. Hugh de Digniaco has not come to light elsewhere. The most likely place for his origin is Digny, near Senonches, about forty miles from Séez, where Abp. Ralph had been abbot.

p. 71, n. 7. Abp. Ralph died 20 Oct. 1122. At this time Seffrid Pelochin had been for some two years abbot of Glastonbury.[1] He was then a rising man and twice went to Rome on business, for the king in 1119,[2] for Abp. William in 1123.[3] He was consecrated bp. of Chichester 12 Apr. 1125[4] at Lambeth. He was deposed in 1145 but did not die till 1150.[5] Joh. Wig. couples him with Simon bp. of Worcester as 'eximiae religionis et probitatis viri',[6] but Henry of Huntingdon calls him 'vir Gnatonicus'.[7] Osbert is probably wrong in calling him Abp. Ralph's nephew. Eadmer and W. of Malm. call him his brother. According to *Gallia Christiana* xi. 718, he was the archbishop's half-brother: 'Radulfus I filius erat Seifridi d' Escures ex prima eius uxore Rasscende, et germanus Seifridi filii Seifridi et Guimordis, ex monacho Sagiensi abbatis de Glocestre et episcopi de Chichester.' The authority for this is not given, and the name 'Gloucester' seems to be a slip: but Osbert's mistake is easily understood if Seffrid was a half-brother nearly thirty years younger than Ralph.

## 9. *To Adelulf, bishop of Carlisle.*

p. 72, n. 1. As Adelulf was Osbert's kinsman and is not mentioned in *D. N. B.*, we may give some account of his perplexed history.

Adelulf is commonly said to have been prior of Carlisle before he became bishop.[8] The evidence for this statement seems to be a duchy of Lancaster charter.[9] Ferguson,[10] who gives no authorities, says that an Adelulf became prior in 1102 and supposes that there must have been two men of this name. Land for building seems to have been granted as early as 1102, but it seems to have been some twenty years later before much was done.[11] Adelulf was

[1] W. of Malm., *Adam of Domerham*, Hearne, i. 120.

[2] Eadmer, *Hist. Nov.*, R. S., p. 256.

[3] *Saxon Chron.*, E. 1123.

[4] Stubbs, *Reg. Sac.*

[5] Vit. A xvii, f. 15 b.

[6] ed. Weaver, p. 18.

[7] Hen. Hunt., R. S., p. 316.

[8] Ferguson, *Dio. Hist. Carlisle*, p. 66; *Monast.* vi. 141; Creighton, *Historic Towns, Carlisle*, p. 35.

[9] *Vic. Co. Hist.*, *Cumberland*, ii. 150 a, note.

[10] p. 66.

[11] *Vic. Co. Hist.*, p. 131.

certainly prior of the Augustinian priory of St. Oswald at Nostell in 1123, when with Geoffrey, abbot of York, he bore to William of Corbeil Abp. Thurstan's proposal that William should be consecrated by Thurstan.[1] This office he continued to hold after he became bishop by privilege from Calixtus II.[2] He was still prior in 1140.[3] Burton dates his successor Seuard 1153. This seems likely enough, for Seuard was certainly prior before King Stephen's death[4]; and on the other hand Adeluf's letters concerning the election of Seuard as his successor speak of his own failing health.[5] Adeluf was King Henry's confessor[6]; and the king, who in founding the see of Carlisle had to conciliate the abp. of York and the bp. of Glasgow, who had formerly held its land with little peace, found in him one who as prior of Nostell and therefore canon of York would be acceptable at least to Abp. Thurstan.[7] Bp. Creighton suggests that the king first made him prior and then made him bishop with his seat in the priory; but this is scarcely probable, since both our original authorities, John of Hexham and Robert of Torigny, call him simply prior of Nostell at the time of his elevation to the bishopric. It was, as is well known, the only Augustinian cathedral in England, and Robert of Torigny[8] says that Adeluf, as bishop, placed the canons there. There were certainly canons there by 1128, for a charter of King Henry I addressed to them is witnessed by William Giffard, who died in that year.[9] Possibly the *Vic. Co. Hist.*[10] is right in suggesting that Adeluf changed the character of the convent which he found. The date of his consecration at York is given by John of Hexham as early in Aug. 1133.[11] According to Burton he died 16 June 1156, but Eyton gives the date as to 10 May 1157.[12]

On 3 Aug. 1133 King Henry took his last journey to Normandy,[13]

[1] T. Stubbs, Twysden, col. 1717; indeed 1122, see *Vic. Co. Hist.*, *Yorks.*, iii. 234.

[2] Burton, *Monast. Ebor.*, p. 310. A charter in Vesp. E xix, f. 6 b runs 'Adelolfus eps̃ Carlol̃ et canonici sc̃i oswaldi'.

[3] *Vic. Co. Hist.*, *Cumberland*, ii. 150, n. 4.

[4] Vesp. E xix. f. 6 b. Charter of K. Stephen at Lincoln, attested by Nig. bp. of Ely, Ric. de Curci, Rad. de Haia, and Adā de belū.

[5] Vesp. E xix, f. 76.

[6] R. de Monte, ed. Howlett, *Chron. of Stephen*, R. S., p. 123.

[7] Creighton, p. 35.

[8] p. 123.

[9] *Monast.* vi, p. 144, no. 1.

[10] 131 a.

[11] Symeon Dun., R. S., ii. 285.

[12] *Court, Household*, &c.

[13] John of Hexham, *ut sup.*

where he remained till his death, 1 Dec. 1135. Adelulf had been bishop in the temporal sense for some little time before his consecration, for in a charter of the king dated at Winchester, Adelulf is described as bp. of Carlisle.[1] After the consecration he followed the king to Normandy, and we find him at Rouen witnessing several charters which fall between 1133 and 1135.[2] Thus while the king was at Rouen, Osbert's kinsman Adelulf and the archbishop Hugh, who attended the king on his death-bed,[3] and whom Osbert had once, at any rate, claimed as his greatest friend, were close at hand. The intervention of one or both of these may have had something to do with Osbert's return to Westminster in 1134.

Adeluf's later history must not detain us. He was at the Easter council of Stephen at Westminster, March 1136,[4] and at Oxford later, probably in April[5]; at Évreux in 1137[6]; was at Durham protesting against William Cumin's devastations in 1144, and at his submission on St. Luke's day[7] in that year; and was at Richmond in 1147 where he joined in electing Henry Murdac abp. of York[8]; and he did homage to him in Carlisle in 1148.[9] Once he had dealings with another of Osbert's correspondents. In 1136 Stephen granted to Henry son of David king of Scots the earldom of Carlisle. The soldiers of King David made the town a rendezvous for ravaging expeditions in England, and the town suffered much. In 1138 Adelulf enlisted the sympathy of Alberic the legate; Adelulf accompanied the legate to Carlisle, and there Alberic urged the king to peace with England, and in particular restored Adelulf to his bishopric and the favour of the king.[10]

Vitellius A xvii gives the spelling of his name as Ađelwoldus. There seems to be little doubt, however, that Adelulf was the name. In various forms—Adulfus, Aldulfus, Adelulfus, Adthelulfus, &c.—it seems to be universal in the printed text of our historians, though in at least two cases (Wharton and Howlett) Adelulf in the text is represented by Adelwold in the index. Burton (pp. 301,

[1] Round, *Doc. in France*, p. 213–14.

[2] *E. H. R.*, 1908, p. 727; Round, *Doc. in France*, pp. 98, 126, 342 (of 1134), p. 99 (of 1135).

[3] *D. N. B.*, Hen. I, 451 a.

[4] Round, *G. de Mandeville*, p. 263.

[5] Ric. Hexham, ed. Howlett, *Chron. of Stephen*, R. S., iii. 149; cf. John of Hexham, R. S., ii. 288; Round, *G. de M.*, p. 22 sq.

[6] Round, *Doc. in France*, p. 99.

[7] Symeon of Durham, i. 155, 160.

[8] John of Hexham, R. S., ii. 320.

[9] *Ibid.*, p. 322.

[10] Creighton, *Carlisle*, p. 36; Ric. of Hexham, R. S., p. 170; John of Hexham, R. S., ii. 298.

310) seems to have found Adelweld, Adelward and Athelward in his MSS. The Nostell Chartulary (Vesp. E xix) gives Adelolfus at f. 6 b, Adeloldus at f. 76 b, and Adewaldus at f. 125 b; but as this is a late book these may be only instances (like the cases in modern books) of an unwarranted lengthening of the A. or Adel. which occurs so often in his attestations.

p. 72, n. 2. For Osbert's use of this commonplace cf. Ep. 14, p. 82, and *De Miraculis S. Edmundi,* Arnold i, p. 108.

p. 73, n. 3. Osbert must have in mind the preface of the old sacramentaries for the consecration of bishops, in which prayer is made that the virtues signified by the ancient vestments of Aaron may shine in the new prelate's character; but there is no verbal coincidence.[1] The source of Osbert's interpretation of the high-priestly vestments is somewhat difficult to identify. See appendices to Marriott's *Vestiarium Christianum.* He seems most closely to follow Bede, *de Tabernaculo et Vasis Eius,* Lib. iii (Migne, vol. xci), but some of his interpretations come from other sources. Close verbal similarity occurs in the interpretation of the *lamina,* where Bede uses the words, 'Vel certe auro inscriptum *in fronte sacerdos* Sanctum domini gestat, ut insinuet mystice quod ita *passionem domini* et salvatoris nostri, per *quam redempti sumus, venerari et amplecti* debemus *ut claritatem in* illo *divinae maiestatis per quam creati sumus pariter confitendum esse* noverimus: *ita mortem assumptae* ab illo *humanitatis confiteri ut eamdem* mox humanitatem in aeternam de morte gloriam *resurrexisse* fateamur' (cap. vii). Bede's interpretation is much more elaborate than Osbert's, but in some other points, e.g. the *talaris tunica* = perseverance 'usque ad finem vitae' (cf. Rabanus Maurus), *hyacinthus* = 'spes caelestis', Osbert seems to draw upon him rather than other authors, and he agrees with him in other interpretations which seem to be common to Bede, Rabanus Maurus, and Ivo of Chartres. Osbert (i) compares the materials of the priestly vestments to the four elements, and (ii) says that these elements are contained in all men. Bede glances at idea (i) in relation to the *superhumerale,* but does not work it out. St. Jerome (Ep. lxiv. 19) uses it in relation to all the vestments, and it seems to come ultimately from Philo; but Osbert does not seem to have made much use of Jerome's interpretation, which is mainly astrological or geological rather than moral. Ivo of Chartres (d. 1115)

[1] The contemporary form is in the *Pontifical of Magdalen College,* H. B. S., pp. 74, 75.

alone appears to use both the ideas (i) and (ii) in relation to the girdle (Serm. iii, Migne, vol. clxii. 521 b). It is noteworthy that, while up to Bede writers are content to interpret the Mosaic vestments, after his time they seem to find it necessary to take into account some of the differences between the Mosaic and the ecclesiastical vestments and to explain the ecclesiastical: and there is evidence, though it is slight, of attempts to assimilate the vestments of civil origin actually worn to the Judaic.[1] Honorius Augustodunensis, almost exactly contemporary with Osbert, gives in his *Gemma Animae* an elaborate interpretation, in which he is concerned to identify the *superhumerale* with the amice, and so forth, and says of the *rationale*, '(pontifex) hoc in nostris vestibus praefert per ornatum qui auro et gemmis summis casulis in pectore affigitur.'[2] Osbert, however, is content to address Adelulf as if he wore the Aaronic vestments: just as an illumination in the great Winchester bible, c. 1150, shows Joshua the son of Josedec receiving his *mutatoria* from one figure on his right who places an ample chasuble on him, and one on the left who offers a low mitre and a maniple; cf. Ep. 1, p. 43 and note. For Osbert's use of Bede, cf. Ep. 41, pp. 148–50 and note.

## 10. *To Robert de Sigillo.*

p. 75, n. 1. A little can be added to the account of Robert given in Wharton's *Episc. et Dec. Lond. et Assav.*, 1695, pp. 57–8. The name by which he is generally known seems to be derived from his office in the court of Henry I[3]: in two transcripts he receives the name 'de Sigei'[4] but there seems to be no place of this name. He attests a large number of royal charters which seem to run from about 1126 to the end of King Henry's reign, sometimes along with the chief nobles, sometimes alone with the king.[5] Once he met St. Bernard of Clairvaux.[6] After Henry's death the attestations cease. Robert clearly favoured the Empress Matilda, and it was

[1] Marriott, *op. cit.*, pp. lxxviii–lxxx, cf. Scudamore, *Not. Euch.*, p. 89.

[2] *Gemma Animae*, ccxiii, Migne, vol. clxxii, 607, 608. The *rationale* can be seen sometimes in effigies of the thirteenth century: e. g. Bp. Gyffard at Worcester, and another effigy shown by Prior and Gardiner, *Medieval Figure Sculpture in England*, fig. 653.

[3] Like Richard de Sigillo, bp. of Hereford. John of Hexham says he had been *cancellarius regis*.

[4] Round, *Doc. in France*, pp. 41, 42.

[5] Round, *Doc. in France*.

[6] *Ibid.*, p. 508, no. 1388.

probably in the troubled times that he entered the monastery of Reading, where he was a monk when the Empress appointed him bishop of London.[1] The bishopric was actually given to him when the Empress entered London in June 1141, but Robert seems to have been bishop in a temporal sense some months earlier.[2] He was consecrated by Abp. Theobald.[3] When the Empress departed from London on midsummer day Geoffrey of Mandeville signalized his desertion of her cause by seizing her bishop at Fulham.[4] He probably ransomed himself and followed Matilda to Oxford.[5] Robert was remembered at St Paul's as founder of the office of treasurer.[6] He was a good man,[7] but spirited withal.[8] The feelings of the citizens of London seem to have been divided concerning him[9]; and in 1151 we are told that he met his death together with other learned and distinguished men by eating poisoned grapes.[10] He seems to have become reconciled in mind towards King Stephen, for in 1147 we find him with Bps. Hilary of Chichester and William of Norwich softening Abp. Theobald towards the king.[11]

This letter, in which Osbert is prior and Robert is at court, *inter allophylos,* probably belongs to 1134–5, while Robert was at the Norman court.

## 11. *To Elmer, prior of Christ Church, Canterbury.*

p. 76, n. 1. The date of Elmer's coming to office does not seem to be known. His predecessor Gosfrid became abbot of Dunfermline in 1128.[12] Elmer died on 11 May 1137.[13] This letter cannot be before 1134, for Osbert is in office as prior at Westminster, having transferred his ill-humour from the abbey to the court; and must be before Elmer's death.

[1] Gervase Cant., R. S., i. 119; cf. Joh. Hag. (Symeon of D.), R. S. ii. 309; Cont. Flor. Wig. (G.), Thorpe, ii. 131.

[2] Cf. Round, *Geoffrey de Mandeville*, pp. 67, 68.

[3] Gervase, ii. 385.

[4] We have only the late authority of Trivet, ed. Hog, p. 13, and Matth. Westm., R. S., ii, p. 63, under the annal 1142, which is full of plain errors. But see Round, *G. de Mand.*, p. 117.

[5] *G. de Mand.*, p. 123.

[6] Wharton, *de Episc.*, &c., p. 57.

[7] Joh. Hag., *ut sup.*

[8] 'vir animo magnus', Hen. Hunt., R. S., p. 316.

[9] *G. de Mand.*, p. 118 n.

[10] Joh. Hag., R. S. ii. 324; but see Arnold's Introd., ii. p. xxxvii. Gervase (i. 142) dates 1150, in a passage which seems to be dislocated.

[11] Gervase, i. 136.

[12] Joh. Wig., p. 28.

[13] Wharton, *Ang. Sac.*, i. 137; B.M. Arundel 68, f. 27, confirms day of obit.

Like Osbert, Elmer was an author of some note for learning and piety, but probably a poor man of business. Leland, who had seen three at least of the eight works ascribed to him by Bale, found him well-versed in the Fathers to a degree which might be envied by the monks of a later day, 'melius pasti quam docti'.[1] Letters and other works by him are preserved in the seventeenth-century transcript Trin. Coll. Camb. O. 10. 6, where presumably they are copied from Otho A xii, a volume which was reduced to a few illegible fragments in the Ashburnham House fire. Parts of these works were published by Anstruther, along with H. de Losinga and Osbert in 1846: the *incipits* appearing here show that the Gale MS. contains four of the works mentioned by Bale. Smith in his Cotton catalogue calls them 'liber asceticus et vere pius'. Another letter of Elmer's occurs in Bodl. MS. Digby 39, f. 99; it is addressed to one William and laments Elmer's distraction from study and contemplation. Gervase three times speaks of Elmer's guilelessness.[2] His priorate began gloriously; for on Sunday 4 May 1130 the choir begun by Conrad was dedicated in the presence of the kings of England and Scotland and of twelve bishops. But his last years were troubled. Henry I granted the church of St. Martin at Dover to the cathedral priory. A new church was built outside the town, and in 1136 Abp. William, being himself ill, sent John bp. of Rochester and Bernard of St. Davids to introduce canons regular from Merton. This was perhaps the beginning of the quarrels under Abps. Baldwin and Hubert about the colleges at Hakington and at Lambeth. The monks stoutly resisted the proposal, but Elmer went against them and sided with the bishops. Jeremiah the subprior came to Dover and withstood the bishops to the face; and the canons were forced to retire. Abp. William came to Canterbury but died soon after: and twelve Canterbury monks occupied Dover priory, only to be turned out next year by Henry of Blois, and then reinstated by Abp. Theobald in 1138. Gervase says this defeat hastened the abp.'s end.[3] A year later Elmer too was dead: and Jeremiah sat in his stall,[4] until Abp. Theobald, in 1143, caused his retirement.[5]

[1] *Commentarii*, 1709, p. 178. Bale says he had read, besides the great doctors, such authors as Bede and Haymo.

[2] Gerv. Cant., R. S., i. 98 ('vir magnae simplicitatis et eximiae religionis'), ii. 288, ii. 383. Leland, *Comm.*, p. 187, calls Osbert 'vir magnae simplicitatis'. Lanfranc, Ep. lvii, rebukes an abbot for 'simplicitas'.

[3] Gervase, ii. 383.

[4] Gervase, i. 98–101, 109; ii. 288.

[5] *ib.* i. 127.

p. 76, n. 2. *designatus.* Surely not equivalent to the modern 'designate' as is supposed in *D.N.B.*, art. 'Clare, Osbert de'; but to the more common 'dictus'.

## 12. *To Simon bp. of Worcester.*

p. 77, n. 1. Simon had been clerk [1] or chancellor [2] of Queen Adeliza. The Waverley statement that he had come with her from Louvain [3] is corroborated by the fact that in May 1127 he had crossed the water to visit his relatives.[4] He was elected bp. in Normandy along with Seffrid [5]; crossed to England with John of Crema [6]; was received at Worcester on Ascension Day, 7 May 1125 [7]; ordained priest on the Saturday after Whitsunday and consecrated the next day, 24 May, at Canterbury with John bp. of Rochester [7]; and enthroned at Worcester probably on Saturday 21 June.[8] William of Malmesbury writes of him: 'Simon affabilitate et morum dulcedine, munificentiaque quoad res episcopatus angustae pati possunt, insignis habetur'.[9] His generosity is attested by his benefactions to his cathedral priory.[10] His gentleness was perhaps apt to lead him into weakness of discipline; at least Gilbert Foliot thought so.[11] He was one of three bishops who accompanied Abp. Theobald to Rome in 1139 [12] when he went to get his pall: and thus perhaps missed some of the stirring things that occurred at Worcester in that year. He died in 1150 [13]; on 20 Mar. 1149–50 according to *Annales Menevenses.*[14]

This letter is not in the Gale MS., nor are the devotions which it accompanied. Hence no part of it appears in Anstruther. It must almost certainly be dated about 1137. It precedes the letter to Warin, for we are there told that the exercises which accompanied

[1] Mat. Par., *Chron. Mai.*, R.S., ii. 152.

[2] Joh. Wig., p. 18. W. Malm. (*G.P.*, R.S., p. 290) calls him her chaplain, but he was not ordained priest so soon.

[3] Waverley Annals, ed. Luard, R.S., ii. 219.

[4] Joh. Wig., p. 23.

[5] *ib.*, p. 18.

[6] *ib.*, p. 19.

[7] *ib.*, and Diceto, *Abbr. Chron.*, R.S., i, p. 244: dated 8 May by both.

[8] Reading with Stubbs Kal. Jul. for Kal. Jun. in both places. Diceto, whom we follow, dates two days earlier than John.

[9] *G.P.*, R.S., p. 291.

[10] Cf. *Vic. Co. Hist. Worc.*, ii, pp. 97, 98.

[11] *Epp.* G. Foliot, ed. Giles, i, pp. 50, 51, with which cf. letter ciii, *ib.*, pp. 128, 129.

[12] Joh. Wig., p. 54.

[13] *Ann. Mon.* (Tewk.), R.S., i. 47; (Osney), iv. 26.

[14] Quoted by Wharton, *Ang. Sac.*, i. 475 n.

it have found such favour that Warin has asked for more; and follows closely on the death of an abbot of Pershore. Wido was abbot of Pershore from before 1102 (when he was deposed,[1] though he returned certainly by 1125 [2]) till his death early in Aug. 1136 or perhaps 1137.[3] It is unlikely that another abbot of Pershore died before Warin[4] (see below, p. 212).

p. 77, n. 2. Dom Wilmart has lately edited some Burgundian 'chants' of the eleventh century in honour of St. Anne.[5] But the feast is almost unknown in the west before the thirteenth century; it was formally introduced into England by Urban VI, 21 Nov. 1378.[6] Thus we find that of the three MSS. used by Wickham Legg for his *Sarum Missal*, 1916, all of which are dated c. 1330, the Crawford MS., perhaps slightly before 1300, lacks all mention of the feast, the Paris MS. 'A' has it at 26 July in the Calendar, and the Bologna MS. 'B', probably somewhat after 1300, has it inserted in a later hand in Calendar and text. The thirteenth-century date was 21 July. It is therefore possible that Osbert came to the west country for the feast in 1136; and thus found himself at Wido's funeral early in August. Perhaps also the feast of the Assumption had brought him there. As to Worcester, the feast of St. Anne is not mentioned among the feasts to be observed there *c.* 1240 in Claud. A viii, f. 216.

p. 79, n. 3. There follow in Vit. A xvii: (*a*) sermon, *Gaudeamus solenniter*, (*b*) a metrical prayer, *O preclara mater matris*, (*c*) hymns, *O beata mater Anna*, (*d*) prayers in rhymed prose, *Sancta et illustris* and *Ecce iterum generosa parens*. These pieces are omitted from this edition of Osbert's letters, as they have been lately edited by Dom A. Wilmart in *Annales de Bretagne* (Faculté des Lettres de Rennes), tom. xxvii, 1926, pp. 1–33. The hymns are also printed in Dreves, *Anal. Hymn.*, xv. 186, xxxiii. 36. It may be noted to Osbert's credit that of the nine lessons for the feast of St. Anne in

[1] Symeon of Durham, ii. 235.

[2] Joh. Wig., p. 19; see Introd.

[3] For 1136 we have the Dublin MS. of Cont. Flor. Wig. which calls Wido 'vir eximiae religionis et magnae prudentiae' and dates 5 Aug., and the Gloucester MS. which calls him 'vir magnae sed mundanae prudentiae' and dates 4 Aug., for 1137 *Ann. Mon.* (Tewk.), i. 46.

[4] William, abbot of Pershore, was elected 1138 (*Ann. Mon.* i. 46) and was blessed by Simon, Sun. 20 Nov. 1138 (Joh. Wig., p. 52): there was a Thomas in 1161 and a Reginald in 1162 (*Monast.* ii. 411).

[5] *Ephemerides Liturgicae*, Rome, 1928.

[6] *Catholic Encyclopedia*, New York, 1907, vol. i, p. 539.

the Sarum Breviary, the first three are taken (with omissions and slight insertions) from the first part of Osbert's sermon, and a passage in the seventh lesson is also derived from him (*Brev. ad Usum Sarum,* Procter and Wordsworth, iii, 543–6, 550). The sermon has also, in Vit. A xvii, been used in the fourteenth or fifteenth century, for twelve lessons, as noted by Dom Wilmart (p. 20); and the last prayer has at some time been adapted for public use.

## 13. *To Warin, dean of Worcester.*

p. 79, n. 1. Warin's dates seem to be very uncertain. The account of him in the *Monasticon,* i. 580, is based on *Ang. Sac.* i. 548, according to which he is named as head of the monastery in a charter of Henry I about 1130. He perhaps succeeded prior Nicolas, who died Tues. 24 June 1124.[1] Malmesbury's Life of St. Wulstan, dedicated to the prior and convent of Worcester, names him as prior. He was prior at least as late as 1140, for he is so named in the foundation charter of the priory of St. Mary at Alcester.[2] This charter is interesting, as it shows Bp. Simon together with Warin joining to foster the cult of the Virgin. Ralph Pincerna, the founder, has been urged by Bp. Simon and G. the prior, and the foundation is in honour of the glorious mother of God, Mary, the blessed Anne her mother, Joseph the foster-father of our Saviour, St. John Baptist, St. John Evangelist, and All Saints. Warin was indeed renowned for his devotion to the Blessed Virgin. Like Benedict, abbot of Tewkesbury, he either said or heard mass daily in her honour; and he had a vision in 1137 in which both he and Benedict were spoken of as 'sanctissimae Mariae capellani'.[3] The daily mass reminds us of Abbot Anselm's institution at Bury.[4] Warin cannot have lived much beyond 1140, for by 1145 two more priors had gone their way, Ralph through death in 1143,[5] David deposed in 1145.[6] The title of dean, as alternative to prior, deserves to be noted.

p. 80, n. 2. There follows in Vit. A xvii, (*a*) an interpolated tract on Abbot Elsin's vow at sea[7] and (*b*) Osbert's Sermon on the Conception, *Hodiernae diei mysterium.* These pieces are printed by Frs. H. Thurston and T. Slater in *Tractatus de Conceptione Sanctae*

[1] Joh. Wig., p. 18.
[2] *Monast.* iv. 172.
[3] Joh. Wig., p. 41.
[4] See above, p. 198.
[5] *Ann. Winchcombe,* quoted by Wharton *ut sup.*
[6] *Ann. Mon.* (Tewk.), R. S., i. 46.
[7] See Introd., pp. 33–4.

*Mariae*, 1904, pp. 88–92, 65–83. The curious may care to notice two cases of Osbert's patristic borrowings in his sermon: 'Et sic inter homines . . . commutant a nostris' (f. 104, T. and S. pp. 70–1) from S. Greg., *Hom. in Ez.* i. 7, and 'terra . . . Maria, de nostro semine . . . fructus ex terra' (f. 107 b, T. and S. pp. 78–9) taken closely from St. Jerome's *Breviarium in Ps. lxvi.*

## 14. *To Alberic the legate.*

p. 80, n. 1. A full account of his legature can be seen in Richard of Hexham, ed. Howlett, R. S., pp. 167–77. He had been monk and subprior of Cluny, prior of S. Martin des Prés, subprior ot Cluny again, abbot of Vercelli[1]; he was consecrated bp. of Ostia, Easter 1138,[2] and reached England as legate in August of that year. He visited various places, reached Durham in the later part of September, visited Hexham, where Richard met and liked him; was at Carlisle dealing with the king of Scots, 26–9 Sept., and was again in the south by 11 Nov. On 13 Dec. he opened the Council of London or Westminster at Westminster Abbey. On 8 Jan. he consecrated Theobald at Canterbury[3] and soon afterwards left England. The letter probably must be assigned to this autumn or winter. Alberic may have been in London on 4 Jan., the anniversary of King Edward's death. (Bloch, *op. cit.*, p. 111 n.)

p. 81, n. 2. *praepositus.* 'prior qui et praepositus in regula nominatur.' *Cust. St. Peter Westm.*, H. B. S., ii, p. 9. The term was becoming old-fashioned: W. Malm. says of St. Wulstan 'praepositus, ut tunc, prior, ut nunc, dicitur, constitutus'.[4]

p. 81, n. 3. Cf. Hildebert of Le Mans (Lavardin), Ep. II, xiii, to St. Anselm: '*Beatum* sane *pectus*, quod *virtutum* conventus *reverendum* sibi *penetrale* consecravit. Inde *velut ex abditis divina prodeunt oracula*.' As the margin shows, Osbert seems to have been much under Hildebert's influence in this letter.

p. 83, n. 4. For Osbert's written sources cf. M. Bloch, as cited above, p. 22; for oral testimony, Ep. 15, p. 84.

[1] *Sic* Stubbs in Gerv. Cant. ii. 454, Weaver in Joh. Wig., p. 46; 'Vézelay Howlett, Ric. Hag., p. 168.

[2] Joh. Wig., p. 46; Gerv. Cant. i. 101.

[3] Gerv. Cant. i. 109.

[4] *Vita S. Wlstani*, *Ang. Sac.* ii. 247.

### 15. *To Henry bp. of Winchester.*

p. 83, n. 1. Stephen's fourth year began 1 Dec. 1138. Henry of Blois was made legate 1 Mar. 1139 but seems not to have announced the fact till the Council of 29 Aug.[1]

### 21. *To his niece Margaret.*

p. 89, n. 1. Cecilia and Margaret, to whom the next two letters are addressed, were daughters of Osbert's sister and nuns in the abbey of Barking. See letter to Adelidis, p. 178.

Probably Cecilia, whom Osbert mentions first, was the elder sister: but it seems likely that we must discard the MS. order and place the letter to Margaret in the summer of 1139, when Osbert was packing for his journey and looking forward to visiting St. Cecilia's tomb, and suppose the Cecilia letter to belong to 1140, Osbert having accomplished this desire and also heard a new story of St. Laurence at Rome.

### 22. *To his niece Cecilia.*

p. 92, n. 1. *per fenestras, id est per propheticam et apostolicam doctrinam.* St. Ambrose *in Cant.* i. 9 interprets the windows as the prophets. All other authors down to Anselm of Laon (*fl.* 1100) seem to interpret the windows as the dubious light of the miracles. Honorius Augustodunensis (d. *c.* 1120) gives, like Osbert, both apostles and prophets (Migne clxxii. 391).

p. 93, n. 2. *aedituus.* The secretary or sacrist—as in Eadmer, *Life of St. Anselm* (p. 6, ed. Gerberon). The *Customary of St. Peter's Westminster*, H. B. S., ii, p. 64, states the satisfaction to be made by the sacrist or his subordinate who has caused the convent to be late for matins.

p. 95, n. 3. *In craticula.* 'In craticula te deum non negavi, et ad ignem applicatus te Christum confessus sum; probasti cor meum et visitasti nocte, igne me examinasti: et non est inventa in me iniquitas.' Antiphon for Benedictus at Lauds on St. Laurence's Day, *Brev. ad Usum Sarum*, Procter and Wordsworth, iii. 656.

[1] W. Malm., *Hist. Nov.*, R. S., pp. 550, 551. Gerv. (i. 100, 101) is confused and makes Henry legate before Alberic, but Malm. is positive though he quotes the date of the bull from memory.

## 23. *To Abbot Anselm.*

p. 96, n. 1. With the greatest hesitation this letter is printed at the head of the letters belonging to the period of poverty 1140–50. It is not easy to believe that it was written when the elder Anselm had been dead thirty years, and the younger had come to England as legate twenty-five years before; and its place in the MS. might lead us to suppose that it belongs to an early period of poverty, afterwards relieved by a stay at Bury. On the other hand Osbert's assertion that he has chosen and adhered to Anselm as his best friend, and the mention of Anselm's *corrosores* may point to a late date—a time, perhaps, when Anselm, having failed to obtain the see of London, was inclined to remain in Rome—and it seems best to keep it with the other closely parallel letters in which Osbert appears at the head of an establishment, but in deep poverty. These follow in the MS. order. See note on Ep. 30.

p. 97, n. 2. *decinctoribus,* not in Du Cange or Forcellini; cf. *cingulo laetitiae* below.

p. 97, n. 3. For this entanglement of the words cf. the verses in W. Malm. *G. R.* § 439 (R. S., p. 511); and other cases in Raby, *Christian-Latin Poetry,* p. 304, who cites Hauréau in *Journal des Savants,* 1882, p. 282. But all these cases are in verse.

p. 99, n. 4. *praesistarchiis. Sistarchiis* occurs, e. g. *Gesta Abb. S. Albani* (R. S. i. 180): Abbot Robert (1151–66) 'argenteum a sistarchio volens extrahere extraxit aureum; et porrigens mendico dixit: Dei voluntas fuit, frater.'

p. 99, n. 5. This complaint recurs in letters 26 and 30.

## 24. *To Stephen, prior.*

p. 99, n. 1. Stephen, prior of Thetford 1107, had been succeeded by Constantine in 1131 (*Vic. Co. Hist. Norfolk* ii). Perhaps this letter belongs to Osbert's first 'exile'.

p. 100, n. 2. The same complaint occurs in letter 28.

## 25.

p. 100, n. 1. This unnamed monk, one of the twelfth-century humanists, may have been under Osbert's charge in his cell of the abbey.

p. 102, n. 2. *Flaccus ille tuus.* Cf. p. 103, 'Minervam doceo'. The well-known commonplace, used e.g. by Abelard, and Gir. Cambr., and by Henry of Huntingdon in reference to Henry I's unhappy appetite for lampreys, comes from Ovid as in the margin; see also E. K. Rand, *Ovid and his Influence*, p. 133.

## 27.

p. 106, n. 1. From Suet., *Titus* viii. 1; but without verbal coincidence.

## 29.

Possibly the last letter to Anselm.

## 30.

p. 108, n. 1. The dating of this letter opens the way to endless speculation. The pertinent facts seem to be: (1) Osbert is about to start on 1 Sept. for a Council; (2) there he hopes to speak with one 'cuius tibi germanus sanguis et mihi amicitia concinnat venustatem'; (3) his correspondent has 'cathedra' and 'potestas', is claimed by Osbert as a friend, is very generous and has indeed helped Osbert already; (4) Osbert is 'in paludis antiquae barbara cohabitatione proscriptus', and in great poverty: his servants demand payment: his trouble is 'nova iniuria'.

Possible Councils seem to be:

(*a*) The Council of London or Westminster, presided over by John of Crema, 8–10 Sept. 1125,[1] at which Abp. Thurstan, Abp. William,[2] twenty bishops, and forty abbots were present. Possibly Alexander, bp. of Lincoln, who was consecrated 2 July 1123, is Osbert's correspondent; and Roger of Salisbury, his uncle, the person with whom Osbert hoped to have speech. Hen. Hunt.[3] speaks of Alexander's 'laudabilis munificentia', and gives an epigram concerning it in which occur the words:

Dando tenere putans thesauros cogit honoris,
Et gratis dare festinans, ne danda rogentur,

with which may be compared Osbert's 'et non quaerentibus ultro satis eleganter occurris'.[4]

[1] *Sax. Chr.* E; Farrer, *E. H. R.*, vol. xxxiv, p. 535.

[2] Symeon of Durham, R. S., ii. 278; (Symeon's order)—who dates 9 Sept. 1126.

[3] R. S., p. 246.

[4] The Council given by the *Sax. Chr.* as 30 Sept. 1129 seems impossible;

(*b*) The Council of Northampton, 8 Sept. 1131.[1] Osbert had friends at this Council, as may be seen from the attestations in 'Sarum Charters', pp. 6, 7. Alexander and Roger were present. King Henry presided and Henry of Blois, now in the second year of his episcopate, was present; and it is possible that they are the persons in question.

(*c*) The Winchester Council of 1143, presided over by Henry of Blois, which seems to have taken place in September.[2] Alexander was present, but Roger was dead. But William Fitzherbert, nephew both to King Stephen and Bp. Henry, was abp. elect of York at the time, and was consecrated by Henry on 26 Sept. 1143. William and Henry might then be the correspondent and his kinsman; or, though this is unlikely, Henry and King Stephen.

Osbert's position might agree with the sad plight described in this letter in any of these years. We place the letter, most tentatively, here, partly in order to preserve the MS. order, and partly because the allusion to an ancient marsh brings it in line with the letter of 1153 to Abp. Theobald; and the interruption of study to which Osbert refers seems to agree with the letter to Abbot Geoffrey de Gorham, which there is reason to place after 1140, and the 'nova iniuria' points to a second era of misfortune. But it is possible that the whole batch of letters (MS. xxiv–xxviii, here 26–30) belongs to the earlier period.

## 31. *To Clarebald.*

p. 110, n. 1. Perhaps Clarembald, first abbot of Feversham. English Cluniacs might perhaps be called 'filii transmigrationis'; though the allusion to a 'dead brother' is clearly to Christ, whose work Clarembald is said to carry on. Clarembald received his benediction as abbot from Abp. Theobald, 11 Nov. 1147.[3] He had been prior of Bermondsey from 1134,[4] and brought twelve monks with him.[5] He seems to have died before 1177, for his successor

the journey could not take so long, and Dr. Farrer (p. 551), with Hen. Hunt., dates this council on 1 Aug.

[1] Hen. Hunt., R. S., p. 252; *Sarum Charters*, R. S., pp. 6, 7; Round, *G. de M.*, pp. 264, 265.

[2] Hunt in *D. N. B.*, 'Henry of Blois', p. 566 a.

[3] Gerv. Cant., R. S., i. 138.

[4] *Ann. Mon.* (Luard, R. S.), Berm. iii. 435.

[5] *ib.*, p. 438; dated 1148.

Guerric (also prior of Bermondsey [1]) signs as abbot on 7 May 1177 [2]; the day of his death appears as 4 April.[3]

If the letter be to this Clarembald, it must be after 1147, and cannot really be before the next two. But it seems unnecessary to disturb the MS. order, for what it is worth.

Clarembald, canon of Exeter, to whom Hildebert of Le Mans addressed a letter certainly before 1125, and perhaps soon after 1102,[4] seems at once more venerable and less like a monastic officer than the person Osbert here addresses. But it is interesting to find Hildebert using the same play on his name: 'Clarem balde, immo clare valde.'

### 32. *To Geoffrey, abbot of St. Albans.*

p. 114, n. 1. An interesting account of abbot Geoffrey de Gorham, or Gorram, may be seen in Walsingham's *Gesta Abbatum Mon. S. Alb.*, ed. Riley, R. S., i, pp. 72–107, based mainly on the earlier work of Matthew Paris.[5] Geoffrey, who had been a schoolmaster before he became a monk, succeeded Richard de Albini, who died 16 May 1119, as abbot. Geoffrey died on 25 Feb. 1146.[6] He must thus have been of a good age by 1140, a fact to which Osbert perhaps alludes in his salutation, 'sic caelestis sapientiae canis albescere'. It is on account of this phrase that the letter must be dated late.

Osbert must have been in many ways congenial to Geoffrey, for we find this abbot founding a small priory of women at Sopwell about 1140,[7] rebuilding the nunnery of H. Trinity of the Wood,[8] and encouraging the hermit Roger's 'good Sunday's daughter' Christina by founding for her the house of Markyate [9]; and among the feasts which he caused to be kept with special dignity at St. Albans is the Conception of the Blessed Virgin.[10] To understand the poem we need a prior Ademar in some house of St. Pancras; but there is no room for one in the list of Lewes, the likeliest place. Osbert might expect a good reception from Geoffrey, for Walsingham gives an account of Geoffrey's benefactions to the kitchen

1 Gerv., i. 277, dating his arrival 1178.

2 Thorpe, *Reg. Roff.*, p. 411.

3 Cott. MS. Nero C. ix. f. 9.

4 Ep. iii. 3, *Hildeberti Opera*, ed. Beaugendre, Paris, 1708, p. 171, cited by Bishop, *Lit. Hist.*, p. 409; Migne, clxxi. 284. The early dating is Beaugendre's.

5 Introd., pp. x, xiii, xvii.

6 *Gesta Abb.*, p. 96.

7 *ib.*, pp. 80 sq.

8 *ib.*, p. 95.

9 *ib.*, p. 103.

10 *ib.*, p. 93.

and care for the monks' bodily needs,[1] and speaks twice of his kindness to the afflicted,[2] which moved him during the troubled times to strip St. Alban's shrine of the gold he himself had had laid upon it, in order to bribe William of Warrenne, William of Ypres, and others not to burn the town.[3]

p. 115, n. 2. 'Lia laboriosa'. Hier. *de N. H.* (Gen.).

## 33. *To the monks of Ely.*

p. 116, n. 1. Tanner mentions another MS. of this letter 'In Coll. Fr. Thin. Anstis MS. e libro Eliensi'.

p. 116, n. 2. Osbert occurs as prior in 1135–6, the year in which King Henry died, receiving reparation from William of Neufmarché for wrongs done to the convent. By 1146 ('anno undecimo regni regis Stephani') he had been succeeded by Herbert, who attests as prior.[4] The letter must probably be before 1146.

p. 116, n. 3. Bromholm, co. Norfolk, a Cluniac priory founded in 1113 from Castleacre, itself founded from Lewes.

p. 116, n. 4. Wenlock in Salop, refounded in 1070 by Roger of Montgomery as a Cluniac house, from La Charité sur Loire, or direct from Cluny.

p. 117, n. 5. Eleven ancient dedications to St. Etheldreda are given by Miss Arnold-Forster. Of these only Hyssington, a parish in Shropshire and Montgomery, is on the borders of Mercia and Wales. For Hyssington see Eyton, *Antiq. of Shropshire,* xi. 164, 165.

p. 117, n. 6. It is possible that this is the Herbert de Fourches who attests a charter of Umbald, prior of Wenlock, dated about 1160 by Eyton, *Antiq. of Shropshire,* iv. pp. 42, 43. But as Osbert of Daventry was telling the story before 1135, it is more likely that the elder 'Herbert', who held Corfton in Domesday and whom Eyton[5] conjectures to be the later Herbert's grandfather, may be the person referred to. One Christianus de Furcis occurs in a Séez charter dated before the Conquest by Eyton,[6] and it is possible

[1] *ib.*, pp. 73–5. [2] *ib.*, pp. 82, 94.

[3] p. 94. Cf. *D.N.B.* on these nobles; Miss Norgate says it was the abbey they proposed to burn.

[4] Claudius D xii, f. 82 b, f. 156 b, both quoted in *Monast.* v. 176 and *Vic. Co. Hist. Northants.*, ii. 113.

[5] Vol. v, p. 44. [6] xi. 226.

that the family took its name from some place in that neighbourhood: the only Fourches in Joanne's gazetteer is on a tributary of the Dives, about five miles south-east of Falaise. For later members of the Shropshire family, see Eyton, v. 45, 46, vi. 53.

### 34. *To Silvester, abbot of St. Augustine's, Canterbury.*

p. 119, n. 1. Apparently of Christmas 1153—'dies misericordiae', 'reformatam pacem'. Sylvester was elected abbot by the convent after the death of Hugh II,[1] which occurred 25 June 1151.[2] His history had been somewhat stormy. He was prior, but he had led the monks in disregarding the interdict of 1147: he himself was deposed for a time, and the convent was suspended from services for twenty weeks in 1149, monks from Ch. Ch. being introduced into their church to take the services which the queen required there.[3] The story of how Abp. Theobald refused on the ground of this 'infamy' to give the new abbot his benediction, and of how by appeals to Rome, backed by the King and Henry of Blois,[4] the monks of St. Augustine's forced Theobald in 1152 to give benediction to Silvester, though he made no profession until 1157,[5] when he apparently did so,[6] may be read in the highly coloured St. Augustine's account of Thorn,[7] and from the Ch. Ch. point of view in Gervase. Silvester died 13 Aug. 1161,[8] and was succeeded by Clarembald, a secular, ejected in 1176.[9]

p. 120, n. 2. 6 Nov. 1153[10] at Wallingford.

### 35. *To the Seniors of Westminster.*

p. 120, n. 1. For the procedure in such cases see Benedictine Rule, c. lxi, Migne, *P. L.* lxvi, col. 854 and n. 858. The later Westminster rules are in *Cust. S. Aug. Cant. and S. Peter Westm.*, H. B. S., ii. 79–88; where the prevalence and intermingling of Cistercian guests in early days is noticed (p. 87).

[1] Gerv., Cant., R. S, i. 147. [2] Thorn, Twysden, *X Scrr.*, 1810–11.
[3] Gerv. i. 136, 139; Thorn, 1807–10. [4] Gerv. ii. 385.
[5] Gerv. i. 148. [6] *ib.*, i. 163, 164. [7] coll. 1810–15.
[8] Thorn, 1815. [9] *ib.*, 1819.
[10] R. de Monte, p. 177. Miss Norgate, *England under the Angevin Kings*, i. 400.

### 36. *To Theobald abp. of Canterbury.*

p. 122, n. 1. After Nov. 1153. For Theobald's part in the peace see Hen. Hunt., R. S., p. 289.

p. 123, n. 2. On 10 Oct. 1153 Theobald consecrated Roger of Pont-l'Évêque abp. of York, acting as legate. (Hunt in *D. N. B.*)

p. 124, n. 3. Osbert's interpretation agrees with Hugh of St. Victor (? 1096–1142), Migne, *P. L.* clxxv. 72, except that Hugh, according to Migne, reads BETH not ETH. This interpretation does not occur in Augustine, Bede, Rabanus Maurus, or Walafrid Strabo, the other apparently possible sources.

p. 125, n. 4. *Life of St. Edward,* Addl. MS. 36737, f. 153 b, ed. Bloch, p. 112: 'ut enim quidam sapiens ait, musica in luctu inportuna narratio est.' The quotation from Ecclus. is not used by S. Aug. where we might expect it—*Ennarr. in Ps. cxxxvi* or *Conf.* ix. 12 or the *De Musica*—and the explanation of Osbert's slip or slips must be sought elsewhere.

### 37. *To a royal person.*

p. 128, n. 1. Apparently the young Henry Fitz-Empress; possibly Henry, bp. of Winchester.

### 38. *To Prince Henry.*

p. 130, n. 1. Printed also by Joseph Stevenson in the notes to *Scalacronica,* Maitland Club, 1836, pp. 242–4. Prince Henry left England for Normandy after the peace, early in 1154. After Stephen's death he returned on 7 Dec. and was crowned 19 Dec. His literary interest is well known; his earliest tutor, Peter of Saintes, was learned above his contemporaries in the science of verse. The hexameters with which Henry of Huntingdon greeted his arrival can be seen in *Hist. Ang.,* R. S., p. 291. His coronation was still to come when this letter was written.

p. 130, n. 2. Henry was lord of Anjou, Touraine, and Maine as son of Geoffrey of Anjou (d. Sept. 1151); Normandy his father had conquered in 1147. In May 1152 he acquired the duchy of Aquitaine, of which the county of Poitou was part, by his marriage with the duchess Eleanor.

p. 130, n. 3. Henry's good peace had begun at once with the destruction of adulterine castles, five of which had so greatly harassed Osbert.

p. 130, n. 4. Cf. Ep. to Theobald, p. 124.

p. 130, n. 5. Cf. Elmer, Ep. iii, MS. Trin. Coll. Camb. O. 10. 16, f. 359; Anstr. 1846, p. 218:

'Unde egregie in laude cuiusdam probi viri dictum:
Extitit hic magnus, duris leo, mitibus agnus';

and Bernard of Morlas, *De Contemptu Mundi*:

'Sceptriger est, fremit, hos levat, hos premit, estque tyrannus;
Quodque magis fleo, mitibus est leo, furibus agnus.' Wright, *Satirical Poets*, R. S., ii. 51.

and Robert of Gloucester on William the Conqueror, in Morris and Skeat, *Specimens*, ii, 11, ll. 279–86.

p. 131, n. 6. Fulk V, father of Geoffrey of Anjou, became king of Jerusalem in 1131, his second wife being Melisend, daughter of Baldwin II king of Jerusalem. Fulk's sons by the second marriage, Geoffrey's half-brothers Baldwin III and Amalric, became successively kings of Jerusalem.

p. 131, n. 7. Ascalon fell on 12 Aug. 1153, after being besieged for some six and a half months by Henry's uncle, Baldwin III. Damascus was not attacked.

p. 132, n. 8. Smith, *Dict. Biog.*, ii. 611; not in Jerome's account of him in *De Vir. Ill.*

p. 132, n. 9. William, the eldest son of Henry and Eleanor, was born 17 Aug. 1153.[1] The nobles swore fealty to him 10 Apr. 1155.[2] He died in 1156 and was buried at his great-grandfather's feet at Reading.[3]

## 40. *To Ida, a nun, a niece of Queen Adeliza.*

p. 135, n. 1. Perhaps of Barking, since she is under St. Ethelburga's protection.

p. 138, n. 2. *ferreo sed flameo*, MS., altered by *cor. rec.* to 'ferro sed flamma'. 'Ferrea' for fetters is given in Du Cange, Suppl. ii. 391. Cf. *Vita St. Edburgae*, Bodl. Laud. Misc. 114, f. '100': 'quedam virtutis erat femina flameo christi insignita'.

[1] R. de Monte, ed. Howlett, R. S., p. 176.
[2] *ib.*, p. 184.
[3] *ib.*, p. 189.

p. 139, n. 2 a. It is not clear whether Adeliza was living at this time. She was married to Henry 24 Jan. 1121: after his death she lived at Arundel and was married to W. de Albini Pincerna, with whom she was living probably till 1150, when she retired to the abbey of Affligam in Flanders. There she died 24 Mar. 1151 (Round in *D.N.B.*)

p. 139, n. 3. Cf. *Passio Gloriosae Virginis Agnetis a S. Ambrosio Edita*, Mombritius, *Sanctuarium*, ed. 1910, i, p. 42, for this robe.

p. 140, n. 4. Cf. Laderchi, *S. Caeciliae Virg. et Mart. Acta*, 1722, p. 39; Mombr., i. 333, 334, for crowns and lilies presented to Caecilia and her espoused husband Valerian.

p. 140, n. 5. Mombr. i. 37, ii. 107.

p. 140, n. 6. Mombr. i. 557, 558.

p. 140, n. 7. Cf. Mombr. i. 283 for Catherine's conversion of fifty philosophers brought to confute her, and of the Empress Araba.

## 41. *To Matilda of Darenth.*

p. 141, n. 1. Darenth, a small village on the river of that name, three miles above Dartford, retains a charming little Norman sanctuary and a Norman font which may have existed in Matilda's day. This letter has several initials richly coloured, denoted by capitals in the text.

p. 141, n. 2. The Benedictine abbey of Malling in Kent, founded c. 1090 by Gundulf, bp. of Rochester.

p. 141, n. 3. 'Nazareth, flos aut virgultum eius, vel munditiae, aut separatus, vel custodita.' Hier. *de N. H.* (Matth.)

p. 142, n. 4. This explanation does not seem to occur in any commentary on Judges in Migne.

p. 148, n. 5. The interpretation of the twelve stones here given seems to be derived closely from the *Explanatio Apocalypsis* of the Venerable Bede, a work from which such authors as Walafrid Strabo, Haymo of Halberstadt, Anselm of Laon, and Ric. of S. Victor seem to draw freely. Osbert's explanation agrees in sense much more closely with Bede than with any of these; but he has, contrary to his earlier custom, changed the wording almost entirely. It is, of course, possible that both he and Bede used an earlier commentary which we have not seen. The explanations of almost all the stones come from Bede, together with such details as the Arimaspian griffin-hunting. The explanation of the amethyst 'ardor caritatis' appears to be Osbert's own, though it has some resemblance to Bede's and to that of Haymo. Osbert diverts the topaz, which like Bede he calls the most royal of stones, from Bede's explanation, the contemplative life, to his own favourite virtue of chastity. He perhaps attempts to compensate for this by stressing the notion of contemplation in his remarks on the sapphire. Another difference seems to be that while Bede looks for the several virtues in different characters Osbert seems to expect all in a single individual.

Bede's words on the chalcedony are:—'Chalcedonius quasi ignis lucernae pallenti specie renitet, et habet fulgorem sub dio, non in domo. Quo demonstrantur hi qui caelesti desiderio subnixi, hominibus tamen latent, et quasi in abscondito, ieiunium, eleemosynas precesque suas, agunt. Sed cum, vel doctrinae, vel aliis sanctorum usibus in servitute, ad publicum procedere iubentur, mox quid fulgoris intus gesserint ostendunt. Nam quod sculpturis resistere, radiis autem solis ictu, vel digitorum attritu si excandeat, paleas ad se rapere dicitur, talibus merito congruit qui, a nullo suam fortitudinem vinci permittentes, ipsi potius fragiliores quousque in sui luminis ardorisque iura coniungunt,' &c.

In his letter of Introduction to Bk. II of the Miracles of St. Edmund (Arnold, R. S., i. 153 f.) Osbert interprets the twelve stones of the High Priest's breast-plate. But the interpretation there does not come, like some of Osbert's interpretation, from Bede's *De Tab. et Vasis Ejus.* It has something in common with several of the explanations in this letter, and was perhaps freely made by Osbert himself.

p. 150, n. 6. Bede reads 'Pretiosa in conspectu domini mors sanctorum eius', which is the reading of the V. L. and the Vulgate, and the Sarum Breviary.

## 42. *To Adelidis, abbess of Barking.*

p. 153, n. 1. The charter of her appointment as abbess by King Stephen will be found in an *inspeximus* of 7 Ric. II.[1] In this she is spoken of as sister of Pain Fitz-John. Adelidis succeeded Agnes,[2] or perhaps Queen Maud who held the abbey in custody early in

[1] *Cal. Charter Rolls*, v. 283, no. 5; *Vic. Co. Hist. Essex*, ii. 116, 120.
[2] *ib.*, no. 10.

Stephen's reign, as her aunt Queen Maud had done under Henry I.[1] She is named as abbess in several charters here preserved.[2] A Cotton charter of Stephen shows the court at Barking during her abbacy.[3] She seems to have founded the hospital of St. Mary at Ilford, to which dedication was afterwards added St. Thomas of Canterbury, in Stephen's reign, for twelve poor infirm men: this still exists as a hospital for aged couples.[4] She was succeeded in 1173 by Mary, sister of St. Thomas the martyr.[5]

If the rubric at p. 157 be correct, the letter must belong to the early part of the reign of Henry II. The king was in France Jan. 1156 to the beginning of Apr. 1157, and Aug. 1158 to Jan. 1163.[6]

p. 155, n. 2. For Osbert's devotion to St. Cecilia cf. p. 91. St. Aldhelm in '*De Virginitate*' speaks of Cecilia and Judith, but his work does not seem to be used by Osbert.

p. 155, n. 3. Mombritius, *Sanct.* i. 331, l. 16, an early Passion. The rest of Osbert's account is fairly closely connected with this passage: e.g. 'subtus carnem cilicio erat induta; desuper auratis vestibus tegebatur' (i. 332, l. 54), quoted also by W. Fitz-Stephen, *Life of Becket*, R. S., iii. 37.

p. 156, n. 4. Osbert seems to owe nothing to Thomas of Ely.[7] His information, but not his words, may come from Bede.

p. 157, n. 5. Osbert had probably only crossed the sea once, on his Roman journey; and Normandy to him would be a strange land.

p. 157, n. 6. The poetical diction in this section is due to Osbert's close following of Ovid, *Fasti*, iii. 11–54. The story of Silvia is used also in the Prologue to the *Life of St. Edburga*, though there the wording is not so strongly tinged by Ovid. He repeats the metaphor: 'Non est igitur alienum si ex urtica lilium prodeat,

1 *Cal. Charter Rolls*, v. 283, no. 8.

2 Nos. 1. 2, 5, 11. In the last Dr. Farrer suggests Agnes for Adelica: but there seems to be no reason against making it a charter of Hen. II, as W. de Albini Brito did not die till 1155–6 (Round in *D.N.B.*).

3 Lysons, *Environs*, iv. 64.

4 *Vic. Co. Hist. Essex*, ii. 186–8; *Monast.* vi. 628.

5 Diceto, *Ymag. Hist.*, R. S. i. 371; *Cal. Char. R.*, *ut sup.*, no. 12.

6 Eyton, *Court, Household*, &c.

7 *Boll. Act. Sanct.*, 23 June, p. 417.

cum de spina rubens rosa excellenter erumpat; quia et in luto aurum queritur, et pretiosa margarita in uilibus conchis et arena maris invenitur.'

For the revival of classical studies in the eleventh and twelfth centuries, and particularly for the popularity and allegorizing of Ovid's *Metamorphoses,* which 'became a school book and . . . a necessity for the cultured', cf. O. M. Dalton in *Archaeologia,* vol. lxxii, pp. 146, 147; C. H. Haskins, *The Renaissance of the Twelfth Century,* pp. 107–9; E. K. Rand, *Ovid and his Influence,* pp. 131–2.

p. 162, n. 7. The references to Judith are to the Old Latin. See Pierre Sabatier, *Bibl. Sac. Lat. Vers. Antiquae,* 1751. The Vulgate of Tobit and Judith was made by Jerome from what he called a book 'Chaldaeo sermone conscriptus inter historias'. Dr. Charles (*Apoc. and Pseudepig.,* i, p. 244) concludes that this was a loose version of the story in Aramaic of the nature of midrashim: and that Jerome in using it was influenced by reminiscences of the O. L. Jerome himself says in his preface to Judith that he translated more 'sensum e sensu quam ex verbo verbum transferens'; and the Vulgate is shorter than the O. L. The longer O. L., taken from the Greek version of the original Hebrew which is lost, was therefore retained in many MSS. of the Vulgate; particularly those copied in Spain in the ninth and tenth centuries (Berger, *Hist. de la Vulgate,* 19, 22, 25), and N. France (*ib.* 67, 95, 101). Sabatier collated five such MSS. Osbert appears to have read his Judith in a Bible descended from or related to the Saint-Riquier Bible, written in 822, Saint-Germain 3 and 4, now Paris B. N. 11504–5, described by Berger on p. 93. This may be concluded from his first quotation.

*iuxta eum.* a reading peculiar to Germ. 4, as against Regius and Germ. 15 which have *contextum*; and the Corbie MS. which has *intextum.*

*auro et purpura.* All have *purpura et auro.*

p. 163, n. 8. *in fontem,* Germ. 4 and Germ. 15; *In fonte,* Regius.

p. 166, n. 9. *ad dominum.* The O. L. MSS. omit *ad.* Corb. reads *adorabat dominum.* Germ. 15 omits *Israel.*

p. 167, n. 10. *stragulam.* In this loose quotation O. makes *stragula* fem. sing., whereas it is neut. plur. in the O. L. MSS. The fem. sing. does not seem to occur elsewhere without *vestis.*

p. 168, n. 11. *vocavit. vocavit ad coenam.* O. L. MSS.

p. 169, n. 12. *idolorum servitus. simulacrorum servitus,* Vulg. Germ. 15 and Claramontanus have *idolorum* in the O. L., but the vulgate of Eph. v. 5 has 'avarus, quod est idolorum servitus', and O. may have quoted from memory and conflated the two.

p. 170, n. 13. *Ecce Vir,* &c. The Vulgate and O. L. have *Ecce vir Oriens nomen eius.* Jerome in his commentary sets out this passage for discussion with several differences from the Vulgate, but these words stand as in the Vulgate. Lower down in the Commentary he writes *Ecce vir, cuius nomen est Oriens.*

p. 171, n. 14. *placuerunt. latuerunt* Vulg. *didicerunt* Regius. *placuerunt* is given by Sabatier from Codex Luxoviensis, a seventh-century MS.; and he says that it occurs elsewhere.

p. 174, n. 15. *in nullo potest.* Vulg., O. L.

p. 174, n. 16. *in hanc horam. in hac hora,* Regius &c. 'Germ. 4 pro *hodierna die* [which stands in Corbie MS. after *respice*], hab. *hanc horam*' (Sabatier).

p. 174, n. 17. *tuarum. mearum,* all MSS. of the O. L.

p. 175, n. 18. He here paraphrases Judith xiii. 9. *apprehendit* (for *comprehendit*) occurs only in Corbie.

## 43.

The prefatory letter to the *Life of St. Edburga* seems worthy to be added to those in Vit. A xvii.

p. 181, n. 1. A similar miracle at Lucca is noticed, but without contemporary reference, by E. Mâle, *L'Art Religieux du Douzième Siècle en France,* p. 255.

p. 182, n. 2. Cf. *Vita St. Edw.* Add. 36737, f. 157 b, ed. Bloch, *Anal. Boll.,* xli, p. 123: 'et licet tenuis scientie scriptor tuus decoratus uirtutibus non resplendeat osbertus qui de castello quod clara dicitur natiuitatis duxit originem, eterne per te glorie consequatur claritatem.'

## Additional Note on Osbert's Use of Seneca.

Osbert's genuine quotations of Seneca are drawn entirely from the Letters. One sentence ascribed to the correspondence of St. Paul and Seneca (p. 39) is taken from St. Jerome's *De Viris Illustribus.* The three other phrases ascribed to Seneca had baffled a wider search, but the right track has now been shown by Professor Walter Summers of Sheffield. Two are paralleled in the *Sententiae* of Publilius Syrus: p. 106, l. 8, is B. 22 in R. A. H. Bickford-Smith's edition of the *Sententiae* ('Benignus etiam . . . cogitat'), and p. 122, l. 18, is B. 27 in the same edition (though again the last word differs, Publilius having 'obtinet' as the metre requires). The third, p. 177, l. 3, is taken from the pseudo-Senecan *De Moribus*, No. 81 (ed. Haase, 1902, Supp., p. 63). These two works in various forms were combined in the Middle Ages and known as Seneca's *Proverbs.*

# INDEX


Adela of Blois, 84.
Adelidis, abbess of Barking, 10 f., 153 ff., 224.
Adeliza of Louvain, queen, 16, 139, 210, 223.
Adelulf *or* Athelwold, prior of Nostell and bp. of Carlisle, Osbert's kinsman, 11, 72 ff., 196, 203 ff.
Ademarus, a prior, 115, 218.
Ailmar, 16.
Ailred, abbot of Rievaulx, 19, 22 f.
Alberic, bp. of Ostia, legate, 18, 80 ff., 188, 195, 199, 205, 213.
Alexander III, pope, 19 f.
Alexander, bp. of Lincoln, 18, 216 f.
Allen, Miss Hope Emily, 17 n.
Almarus, *see* Elmer.
Ambrose, St., 52, 103.
Aminadab, the *quadriga* of, 59, 176, 191.
Anarchy under Stephen, 120, 121, 122 ff., 130.
*Ancrene Riwle*, the, 17 n.
Anna, king of East Angles, 116.
Anne, Feast of St., 14 f., 77 ff., 211.
Anselm, abp. of Canterbury, St., 13, 63 f., 69 ff., 97, 192 f.; *De Spiritu Sancto*, 72, 97.
Anselm, abbot of Bury St. Edmunds, 11 ff., 19, 26, 29, 62 ff., 64 f., 65 ff., 68 ff., 96 ff., 191 ff., 215.
Anstruther, Robert, 35.
Antonius, ? monk of Tewkesbury, 70.
Ascalon, capture of, 131.
Athelwold, *see* Adelulf.
Augustine of Hippo, St. (125), 221.
— (pseudo-), 50.
Azo, a monk, 77.

Bale, John, bp. of Ossory, 21 f., 23, 25.
Barking, abbey of, 16, 23; abbesses of, 224 f.; nuns of, *see* Cecilia, Margaret; Osbert at, 154.
Bede, the Venerable, 148, 177, 206 f., 223 f.
Belmeis, *see* William.
Bernard, bp. of St. Davids, 12 ff., 65, 201.
Bishop, Edmund, 12, 14, 201.
Bloch, Professor Marc, 18 n., 22, 37.
Boethius, 55, 56, 190.
Boston of Bury, 21 f., 23, 25, 26, 32.
Bromholm, priory of, 116, 219.
Bury, abbey of St. Edmund at, 26 ff., 194 ff.; abbot of, *see* Anselm; Osbert at, 11, 29, 62, 64, 200.

Canterbury, abp. of, *see* Theobald; abbey of St. Augustine, *see* Silvester; cathedral priory, *see* Elmer.
Carlisle, see and priory of, 203 f.; *see* Adelulf.
Castles, adulterine, 19, 120.
Cecilia, St., 91, 96, 155 ff.
Cecilia, nun of Barking, Osbert's niece, 16, 91 ff., 178, 214.
Christina, canoness of Kilburn, 16.
Christina, wife of Roger of Sommery, 70 ff., 202 f.
Cicero, 110.
Cistercian guests, 121, 220.
Clare, co. Suffolk, 39, 179.
Clarebald *or* Clarembald, ? abbot of Faversham, 110 ff., 217.
Compostella, 195, 197.
Conception of B.V.M., Feast of, 11 ff., 33 f., 65 ff., 198, 201, 212, 218.

Daventry, Osbert, prior of, 116, 219.
David, king of Scots, 18.
David, monk of Westminster, 7 ff., 58 ff.
Digniaco, Hugo de, 71, 203.
Dinas Powis, castle of, 202.

*Edburga, Life of St.*, *see* Osbert of Clare, works of.
*Edmund, Miracles of St.*, MSS. of, 26 ff.; *see* Osbert of Clare, works of.
Edward the Confessor, St., 1, 15, 17 ff., 33, 80 ff., 84 ff.; *see* Osbert of Clare, works of.
Edwius, prior of Westminster, 188.
Eleanor of Aquitaine, queen, 132, 222.
Elias, prior of Westminster, 19.
Elmer, prior of Ch. Ch. Canterbury, 76, 208 f.
Elsinus, abbot of Ramsey, 34.
Ely, Osbert at, 3, 6, 9 ff., 47, 116, 157, 190.
Emma, queen, 84.
Emma, canoness of Kilburn, 16 f.
*Ethelbert, Life or Passion of St.*, 23 f.; *see* Osbert of Clare, works of.
Ethelburga, St., 175 ff.
Etheldreda, St., 10 f., 116 ff., 156 f., 219.
Eustace, prior of Lewes, 183.

Faversham, ? abbot of, *see* Clarebald.
Fécamp, abbey of, 16.
Flete, John, chronicler, 17, 19.
Furcis (Fourches), Herbert de, 117, 219.

Geoffrey de Gorham, abbot of St. Albans, 114, 217, 218 f.
Geoffrey Fitz Pain, 196.
Gervase of Blois, abbot of Westminster, 17 ff., 87 f., 188.
Gilbert Foliot, bp. of Hereford, 19 f., 22, 210.
Gilbert the Universal, bp. of London, 11 ff., 16, 18, 67, 185, 201.
Giraldus Cambrensis, 23 f.
Godfrey, monk of ? Westminster, 40, 185.
Godwin, hermit, 16.
Gore, hundred of, 17.
Gregory the Great, St., 50, 100, 152.
Gregory, monk of ? Westminster, 40.
Gunilda, canoness of Kilburn, 16 f.

Henry I, king, 2 ff., 47, 67, 184, 193, 195 f., 197, 200, 204, 209, 217.
Henry II, king, 19, 23, 128 ff., 130 ff., 157, 221, 225.
Henry of Blois, bp. of Winchester, 18, 83 f., 85, 88, 209, 214, 217, 221.
Henry of Essex, 27, 30.
Henry, presbyter of Westminster, Osbert's kinsman, 6 f., 53 ff., 188.
Herbert, abbot of Westminster, 1 f., 4 ff., 9, 16 f., 49 ff., 187 f.
Herbertus de Furcis, 117, 219.
Hermannus, archdeacon, 27 ff., 31.
Hildebert of Lavardin, bp. of Le Mans, abp. of Tours, 36, 75, 81 f., 200, 213, 218.
Hissington *or* Hyssington, 10, 219.
Horace, (55), 74, 75, (102), (189), 216.
Hugo de Digniaco, 71, 203.
Hugh, prior of Lewes, abbot of Reading, abp. of Rouen, 2 f., 11 f., 39 ff., 67, 183 f., 205.
Hugh of St. Victor, 124, 221.

Ida, nun, niece of Queen Adeliza, 16, 135 ff., 222.
Innocent II, pope, 18, 85, 87 f., 196, 199.

James, Dr. M. R., 23 f.
Jerome, St., 39, 41, 42, 43, 47, 48, 54, 55, 57, 185 f., 188 ff., 206, 213.
Jewish creditors, Osbert's, 100, 107.
Jocundus, a prior, 104.
Johannes, ? monk of St. Edmunds, 195.
*Judith*, Osbert's use of, 226 f.

Kilburn, priory of, 16 f.
Knightsbridge, 17.

Lanfranc, abp. of Canterbury, 13.
Laurence, St., 93.
Laurence, abbot of Westminster, 19.
Leland, John, 21 f., 209.
Lewes, priory of, 2 f., 183 f.; *see* Hugh.
London, bps. of, *see* Gilbert, Robert; dean of, *see* William de Belmeis; chapter of, 14, 18, 87, 199.

London or Westminster, Council of, in 1125, 216.

Malling, abbey of, 16, 141, 223.
Malvern, monk of, 188.
Marcigny, abbey of, 84, 192.
Margaret, nun of Barking, Osbert's niece, 16, 89 ff., 178, 214.
Matilda, the Empress, 18, 196, 207 f.
Matilda of Darenth, nun of Malling, 16, 140 ff.
Maud, Queen of Henry I, 1, 17 f., 192, 225.
Maurice of Windsor, 195.

Nicholas, a monk, 114.
Nostell, priory and priors of, 204.

Osbert, canon of Bromholm, prior of Wenlock and of Daventry, 116, 219.
Osbert of Clare, as prior of Westminster, 6 ff., 11, 15 f., 18, 56, 75, 76, 81, 83, 86, (135), 208, 210; his 'election', 3 ff., 47, 60; in 'exile', 2 ff., 19, 39 ff., 51, 56 f., 60 f., 72, 99, 105, 107, 109, 114; at Westminster, 12 f., 19; his 'little house', 115, 120, 121, 126, 132; in need, 98 f., 99 f., 105 f., 108, 109, 115, 120, 126, 216; in sickness, 107 f., 113 f.; miracles experienced by, 19, 23, 84, 180; on style, 179; character of, 20, 85 ff.
— works of, *Anne, Tractatus on St.*, 14 f., 78, 80, 211 f.; *Armatura Castitatis, De*, 10 f., 153 ff.; *Conception, On the Feast of the*, 14, 79 f., 212 f.; *Edburga, Life of St.*, 16, 21 f., 25 f., 179 ff., 227; *Edmund the King, Miracles of St.*, 11, 19, 21, 26 ff., Holford MS. of, 29 ff., 195, 200; *Edward the Confessor, Life of St.*, 17 f., 22 f. 80 ff.; *Ethelbert, Life or Passion of St.*, 19, 21 f., 23; *Letters*, Vit. A xvii, 21, 33 ff., Gale MS. of, 35, '*Praeclaros Virtutum Titulos*', 21, 32.
— *see also* Bury St. Edmunds, Ely, Pershore.
Ovid, (102), 134, 135, 158 f., 225 f.

Pain Fitz John, 11, 224.
Pershore, abbey of, Osbert at, 15, 25 f., 179.
Publilius Syrus, 106, 122, 228.

Ralph of Séez, abp. of Canterbury, 71, 192 f., 203.
Reading, abbey of, 12, 184; *see* Hugh.
Richard of Cirencester, 19, 23 f., 25, 30 f.
Richeria *or* Richezia, sister of St. Anselm, 192, 200.
Robert of Essex, 16.
Robert II, duke of Normandy, 84, 86.
Robert Fitz Noel, 121.
Robert de Sigillo, afterwards bp. of London, 75, 207.
Roger, bp. of Sarum, 12 ff., 18, 65, 201, 216 f.
Roger, prior and ? abbot of Tewkesbury, 70, 201 f.
Roger, ? monk of Lewes or Westminster, 48, 187.
Rouen, abbot Anselm at, 193 f., 196; bp. Adelulf at, 205.

St. Albans, Geoffrey, abbot of, 114 f., 217, 218 f.
Samson, abbot of Bury St. Edmunds, 26 ff., 32.
Seffrid *or* Siefrid I, Pelochin, bp. of Chichester, 71, 203, 210.
Seneca, 39, 54, 57, 68, 75, 82, ? 98, 102, 109, 110, 134 f., 179, 182, 188, 201.
— (pseudo-) (39), 106, 122, 177, 228.
Silvester, abbot of St. Augustine's, Canterbury, 119 f., 220.
Simon, bp. of Worcester, 15, 77 ff., 210, 212.
Sommery *or* Sumeri, Roger of, 70 f., 201 f.
Stephen, king, 17 f., 85 f., 208, 220.
Stephen, count of Blois, 84.
Stephen, prior of ? Thetford, 99 f., 215.
Sweyn, father of Robert of Essex, 16.

Tewkesbury, abbey of, 70, 201 f.
Theobald, abp. of Canterbury and legate, ? 116, 122 ff., 208, 209, 210, 213, 217, 220, 221.

Thetford, ? prior of, *see* Stephen.
Thurstan, abp. of York, 194, 198, 199, 204, 216.

Uhtred, cantor of Worcester, 188.

Virgil, 59, (142), (170), (191).

Wallingford, Peace of, 120, 221.
Warin, dean *or* prior of Worcester, 14, 25, 79 f., 188, 210 f., 212.
Wenlock, priory and priors of, 219.
Westminster, abbey of, 1, 3, 5, 13, 15 ff., 51, 61, 88, 120 ff.; abbots of, *see* Gervase, Herbert, Laurence; priors of, *see* Osbert, Edwius, Elias; monks of, *see* David, Godfrey, Gregory, Henry, Azo.
Wido, abbot of Pershore, 15, 211.
William, infant son of Henry II, 132, 222.
William of Belmeis, dean of London, 14, 199.
William of Corbeil, abp. of Canterbury, 194, 197 n., 204, 209, 216.
William Cumin, 205.
William of Curzun, 27 ff.
William Fitz Herbert, abp. of York, 217.
William, Osbert's friend, 133 ff.
William, letter of prior Elmer to, 209.
Wilmart, Dom André, O.S.B., 14 f., 37, 211.
Winchester, bps. of, *see* Henry; Nuns' Minster at, 180; Council at, in 1143, 217.
Worcester, bp. of, *see* Simon; cathedral priory of, 14, 210 f.; prior of, *see* Warin; cantor of, *see* Uhtred.

# OTHER TITLES IN THIS HARDBACK REPRINT PROGRAMME FROM SANDPIPER BOOKS LTD (LONDON) AND POWELLS BOOKS (CHICAGO)

| ISBN 0–19– | Author | Title |
|---|---|---|
| 8143567 | ALFÖLDI A. | The Conversion of Constantine and Pagan Rome |
| 6286409 | ANDERSON George K. | The Literature of the Anglo-Saxons |
| 8228813 | BARTLETT & MacKAY | Medieval Frontier Societies |
| 8111010 | BETHURUM Dorothy | Homilies of Wulfstan |
| 8114222 | BROOKS Kenneth R. | Andreas and the Fates of the Apostles |
| 8203543 | BULL Marcus | Knightly Piety & Lay Response to the First Crusade |
| 8216785 | BUTLER Alfred J. | Arab Conquest of Egypt |
| 8148348 | CAMPBELL J.B. | The Emperor and the Roman Army 31 BC to 235 AD |
| 826643X | CHADWICK Henry | Priscillian of Avila |
| 826447X | CHADWICK Henry | Boethius |
| 8219393 | COWDREY H.E.J. | The Age of Abbot Desiderius |
| 8148992 | DAVIES M. | Sophocles: Trachiniae |
| 825301X | DOWNER L. | Leges Henrici Primi |
| 8154372 | FAULKNER R.O. | The Ancient Egyptian Pyramid Texts |
| 8221541 | FLANAGAN Marie Therese | Irish Society, Anglo-Norman Settlers, Angevin Kingship |
| 8143109 | FRAENKEL Edward | Horace |
| 8201540 | GOLDBERG P.J.P. | Women, Work and Life Cycle in a Medieval Economy |
| 8140215 | GOTTSCHALK H.B. | Heraclides of Pontus |
| 8266162 | HANSON R.P.C. | Saint Patrick |
| 8224354 | HARRISS G.L. | King, Parliament and Public Finance in Medieval England to 1369 |
| 8581114 | HEATH Sir Thomas | Aristarchus of Samos |
| 8140444 | HOLLIS A.S. | Callimachus: Hecale |
| 8212968 | HOLLISTER C. Warren | Anglo-Saxon Military Institutions |
| 8223129 | HURNARD Naomi | The King's Pardon for Homicide – before AD 1307 |
| 8140401 | HUTCHINSON G.O. | Hellenistic Poetry |
| 8142560 | JONES A.H.M. | The Greek City |
| 8218354 | JONES Michael | Ducal Brittany 1364–1399 |
| 8271484 | KNOX & PELCZYNSKI | Hegel's Political Writings |
| 8225253 | LE PATOUREL John | The Norman Empire |
| 8212720 | LENNARD Reginald | Rural England 1086–1135 |
| 8212321 | LEVISON W. | England and the Continent in the 8th century |
| 8148224 | LIEBESCHUETZ J.H.W.G. | Continuity and Change in Roman Religion |
| 8141378 | LOBEL Edgar & PAGE Sir Denys | Poetarum Lesbiorum Fragmenta |
| 8241445 | LUKASIEWICZ, Jan | Aristotle's Syllogistic |
| 8152442 | MAAS P. & TRYPANIS C.A. | Sancti Romani Melodi Cantica |
| 8148178 | MATTHEWS John | Western Aristocracies and Imperial Court AD 364–425 |
| 8223447 | McFARLANE K.B. | Lancastrian Kings and Lollard Knights |
| 8226578 | McFARLANE K.B. | The Nobility of Later Medieval England |
| 8148100 | MEIGGS Russell | Roman Ostia |
| 8148402 | MEIGGS Russell | Trees and Timber in the Ancient Mediterranean World |
| 8142641 | MILLER J. Innes | The Spice Trade of the Roman Empire |
| 8147813 | MOORHEAD John | Theoderic in Italy |
| 8264259 | MOORMAN John | A History of the Franciscan Order |
| 8116020 | OWEN A.L. | The Famous Druids |
| 8131445 | PALMER, L.R. | The Interpretation of Mycenaean Greek Texts |
| 8143427 | PFEIFFER R. | History of Classical Scholarship (vol 1) |
| 8111649 | PHEIFER J.D. | Old English Glosses in the Epinal-Erfurt Glossary |
| 8142277 | PICKARD-CAMBRIDGE A.W. | Dithyramb Tragedy and Comedy |
| 8269765 | PLATER & WHITE | Grammar of the Vulgate |
| 8213891 | PLUMMER Charles | Lives of Irish Saints (2 vols) |
| 820695X | POWICKE Michael | Military Obligation in Medieval England |
| 8269684 | POWICKE Sir Maurice | Stephen Langton |
| 821460X | POWICKE Sir Maurice | The Christian Life in the Middle Ages |
| 8225369 | PRAWER Joshua | Crusader Institutions |
| 8225571 | PRAWER Joshua | The History of The Jews in the Latin Kingdom of Jerusalem |
| 8143249 | RABY F.J.E. | A History of Christian Latin Poetry |
| 8143257 | RABY F.J.E. | A History of Secular Latin Poetry in the Middle Ages (2 vols) |
| 8214316 | RASHDALL & POWICKE | The Universities of Europe in the Middle Ages (3 vols) |
| 8148380 | RICKMAN Geoffrey | The Corn Supply of Ancient Rome |
| 8141076 | ROSS Sir David | Aristotle: Metaphysics (2 vols) |
| 8141092 | ROSS Sir David | Aristotle: Physics |
| 8264178 | RUNCIMAN Sir Steven | The Eastern Schism |
| 814833X | SALMON J.B. | Wealthy Corinth |
| 8171587 | SALZMAN L.F. | Building in England Down to 1540 |
| 8218362 | SAYERS Jane E. | Papal Judges Delegate in the Province of Canterbury 1198–1254 |
| 8221657 | SCHEIN Sylvia | Fideles Crucis |

| | | |
|---|---|---|
| 8148135 | SHERWIN WHITE A.N. | The Roman Citizenship |
| 8113927 | SISAM, Kenneth | Studies in the History of Old English Literature |
| 8642040 | SOUTER Alexander | A Glossary of Later Latin to 600 AD |
| 8222254 | SOUTHERN R.W. | Eadmer: Life of St. Anselm |
| 8251408 | SQUIBB G. | The High Court of Chivalry |
| 8212011 | STEVENSON & WHITELOCK | Asser's Life of King Alfred |
| 8212011 | SWEET Henry | A Second Anglo-Saxon Reader—Archaic and Dialectical |
| 8148259 | SYME Sir Ronald | History in Ovid |
| 8143273 | SYME Sir Ronald | Tacitus (2 vols) |
| 8200951 | THOMPSON Sally | Women Religious |
| 8201745 | WALKER Simon | The Lancastrian Affinity 1361–1399 |
| 8161115 | WELLESZ Egon | A History of Byzantine Music and Hymnography |
| 8140185 | WEST M.L. | Greek Metre |
| 8141696 | WEST M.L. | Hesiod: Theogony |
| 8148542 | WEST M.L. | The Orphic Poems |
| 8140053 | WEST M.L. | Hesiod: Works & Days |
| 8152663 | WEST M.L. | Iambi et Elegi Graeci |
| 822799X | WHITBY M. & M. | The History of Theophylact Simocatta |
| 8206186 | WILLIAMSON, E.W. | Letters of Osbert of Clare |
| 8114877 | WOOLF Rosemary | The English Religious Lyric in the Middle Ages |
| 8119224 | WRIGHT Joseph | Grammar of the Gothic Language |